江戸の殿さま 全600家

——創業も生き残りもたいへんだ

八幡和郎

JN266274

講談社+α文庫

序　どうして時代劇は戦国時代からあとばかりなのか
――日本的組織は信長・秀吉・家康の発明

「尾張や三河こそ日本人の心の故郷ではないか」といえば、なにを突飛なことをと思われるだろう。だが、信長、秀吉、家康を生んだこの地域は、江戸三〇〇藩の半数以上がルーツとしたところであり、日本人の社会とか組織というものの考え方は、ここで始まったといってよいほどなのだ。

日本人の心の故郷といえば、「倭《やまと》は国のまほろば」と唱《うた》われた大和の国や、四季折々が美しい千年の都である京都のことが頭に浮かぶ。日本文化とか、国の形といったものを語るには、これよりふさわしい場所はほかにない。

あるいは、日本人の原点ということまで遡《さかのぼ》るとしたら、我々の先祖の多数派である弥生人たちが最初に上陸した九州とか、あるいは、少数派とはいえそれ以前からいた縄文人たちの住まいだった森林や清らかな水辺にＤＮＡを感じることもあるだろう。

だが、社会人としての日本人の意識ということになるとどちらでもない。農業が主だった生計の手段でなくなった今日、日本人は、サラリーマンであれ経営者であれ、ほとんどが企業や団体で働いている。そうした組織についての考え方は、驚くほど江戸時代の武士の世界の倫理観を引きずっている。企業戦士という言葉があるが、まさにそうした意識を言い当てている。

武士の時代というのなら鎌倉時代からである。司馬遼太郎《しばりょうたろう》は、鎌倉時代より前の話は現代人にとってピンとこないと書いている。しかし、この意見には賛成できない。時代劇でも、戦国以前の鎌倉時代や室町時代には人気がない。というのは、家族とか主従といった組織のあり方に現代に通じるものが感じられないからである。

日本の近世を支配した藩は、信長、秀吉、家康によって発明されたものであり、城とか城下町にしてもそうだ。大きな流れで見れば、尾張にあった織田グループが信長という天才経営者のもとで躍進し、従業員だった秀吉が引き継いで天下を統一し、織田グループと友好関係にあった三河の松平グループが事業継承して江戸時代を創ったと考えればよい。

幕府が親会社、藩は子会社である。譜代大名は本社からの出向で親会社の経営にも参画するが、外様大名は、統制はされるが事業は独立してやっているといったようなものである。

私は、この講談社+α文庫で『江戸３００藩　県別うんちく話』という本を書いた。都道府県別に、どんな藩があったかということを整理したのだが、殿さまは幕府のいうがままに移封されたのであるから、天下統一のころから幕末まで同じところにいた殿さまは、わずか一五家にすぎない。ならば、大名家ごとに追いかけてみると、まったく違う展望が開けるはずである。順序にしても、信長、秀吉、家康に仕《つか》えた時期とか血縁関係をもとに並べてみると、殿さま同士の関係に意外な発見がある。

本書では、「創業と生き残り」というところに焦点を当てた。どうして大名になれたのか、移封《いほう》、加増、減俸、取り潰しはどのように行われたかという人間ドラマにしてみたのだ。対象は、幕末まで続いた三〇〇藩だけでなく、関ヶ原あたりを始まりにして途中で消えた藩も扱ったので、約六〇〇家ほどにもなった。

ただ、幕末の各藩の動きを説くには、それだけで一冊を要し、先に『江戸三〇〇藩最後の藩主』（光文社新書）という形で出したので、簡単に触れるにとどめた。

いずれにせよ、どのような基準で取り上げたかなどについては、第一章扉前の「本書の見方」を読んでいただきたい。また、系図については、養子もできるだけ血縁関係の中で取り上げ、形式も西洋史風のものにして、ひと工夫したつもりである。

目次◉江戸の殿さま 全600家——創業も生き残りもたいへんだ

第四章　徳川・松平家の御親戚集合
——社長の子だくさんこそ繁栄の秘密

第五章　譜代大名の忙しい転勤
――戦死者の子孫への手厚い配慮

第六章　関東武士の残党たち
——武田武士や今川旧臣も積極活用

江戸の殿さま　全600家

——創業も生き残りもたいへんだ

本書の見方

この本で取り上げたのは、『月刊歴史読本臨時増刊 江戸大名家誕生物語』（新人物往来社）にある関ヶ原以降に存在した藩と、『徳川大名改易録』（須田茂・崙書房出版）にある秀吉の死から関ヶ原直後に至るまでの時期に除封された大名を基本としている。

太字で示した人名は、関ヶ原の戦いの直後に存在した藩については戦い直後の藩主、このとき改易されたものはその直前のもの、江戸時代になってから創設された藩の場合は初代藩主である。

ただし、上記『江戸大名家誕生物語』でいったん断絶して再興として扱っているものをそのまま継承としているとか、分家した場合に宗家をどちらと見るかなどについては、私自身の判断をしている場合がある。形式的に改易のうえ、改めて封地を与えるということを幕府はしばしばしているが、実質的には連続していると見るべきことが多いし、また結城秀康の継承者をその本領を確保した福井藩と見るか、嫡男の子孫である津山藩と見るかは簡単には割り切れないからである。

名前については、できる限り『日本史諸家系図人名辞典』（講談社）に従った。見出しは姓のあとに藩名を書いているが、これは幕末の段階のものである。途中で断絶した家は、旧○○と表記したが、これについては煩雑な場合には省略した。

松平を名乗った家については、親藩の場合には、松平（大給）などと通称や本姓をカッコ書きで入れた。外様の場合には、たとえば島津家が松平薩摩守などと正式には呼ばれていたとしても本姓で掲載している。

ただし、久松、本庄など多くの中間的な存在もあり、あるいは奥平氏でも祖父家康の養子になった忠明の系統である忍藩は、もっぱら松平で呼ばれるのが普通だとかいう事情もあるので、必ずしも厳密には考えずに、よく使われている呼称に従った。

また、系図をたくさん入れたが、これまでの系図と違い、実子でない相続もできるだけ本来の血縁関係で位置づけ、継承経緯がわかりやすいようにした。石高については、分家への分与などによる細かい出入りが頻繁にあるが、そのあたりは省略したところもある。

地図については、幕末に存在した藩だけでなく、途中で廃絶した藩もできるだけ示したが、すべてをカバーしているものではない。また、市町村名については、現在、平成の大合併が進行中であり、今後、頻繁な変更が予想されることから、あえて、あまり入れなかった。悩ましいが混乱を招く可能性があるのでやむを得ない。

第一章　織田家と松平家の創業物語に日本社会の秘密がある

——中世の黄昏に尾張と三河ですべては始まった

安土は織田家発祥の地だった（京都・近江・越前・尾張）

安土に信長が壮大豪奢《ごうしゃ》な天守閣を持つ城をつくったのを目にしたとき、日本人は中世が終わって近世が始まったことを初めて意識したのではないか。安土城が姿を現してからというもの、全国の大名はこれまでの防御一辺倒の山城を捨て、天守閣を持つ華麗な城と、武士が集まって居住し、商人たちがほうぼうからやってくる城下町を競って築くこととなった。全国四七都道府県の県庁所在地のうち、およそ三〇箇所はこの安土築城から半世紀ほどのうちに建設された城下町である、という事実がこの衝撃の強さを何より雄弁に証明している。

その安土の城跡からさほど遠くないところに、津田という集落がある。琵琶湖からもすぐで、現在は近江《おうみ》八幡《はちまん》市の一部だが、昔の郡でいえば安土と同じ蒲生《がもう》郡に属している。源平の争乱が過ぎてしばらくしたころ、越前国丹生《にゅう》郡織田《おた》荘の織田神社の神官が、京都との往来の途中に、友人であったこの邑《むら》の郷長《さとおさ》を訪れた。

そこに、幼いが気品のある面立ちの少年がいた。素姓を訪ねると、最近、妻として迎えた女性の連れ子で、女性がいうところによると、平重盛《たいらのしげもり》の次男・資盛《すけもり》の胤《たね》であるという。跡を嗣《つ》がすべき子がなかった神官は、その少年の生い立ちに惹《ひ》かれるところもあり、もらい受けることにした。母は、別れのときに、資盛の形見である剣を少年に授け、祖先が平氏の公達《きんだち》であることを忘れないようにとの言葉を残した。

この子が織田家の始祖である織田親真《ちかざね》である。この伝承がどこまで本当のことかは不明である。ただ、織田一族には信長の弟信行《のぶゆき》の子で明智《あけち》光秀《みつひで》の娘婿だった信澄《のぶずみ》のように、津田姓を名乗る者が多くいたことからも、そのような始祖物語が早くから存在していたはずで、織田信長が安土城を築いたときにも、父祖の地を意識しなかったとは思えないのである。しかも、信長の母の実家である土田氏が、同じく近江八幡市の土田町を発祥の地としているとなれば、この安土周辺と信長の関係は相当に含蓄がある。

「天下統一をめざす時期になって初めて織田信長は「平姓」を名乗ったのであって、それ以前は藤原を称していたことを根拠に、近江津田郷にまつわる逸話をすべてウソだと決めつける人もいる。だが、越前の織田神社の神官が藤原氏であることを信長は否定などしていない。ただ、その先祖に、平家の貴公子で織田家の養子になったものがあったので、平姓に復帰することも可能だという論理なのである。また、いったんは、近江源氏の一族である津田氏の養子となっていた時期もあるがゆえに、織田一族はその姓を名乗ることもしたのである。

このような柔軟な考えは、べつに織田一族に限ったことでない。たとえば、家康の次男の秀康は松平家の子であるとともに、まず豊臣家の、ついで結城《ゆうき》家の養子であり、場合に応じてこの三つの立場を使い分けていた。信長の場合もそれと同じことなのである。むしろ大事なことは、天下人をめざしていたころの信長が平氏だと世間からも認知され、源平の戦い以来、四百年ぶりの政権交代、つまり、室町時代が終わるのみならず、源頼朝以来の歴史を否定する存在として意識されていたということなのだ。

さて、時代が下って室町時代になると、越前の守護であった三管領《かんれい》家の一つ、斯波《しば》義重《よししげ》が織田神主の息子が美少年であることに目をつけて寵愛《ちょうあい》し、その父親であった織田常親《つねちか》をもう一つの領国であった尾張の守護代にした。応永年間（一四〇〇年ころ）のことである。

ただし、信長の家は宗家ではない。守護代としての織田家は南北四郡ずつを分割し、それぞれの本拠は清洲《きよす》と岩倉に置かれた。この南尾張を支配した清洲織田家（大和守家）では、三つの分家が家老とされたが、信長の出身はその一つの弾正忠家《だんじょうただいえ》で、清洲よりさらに西の中島郡平和町にあった勝幡《しょうはた》城を本拠にして、信長の父・信秀の代になって雄飛するのである。

松平家の長い流浪の旅路（京都・川西・羽曳野・上野・三河）

武蔵国荏原《えばら》郡桜田郷の田舎城でしかなかった無名の江戸を関八州の中心都市に選んだのは、家康でなく秀吉である。そのことは、幕府の正史ともいえる『徳川実紀』にも書かれていることだが、なんとも秀吉らしい選択だという意味でも間違いないことだ。

海辺の低湿地に大土木工事などというのは、家康の趣味ではない。家康なら、やや内陸に入った八王子、川越、古河《こが》あたりが好みである。というのは、岡崎、浜松、駿府《すんぷ》、あるいは、家康在世中に子供たちが城を築いた高田にせよ名古屋にせよ、少し港から距離があるところばかりである。

関東への移封を言い渡されたとき、三河以来の譜代家臣団は大反対であったが、家康本人にとっては、そんな突拍子もない話でもなかった。というのは、家康は清和源氏を名乗り、先祖は上野国新田郡《こうずけのくににったぐん》からやってきたと称していたのだから、父祖の地に帰ることであり、頼朝が幕府を開いた地の主になることだった。ところが、家来は骨の髄から三河人で、家康が新田氏の末流だとにわかに強調しだしたことすら違和感を持っていただろうから、この引っ越しはまったく嘆かわしいことだった。

松平家の始祖親氏《ちかうじ》は、足利義満《あしかがよしみつ》の時代が終わるころに三河に流れてきた徳阿弥《とくあみ》と称する時宗《じしゅう》の僧侶である。この徳阿弥が新田一族だったというわけだが、これは、家康が突然に言い出したわけではない。祖父の清康《きよやす》も新田氏一族の世良田《せらだ》姓を名乗っていた。織田家が平氏、近江源氏、藤原氏などを使い分けたのと同じで、当時の人は、親戚のいろいろな家々の系図と姓を時と場合に応じて活用しており、松平家の人々が、在原《ありわら》氏の流れを称する松平郷の土豪家、このあたりに勢力があった加茂氏、それに世良田氏などを素姓として併用していたとしても何もおかしくない。

ただ、虚実はともかくとして、徳川将軍家の権威は、清和源氏の末裔《まつえい》という主張のもとに成り立っているのであるから、とりあえずは、清和天皇から親氏までの軌跡を追ってみることにしようではないか。

清和源氏の祖先は、九世紀後半の天皇である清和天皇である。一〇世紀前半、平将《まさ》門《かど》の乱のころ、孫である六孫王《ろくそんのう》が臣籍に下って源経基《つねもと》を名乗り、その子の満仲《みつなか》は摂津多田（川西市）に本拠を置いたので、嫡男《ちゃくなん》頼光の流れは多田源氏と呼ばれる。弟の頼《より》信《のぶ》は河内《かわち》羽曳野《はびきの》に拠って河内源氏を称し、ここから頼義、義家が出て前九年の役、後三年の役に東国武士を率いて活躍した。この義家の次男義親《よしちか》の系統から頼朝らが出て、三男義国は上野新田郡に勢力を構えた。義国の長男の義重から新田氏が出て、下野《しもつけ》に移った次男義康からは足利氏が出ている。

そして、平氏全盛のころは新田氏が優勢だったが、源頼朝の挙兵に馳せ参じるのに足利氏に先を越され、足利氏が、頼朝家が断絶したあとの源氏の代表格となった。不遇の新田一族のなかで、義重の四男義季《よしすえ》の子孫は、新田郡世良田荘、徳河荘を領地とした。群馬県南東部で太田市の南にある。むしろ、埼玉県深谷市と利根川をはさんだ対岸にあるといったほうがわかりやすい。この世良田氏一族の一人が、南朝の残党として戦い、さらには、足利四代将軍義持のころ関東管領上杉禅秀《うえすぎぜんしゅう》と鎌倉公方《くぼう》足利持氏《もちうじ》の抗争に巻き込まれて、諸国放浪ののちに三河へ来たのだというのである。

親氏は松平郷へやってきたとき「自分は源氏の血を引く関東の名門出身だが、わけあって時宗の僧となり、諸国を放浪ののちに三河へ来た。碧海《あおみ》郡坂井郷の地侍の入り婿となり男子をもうけたが、妻に先立たれたので、また、こうして旅に出た」とでもいったはずだ。なかなかの教養人だし、武芸にも秀でているというので、在原業平《なりひら》の子孫と自称する者から婿養子にと勧められて定着したというわけである。

やがて、二代目泰親《やすちか》となる男子が生まれ、豊田市西部、岡崎北方にある奥三河高原で頭角を現していった。三河国には足利氏に近い諸家の領地が錯綜していたが、松平家は将軍側近の伊勢《いせ》氏の被官となって傭兵《ようへい》業のようなこともやっていたことが、日野氏の領地だった北近江菅浦という漁村の古文書に記録として残っている。

松平家は、兄弟で分割相続を繰り返し、互いに協力したり反目したりしながら西三河一帯に勢力を拡大していった。とくに、応永年間から応仁の乱の時代まで活躍した三代目の信光《のぶみつ》は、平野部の岩津、さらに、西三河中央部の安城(当時は安祥といった)に本拠を移した。この信光は、四〇人もの子をつくって、西三河のあちこちに配置したが、彼らの多くが江戸時代に大名や旗本になった。

信光は八八歳まで生きたので、四代目の親忠《ちかただ》は影が薄いが、五代目は長親《ながちか》で、家康が三歳になる七三歳まで長生きした。そして、その孫の清康《きよやす》のときに三河を代表する勢力として認められることになる(一六五ページ系図参照)。

織田信秀と松平清康が同じ年生まれの不思議

永正八年(一五一一年)という年に、戦国中期を彩る三人の重要人物が生まれている。足利義晴《よしはる》、織田信秀、松平清康である。信秀は信長の父であり、清康は家康の祖父であるから奇異に感じられるが、これは、家康の父である広忠《ひろただ》も家康もそれぞれ父親が二十歳にもなる前にできた子供であるので、こうなってしまったのである。この時間的なずれを覚えておかないと、両家の関係がよくわからなくなるのだ。

一方、京都では、応仁の乱の原因となった将軍後継争いこそ、義政《よしまさ》(八代将軍)の子義尚《よしひさ》（九代）が死んだので、義政の弟である義視《よしみ》の子義稙《よしたね》（一〇代）が将軍となることで決着したが、今度は、義稙と従兄弟の義澄《よしずみ》（一一代）が対立していた。この時期は義稙が復権したので、義澄は、近江八幡市の湖岸にあった岡山城の九里《くり》備前守のもとに身を寄せていた。安土城からも遠くないところである。この年に、義晴（一二代）がここで生まれるのだが、入れ替わりに義澄が死んでしまった。そして、この義晴こそ、のちに信長が将軍に擁立する義昭《よしあき》（一五代）とその兄義輝《よしてる》（一三代）の父である。

今度は一世代下に目を移すと、織田信長は一五三四年生まれであり、豊臣秀吉、足利義昭、徳川家康が続く。そして、この二つの世代のちょうど中間に武田《たけだ》信玄《しんげん》と今川《いまがわ》義元《よしもと》がいる。こうした年齢を頭に置くと、戦国史はとてもわかりやすい。

このころ、尾張南部では、信秀の父である信定《のぶさだ》が主君である大和守家を助けて尾張南部の統一を進めていた。一方、西三河では、長親から家督を譲られた長男の信忠が人望なく、次男信定《のぶさだ》（尼崎藩祖）が尾張の織田家と結んで跡目を狙ったので、一三歳の嫡男清康が跡を継いだ。これが早熟の天才で、岡崎城を本拠として一気に勢力を拡大した。

信秀が活躍を始めるのは清康より少しあとだが、これも、尾張南西部から現在の名

元号	西暦	織田・豊臣・徳川家	その他
元亀	1570		
天正	1573		足利幕府滅びる(1573)
		長篠の戦い(1575)	
		信康が自刃し秀忠が生まれる(1579)	
		本能寺の変(1582)	
		天下統一(1590)	
文禄	1592		朝鮮遠征始まる(1592)
		秀頼が生まれる (1593)	
慶長	1596		
		秀吉死す(1598)	
		関ヶ原の戦い(1600)	
		家康が征夷大将軍に(1603)	
		秀忠が二代将軍に(1605)	
			島津氏が琉球制圧(1610)
		家康・秀頼の二条城会見(1612)	
元和	1615	大坂夏の陣(1615)	
		家康が死去(1616)	

織田・豊臣・徳川家年表

元号	西暦	織田・豊臣・徳川家	その他
永正	1504	織田信秀・松平清康生まれる(1511)	
大永	1521	清康が岡崎城を奪う(1524) 松平広忠が生まれる(1526)	足利義晴将軍に(1521)
享禄	1528		
天文	1532	信長が生まれる(1534) 松平清康が家臣に殺される(1535) 秀吉が生まれる(1537) 家康が生まれる(1543) 松平広忠が家臣に殺される(1549) 織田信秀が死去(1551)	鉄砲伝来(1543) 足利義輝(義藤)将軍に(1546) 三好長慶入京(1549) 川中島の戦い(1553)
弘治	1555	信長が清洲城を手に入れる(1555)	
永禄	1558	桶狭間の戦い(1560) 信長上洛・義昭将軍に(1568)	松永久秀らが将軍を殺す(1565)
	1570		

古屋市、さらには、東海道に沿って三河方面へ進出を試みて、一五三二年には那古屋《なごや》城を、今川義元の弟の氏豊《うじとよ》をだまして奪った。信長が生まれたのは、その二年後である。

これを迎えた清康は一五三五年、名古屋市北部の守山まで出兵したのだが、陣中で家臣に殺されてしまった。二五歳の若さであった。「守山崩れ」という事件である。清康の嫡子《ちゃくし》広忠は幼く、岡崎では信定を支持する勢力と広忠を守ろうとする家臣たちが拮抗《きっこう》したが、今川義元の強力な後押しのもとに、広忠が勝利を収めた。

成人した広忠は、尾張との国境に近い刈谷の城主・水野《みずの》忠政《ただまさ》の娘於大《おだい》（伝通院）と結婚した。一方、信秀は一五四〇年には安祥城を支配下に入れ、家康が生まれた一五四二年には第一次小豆坂《あずきざか》の戦いで今川軍を打ち破った。於大の兄・水野信元《のぶもと》も織田方についたので広忠は於大を離別せざるを得なくなった。一五四七年には駿河に人質として送られる途上の竹千代《たけちよ》（家康）を、田原の戸田《とだ》康光《やすみつ》が寝返って織田方に売り渡した。信秀は三七歳。脂の乗りきった全盛期で、今川義元はまだ二八歳だったから、力のバランスが大きく織田に振れていた。企業でもそうだが、戦国大名も社長が働き盛りのときに発展したのである。そんななかで、松平広忠まで一五四九年に近臣岩松《いわまつ》八弥《はちや》に殺されてしまう。あわてた今川側では、岡崎城に自家の家臣を入れて抑え、一五四八年三月には再び小豆坂で織田軍と戦って勝利した。翌年には安祥城も取り返すとともに信長の庶兄信広《のぶひろ》を捕虜にして、家康と交換した。

このころ、信秀は美濃に対しても進出を試みていたが、一五四八年には斎藤道三《さいとうどうさん》の娘帰蝶《きちょう》を信長の夫人として迎えて、とりあえず融和を図らざるをえないなど苦境のなかで一五五一年に末森《すえもり》城で病死した。こうして、その九年後の桶狭間《おけはざま》の戦いまで、東海地方では今川義元の優位が続き、信長は尾張掌握《しょうあく》のために悪戦苦闘し、家康は人質生活を駿府で送るのである。

苦労人の信長と温室育ちの家康

しかし、信長は一五五五年に斯波義銀《しばよしかね》と組んで守護代織田信友《のぶとも》を追放して清洲を手に入れ、一五五七年には弟の信行を謀殺、翌々年には岩倉城にあった北部担当の守護代織田信安《のぶやす》を追放して、ほぼ尾張全土を掌握した。しかも、この年には少人数で上洛して将軍義輝にも謁見《えっけん》している。東京へ出て、政界有力者に献金がてら顔つなぎをしたというようなものである。

一方、竹千代の駿府での生活は優雅だった。「人質生活の辛酸《しんさん》をなめた」などというのはウソである。当時の駿府には、京都を脱出した公卿や文化人が多く、各地から集められた人質同士の交流も盛んで、いってみれば全寮制のエリート校への留学だった。大久保彦左衛門《おおくぼひこざえもん》は『三河物語』で、「年貢は今川家の代官が持っていってしまうので、三河武士たちは自ら鋤《すき》を持って田畑を耕すしかなく、戦いになれば先陣をつとめさせられ親兄弟を討ち死にさせられ、このままでは三河武士は根絶やしにさせられるのかと思いつつも、人質に取られている主君のためには戦わざるを得なかった」などと回想しているが、大久保の回顧には、安楽な大金持ちになった人の若いころの貧乏物語にありがちな誇張があるし、家来はどうあろうと、家康は安全で楽しい境遇にあった。

一五五五年、家康は元服して、今川義元の妹の娘である築山殿《つきやまどの》と結婚するが、その三年後に、義元は尾張に侵攻した。このころまでに信長は、尾張の対抗勢力をほぼすべて屈服させていたので、このあたりで叩いておこうとしたのだろう。上洛のための行動というのは、どうも後世の勘違いらしい。

今川軍が三万の軍勢でやってきたとき、織田方には五千しか集まらなかった。当時の尾張の石高からすれば今川軍の半分くらいは集まりそうなものだが、五千だけだったということは、不利だと見てサボった土豪が多かったということだろう。

しかし信長は、秀吉のような農民上がりの若者、滝川一益《たきがわかずます》のような流れ者、前田利《まえだとし》家《いえ》のような次男坊以下など、拠るべき領地がなくフットワークがよくきき、個人的に信頼できる部下を集め、密度の濃い奇襲作戦を練り上げ、義元だけを狙うように的確な指示を部下たちに徹底させ、桶狭間であざやかに目的を達した。

義元自身が討ち取られたと、叔父の水野信元《のぶもと》から知らされた家康は、岡崎をめざして撤退し、今川勢が後事を託してくれるのを待って、岡崎城に入った。ついで、織田方になびく者などを攻め、東条城の吉良義昭《きらよしあき》を降伏させたあたりで西三河は、ほぼ松平家のもとに結束し、東三河の菅沼《すがぬま》、奥平《おくだいら》、西郷、設楽《しだら》といったところもよしみを通じてきた。

そして、桶狭間の戦いから二年後の一五六一年、家康は織田信長を清洲に訪れ同盟を結ぶが、この時点では家康も家臣も今川に人質を取られており、決裂したわけではなかった。だが、家康は思いきって三河内の親今川勢に戦いを挑み、逆に人質を取って築山殿と嫡男信康《のぶやす》、亀姫《かめひめ》を取り戻すが、多くの三河武士たちの差し出していた人質が串刺しにされるなど残忍な方法で殺されたし、子供と孫を三河へ送り出した築山殿の両親・関口氏広《せきぐちうじひろ》夫妻は、今川氏真《うじざね》から自害を求められて果てた。

ところが、その家康に内部から反乱が起きた。元康が家康と名を改めた一五六三年の九月に勃発《ぼっぱつ》した一向衆《いっこうしゅう》の反乱である。その直接の原因は、一向宗の寺院領から兵糧米を徴収しようとしたことである。親今川分子が紛《まぎ》れ込んでいたことはいうまでもない。この反乱には、家臣団でも一揆方に走るものが続出した。のちに、家康晩年の知恵袋として活躍する本多《ほんだ》正信《まさのぶ》もこのとき出奔《しゅっぽん》した。

このように、大きく動揺した家臣団だが、これを機会に、松平家と三河国衆との関係が中世的なものから、上下関係がはっきりした近世的なものに変わるきっかけとなったメリットがあったのも事実である。家康は高力清長《こうりききよなが》、本多重次《しげつぐ》、天野《あまの》康景《やすかげ》の三人を三河奉行として民政を担当させ、東三河は酒井《さかい》忠次《ただつぐ》、西三河は石川数正《いしかわかずまさ》をそれぞれ旗頭として分担させて軍事組織を明確にした。有力国衆や松平一族を実務から排除して、この両人の組下に編成したことは、のちに、外様大名や親藩を幕政から排除した哲学の萌芽《ほうが》が見てとれよう。

少しあとのことになるが、一五六六年に、家康は松平から徳川に改姓した。三河国内にとどまらず、他国へ進出することを睨《にら》んで、もっともらしい家系図を必要としたわけである。

一方、信長は、このころ尾張の確固たる統一を実現し、美濃攻略作戦に没頭していたが、一気に軍事的に攻略することは成功せず、調略による内応者を徐々に増やしていくことになった。木下藤吉郎《きのしたとうきちろう》といわれたのちの秀吉も、この過程で地位を上げていったし、美濃側から寝返った者から江戸時代に大名として生き残ったものも多い。

ここからの織田家と松平家の歩みについては、よく知られているので簡単に節目だけを書いておくが、同時進行で追っていくことが理解を助けるだろう。

一五六七年には、家康の嫡男信康と信長の娘徳姫《とくひめ》がかねての約束どおり結婚した。秋になって信長は美濃に総攻撃をかけ、稲葉山城を落とし、岐阜と改名して本拠も移し、翌年には足利義昭を擁《よう》して上洛の兵を起こした。一方、家康と武田信玄《たけだしんげん》は盟約を結び、駿河を武田が、遠江《とおとうみ》を徳川が領地とすることで話がまとまり、家康は遠江に侵攻した。

一五七〇年（元亀元年）、越前の朝倉征伐に出兵した信長を浅井長政《あさいながまさ》が裏切って攻撃した。浅井・朝倉勢と織田信長の間で姉川の戦いが行われたが、このとき家康は援軍とともに参戦し、劣勢の織田軍を救った。

一五七二年、信長と義昭の対立は決定的となり、武田信玄は本格的な西上を開始し、三方が原で武田軍と徳川軍が戦い、武田軍が完勝したが、翌年、三河の野田城包囲中の武田信玄は病が重くなり、ひそかに甲斐に帰る途中、伊那谷の駒場（阿智町）で病没した。そこで信長は足利幕府や朝倉、浅井両氏を滅亡させ、畿内は信長の支配下に置かれた。

このあと、伊勢長島攻めでの信長大苦戦、長篠《ながしの》の戦いでの家康・信長連合軍の大勝利、信長の安土移転と続き、一五七九年、信長の命令による信康廃嫡事件が起きる。この事件については、まったく無実の信康を信長が意図的に追い込んだといった単純なものではないようなのだが、そのことは追って説明する。

そして一五八二年、織田・徳川の連合軍は武田領に攻め入り、武田氏は滅びた。信長も平定された甲斐《かい》に入り、富士山見物も兼ねて家康の領土を通って安土へ帰った。家康には駿河が与えられ、信長は家康を、武田一族でありながら寝返った穴山梅雪《あなやまばいせつ》とともに安土に招待した。この接待にあたったのが明智光秀だったが、途中で中国攻めに参加するため交替させられ、京都本能寺にあった信長を襲った。

秀吉は織田株式会社のサラリーマン社長

『偽書「武功夜話」の研究』（藤本正行・鈴木眞哉著。洋泉社）という本がある。この本では、伊勢湾台風（一九五九年）のときに江南市の旧家の土蔵が崩れて劇的な発見をされ、その後の歴史小説などはだいたいこれをもとにしているという文書が、後世になって書かれたものでないかという疑問を呈している。

この記録は、秀吉の老臣で但馬《たじま》出石《いずし》城主となったが秀次の家老とされたために連座して切腹した前野長康《まえのながやす》の一族が、尾張の田舎に帰ってきて語ったという昔話をまとめたものである。たしかに史料としての確実性に問題はあるが、権威主義的な伝記にない等身大の青春群像と、無理のないストーリー展開に不思議な魅力がある。

これによると、秀吉が信長に仕官できたのは、嫡男信忠《のぶただ》、次男信雄《のぶかつ》、それに徳川信康の妻徳姫の母である吉乃《きつの》の口利きによるというのである。このころ一八歳くらいだった秀吉は、遠江の松下加兵衛《まつしたかへい》に仕えたあと尾張に帰って、蜂須賀小六《はちすかころく》らと生駒《いこま》家に出入りしていたらしいが、少し艶《つや》っぽい話など上手にして吉乃に気に入られ、信長に雇ってもらえるように頼んでもらったというわけだ。

秀吉の出自については、本当に少しのことしかわかっていない。生まれが名古屋駅の少し南にある中村というところであることは、秀吉自身が年貢免除などしているから間違いない。母親が「なか」といって、姉一人と再婚して生まれた弟と妹がいたというのもほぼ確実であるし、加藤清正《かとうきよまさ》、福島正則《ふくしままさのり》、小出秀政《こいでひでまさ》あたりが母方の親戚であることも事実だろう。あとは水飲み百姓なのかどうか、父に戦場に出た経験があったかどうか、木下姓だったのかなどいずれも不確かだが、歴史を語るうえではたいした問題ではない。同時代の記録にも卑賤《ひせん》から身を起こしたと書かれ、みんなそう認識していたことだけで十分である。

遠江の松下家への奉公は、のちに旧主を大名として待遇しているのだから、これも事実であろう。信長にどのようなきっかけで仕官したのかも不明だが、『武功夜話』のエピソードについては、秀吉と信忠・信雄兄弟や三法師丸《さんぼうしまる》（秀信《ひでのぶ》）との親密度を見ると、その母親である吉乃との何か特別なつながりがあっても不思議ではなさそうだし、その意味で説得力があるように思うのだ。

山崎《やまざき》合戦のあと、秀吉は信孝《のぶたか》（信長三男）を排除するが、恩人の吉乃から見て浮気の相手である信孝の母やその息子に、秀吉としてよい感情があるはずがない。だから、信孝後継を受け入れられるはずもなかったし、信孝の母を殺し、信孝自身を自殺させたことについてあまり痛痒《つうよう》を感じなかったのも不自然ではない。一方、秀吉が信忠の周辺と信頼関係があっただろうことは、清洲会議前後の動きからも確かである。信雄とも少なくとも最初は悪くない。だから、三法師丸と信雄という二枚の札を使い分けつつ、主導権をとれたのである。

だが信雄は、早くに母を失い、ろくでもないお守り役にでも育てられたのだろう。軽薄で、しかも疑い深く残忍といいところなしで、優れているのは歌舞音曲《かぶおんぎょく》だけというような人物だった。信雄と秀吉が喧嘩別れしたのは、つまるところ、互いの役割分担についてのイメージの違いである。秀吉にすれば、信孝と信雄の争いでは信雄に味方するし、それなりの領地をとれるよう後押しもするが、家来扱いされる覚えはないし、織田一家をとりまとめる能力があるとはとうてい思えない。とりあえずは、三法師丸が代表権のない会長、信雄が名目だけの副会長、自分が社長といったくらいが精一杯に織田家を立てた形だと考えた。ところが信雄は、三法師丸の会長は仕方ないとして、自分が社長で、秀吉は副社長にしてやれば上等と考えたのだ。この思惑の違いが、小牧長久手《こまきながくて》の戦いの原因である。

しかし和解後、信雄は内大臣の官位に達し、大納言だった家康や豊臣秀長（秀吉の異父弟）より上位であり、豊臣政権のナンバーツーだった。しかも、小田原の北条《ほうじょう》氏が滅びて家康が関東へ移されることになったとき、秀吉は信雄も、尾張から家康の旧領であった駿河へ移そうとした。栄進である。ところが、このとき信雄はこれを拒否して、かわりに尾張に加えて美濃をくれなどといって追放されてしまった。これを見て、秀吉が冷たいというべきかというと、企業ドラマとしては、創業者の次男坊がまたもや勝手気ままをいって取締役を解任されたということで、それほど秀吉を非難すべきことでもあるまい。

秀吉と織田家ということでは、かつて三法師丸と呼ばれた秀信が、信雄改易と相前後して岐阜城主となっている。秀吉も徐々に取り立てていこうとしていたらしく、大《だい》明《みん》征服のあとは、秀信に日本を任せようかなどという構想も持っていた。創業者一家へのそれなりの配慮は秀吉もしていたのである。

さらにいえば、一五八五年までは、秀吉の想定後継者は信長の四男で秀勝《ひでかつ》だったし、鶴松《つるまつ》や秀頼が織田家の血を引くというのも、当時の人々にとってはそれなりの意味を持っていたことも忘れてはならない。こうした諸点を見ても、豊臣政権は、織田株式会社の社長に秀吉がなっただけであり、他社への営業譲渡というべき徳川政権の成立とは根本的に違うのだ。

家康が生き残れたのは秀次事件と朝鮮遠征のおかげ

小牧長久手の戦いで家康が信雄に味方したから、家康は信長に敬意を払っていたと見る人が多いが、とんでもない。なにしろ家康は、信長の遺領から甲斐と信濃の二ヵ国を横領したのだ。

三河へ逃げ帰った家康は、甲信地方の横領にかかる。その経緯は、第五章で信濃の諸大名の話をするときに書くが、ともかく、滝川、河尻、森、木曾《きそ》、穴山という各氏に信長から与えられたこの二ヵ国は家康の領地になる。だが、織田・豊臣グループから、いつ返せといわれるかわからなかった。それを事前に防ぐためにも、家康は信雄を味方につけようとし、この誘惑に乗った信雄は、秀吉に内通したとして、四人の家老のうち三人を斬殺した。これをきっかけに、世にいう「小牧長久手の戦い」が始まった。この戦いの緒戦で家康は勝利を収めるが、信雄は秀吉と勝手に和解してしまう。

しかし、甲信二ヵ国の確保に自信がない家康は逃げ回る。人質代わりに次男の秀康を出すことは了承したが、どうしても大坂行きは拒否する。だが、秀吉のほうは着々と家康包囲網をせばめ、家臣たちからも、「いい加減にしないと、本気になってかかってこられたらひとたまりもない」という岡崎城代であった石川数正らの意見も出てきたが、家康は獲得した領地の寸分でも取られるのが嫌なので動かなかった。たまりかねて、一五八五年の一一月に、数正が秀吉のもとに逐電したし、水野や小笠原、真田も秀吉についた。

ところが、このころ九州では島津《しまづ》氏が全土制圧へ向かっていた。豊後《ぶんご》のキリシタン大名である大友宗麟《おおともそうりん》、肥前《ひぜん》の龍造寺隆信《りゅうぞうじたかのぶ》、それに島津義久《よしひさ》の三大勢力が争っていたが、隆信が敗死、宗麟も病気がちで、九州統一王国が生まれようとしていたのである。

秀吉は国際的な視野を持っていたから、九州に独立王国が成立して海外と勝手に付き合いだしたら、日本という国は瓦解《がかい》してしまいかねないと考えた。それに、秀吉の夢であった大陸進出のためにも、これは絶対に避けねばならない事態だったが、家康と対立していたのでは九州征討どころでなかった。そうしたわけで、秀吉は家康に全面的に折れることにした。家康の領地の不可侵性を認め、妹の旭姫《あさひひめ》を家康の後室とし、その娘に会いに行くという口実で実母の大政所《おおまんどころ》まで岡崎に送った。さすがに家康も、ここに至って安心して、一五八六年の一一月に大坂に赴《おもむ》き、秀吉に従うことになるのである。

これで後顧《こうこ》の憂《うれ》いがなくなった秀吉は、一五八七年に九州へ出陣し、キリスト教の禁止、朝鮮や琉球王への服属要求、生糸の貿易独占、博多の大都市改造などを矢継ぎ早に打ち出し、小田原の北条氏を下して天下を統一した。

朝鮮出兵と秀次《ひでつぐ》失脚は、家康に天下を取らせるきっかけになった二大事件である。大陸侵攻については、戦前は雄図《ゆうと》として褒《ほ》め称《たた》えられ、戦後は、何の弁護も不可能な暴挙とされてきた。もっとも最近では、あの時代には外国侵略など悪いことでもなんでもなかったといわんばかりの勇ましい議論も出ているが、それは横に置いておこう。

たしかに秀吉の朝鮮侵攻にともなう暴挙の数々は、当時の基準に照らしても褒められたものでなく、弁解の余地はない。だが、あの時代の明《みん》帝国が、朝貢《ちょうこう》貿易を気まぐれに認める以外には、はた迷惑な鎖国状態にあったのだから、この東アジア秩序の変革を求めて行動に出たこと自体は非難されるべきことではない。秀吉は対等の外交・通商や、朝鮮半島についての平等な関係を要求し、それを実現するために、海軍力を十分に強化し、場合によっては、大陸の沿岸に拠点を確保すればよかったのだ。英国は同じ時代にヨーロッパでそうした行動に出て成功した。

ところが現実には、制海権も持てないまま渡海し、強い陸軍力に任せて現地の統治についてのビジョンもないまま、国際感覚がなく、行儀も悪い加藤清正らに攻めさせたので惨憺《さんたん》たることになったのである。石田《いしだ》三成《みつなり》らが軍紀違反を取り締まろうとしても武断派の大名は理解せず、それが関ヶ原の伏線になっていく。

いずれにせよ、秀吉が東国経営より東アジア世界に目を向けてフロンティアとしたのは、決して見当はずれであるわけではないし、日本にとって一つの選択だったはずであり、秀吉の行動の前向きの側面も正当に評価すべきである。しかし、このことが、関東のことはとりあえず家康に任せるという状況を創り出したのだ。

秀次失脚の原因は、秀次が秀吉に実子が生まれた以上は、いずれ大政奉還しなくてはならないという当たり前の結論を渋ったということに尽きる。秀頼《ひでより》が生まれたとき、秀次は秀頼と秀次の娘を結婚させるという秀吉の提案をすぐにのむべきであった。『武功夜話』には、秀次の家老格である前野長康が、「秀吉の実子で織田家の血をも引く若君に天下が返るのは仕方がないのでありますまいか」と秀次に進言したとあるが、それが普通の考え方である。

ところが秀次は、側近の若手の強硬論に引っ張られて欲を出した。秀吉が死ぬのを待てば自分のものだという期待もあるし、伊達政宗《だてまさむね》、最上義光《もがみよしみつ》、細川忠興《ほそかわただおき》といった秀次派らしきものも形成されつつあった。

そこで秀吉は、家康と前田利家という同世代の実力者の善意に、秀頼と豊臣家の将来を託そうとした。たとえば石田三成などからすれば、豊臣政権にとってかわろうとしかねないこの二人に頼るなどというのは論外で制止もしたが、秀吉は、甥《おい》だが秀頼の安全についてもう一つ信用できない秀次よりは、同年輩の生ぬるい友情にかけたということである。

そこで、石田三成らは政権安定のためにも早期に朝鮮から撤兵して、国内体制の再構築に取りかかることが必要と考え、明や朝鮮との講和を急いで、翌年には停戦が実現する。もし、このまま朝鮮問題の収容に成功したら、一転して東国への干渉は強まり、家康も安閑《あんかん》とはしていられなかっただろう。新規事業から撤収して、社内の掌握《しょうあく》にかかるということである。しかし、加藤清正らの妨害工作もあって講和は失敗し、一五九七年には慶長の役が始まる。つまり家康の暴走への歯止めが十分でないまま秀吉の死（一五九八年）を迎えたのである。

臆病でケチな家康だからこそ天下を取れた

関ヶ原の戦い（一六〇〇年）のあとの大名配置を見ると、京都と江戸との間だけは、親藩・譜代でしっかり固めようという意図が読みとれる。関八州、駿遠三甲信の旧領、濃尾、越前、近江から織田・豊臣系大名を追い出して西国に移した。西日本に睨《にら》みを利かす拠点をつくろうというような意図は微塵《みじん》も見られない。まことに防衛的な体制なのである。これを見ると、東国だけでも子孫のために確保したいという意図が全国統一より優先している。

秀吉の死後の家康の行動は、関ヶ原より前でもあとでも常に防衛的である。家康とともに政権を担《にな》った前田利家は、いってみれば、織田家家臣団のリーダーである。その利家が、豊臣・織田両家の血を引く秀頼の後見をつとめ、五大老のなかには宇喜多《うきた》秀家《ひでいえ》という娘婿まで入っているのであるから、圧倒的に利家が優位にあったのである。石田三成と利家とは、かつて、濃尾を秀吉が利家に与えようとしたときに「虎に翼を与えるようなもの」として反対したというようによくなかったのだが、ここに至ってはしっかり手を結んだ。だから、家康が進めた無断婚姻政策も、孤立から脱しようとする、まったく防衛的なものだったのである。

ところが、利家の死（一五九九年）で状況が一変する。織田家家臣団代表をつとめられる人物がいなくなったのである。蒲生《がもう》氏郷《うじさと》が早く死んでいたのが痛かったし、前田利長は秀頼のお守り役の仕事を放り出して帰国したくらいだから、何をかいわんやである。というなかで、加藤清正ら武断派が私怨《しえん》から石田三成を排除して、大局観を持って家康の野心を阻《はば》める者がいなくなった。

関ヶ原の翌年の一六〇一年三月に家康は大坂城から伏見城に移るが、それまでは、大坂城の主は豊臣秀頼であるから上下関係ははっきりしている。関ヶ原の前までは、秀頼が実権はないにしても社長で、家康は筆頭副社長だったが、それが会長と社長の関係になり、大坂城退去後はそれもあやふやになった。一六〇三年、家康は伏見城で征夷大将軍宣下《せんげ》を受けて、主従関係を実質的に解消するのだが、それでも秀吉の遺言どおり、秀忠の娘である千姫《せんひめ》を秀頼のもとに嫁がせた。一六〇五年には、秀忠に征夷大将軍を譲ったが、秀頼を右大臣に昇進させて内大臣の秀忠の上位に置いている。

一六一一年になると、有名な家康と秀頼による二条城会談が開かれる。加藤清正らが奔走して実現したものであり、この会談に同席した清正は、「これで安心」と喜んだが、家康は「秀頼は女子供に囲まれて幼児のようだと聞いていたが、どうして、人の下に立つような人物ではない」とため息をもらした。見識があるとか、そういうことではない。ただ、要領よく現実を直視して立ち回ってくれるような人物でないし、誇り高く堂々としていて、まったく愚鈍なわけでもないということである。このとき家康は、秀頼を滅ぼすしかないかもしれないと、一つの踏ん切りをつけた。

このころ、加藤清正や浅野幸長をはじめ、秀吉によって取り立てられた大名たちが死んで、徳川が豊臣の上に立つという考え方への抵抗感が小さくなってきた。一方、淀君にとっては、妹のお江与の下に置かれるというのは我慢できなかっただろう。家康は方広寺鐘銘事件を起こし、淀君はこの挑発に乗ってしまった。それが、福島正則が「三年遅すぎ、三年早すぎる」といった大坂の陣であった。三年前なら豊臣恩顧諸大名が健在であり、三年すれば家康が生きていないだろうという意味である。

家康は気が小さいし、ケチである。しかし、この気質は戦国時代にあってはとても希少価値があるものだった。それが、家康に天下を取らせたのではあるまいか。

こうして桐一葉が散ったあとの一六一五年、元和《げんな》偃武《えんぶ》が実現し、天下泰平の時代がやってくる。

コラム　戦国時代の尾張・三河

本図の郡境界は、明治20年代に近代的な郡区編成が行われたときの地形と区分けに拠っている。それ以前は、東西春日井郡、東西加茂郡、南北設《した》楽《ら》郡は、いずれも一つの郡であった。

ただし木曾川の流路は、1586年（天正14年）の大洪水以前は、笠松付近から、現在のように南へ転ずるのではなく、まっすぐ西に進み長良川と合流していたので、羽島《はしま》が尾張国葉栗《はぐり》郡であったなど、海部《あま》郡、中島《なかしま》郡も含めて、尾張はもっと広かったのである。

このように、歴史書を読むときは、旧郡についての知識を持つと実にわかりやすい。現代では町村だけに郡が生きているが、昔は全国すべてがどこかの郡に属していた。東京の中心地は豊島郡、京都が愛宕《おたぎ》郡、大阪が東《ひがし》成《なり》郡、横浜が久良岐《くらき》郡、神戸が八部《やたべ》郡、福岡が那珂《なか》郡、広島が沼田郡、などである。仙台、金沢などの場合は、県名の宮城、石川が郡名に由来する。国境が変更された例としては、武蔵と下総の国境が現在の隅田川から江戸川に変わったということもある。両国橋という名は、それ以前の国境の名《な》残《ごり》である。

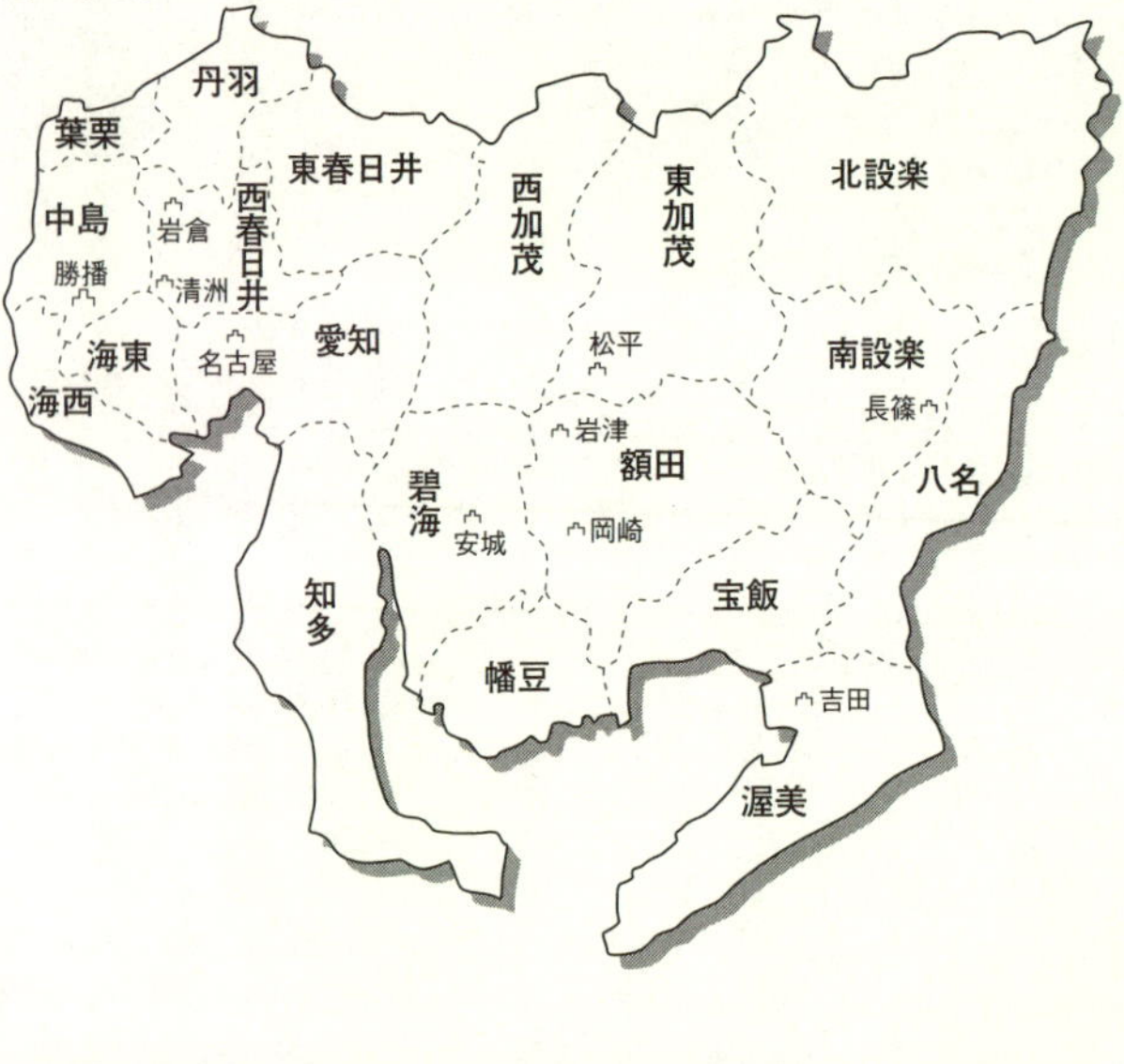

第二章　苦労人信長の集めた実力派家臣団

——生え抜き社員より中途採用優先

三法師丸の天下を期待した宣教師たち

織田（柏原・天童・芝村・柳本）

『鬼と人と』（PHP研究所）という堺屋太一の著書がある。織田信長と明智光秀が交互に独白するという面白い形式の本であるが、そのなかで、信長が嫡子《ちやくし》の信忠のことを、「皆が思っている通りの恩賞を与える道理に適《かな》った人」と部下が誉めるのを聞いて、「意外と思うこともしないと権威がなくなる」と怒るといったような場面がある。信忠という人は、そんな限界はあるにせよ、惣領《そうりよう》息子としては申し分のない常識人であったらしい。そこで信長は、安土に移るときに織田家の家督と岐阜城、それに一族の女性たちの面倒を見る仕事などを信忠に譲ってしまったのである。

ところが信忠は、本能寺の変のときに小兵力とともに京都二条城にあった。一目散に逃げるということもできたはずだが、その場に踏みとどまり、討ち死にした。マキャベリがチェーザレ・ボルジアの独白として、「自分はあらゆる事態に備えてきたが、父のアレクサンドロ六世が死の床にいるときに自分も生死の境をさまよっていることだけは想定していなかった」という言葉を紹介しているが、さすがの信長も自分と信忠が同時に殺されることへの警戒を怠った。

後継者になった三法師丸は成人して**織田秀信**《ひでのぶ》と名乗り、秀吉が死んだ時点では一八歳で、権中納言で一三万三千石の岐阜城主になっている。まずは順調な歩みであり、熱心なキリシタンだったので、宣教師などは彼の天下を期待したらしい。しかし出来がよいわけではなく、石田三成から尾張美濃二ヵ国を約束されて西軍に属したが、関ヶ原の戦いに先んじて岐阜城は落城して高野山に送られてしまった。

それに代わって宗家らしき地位に立ったのが、信雄《のぶかつ》の系統である。信雄の嫡男である**織田秀雄**《ひでかつ》は、秀吉から越前大野五万石をもらっていたが、関ヶ原の戦いの結果、改易され断絶。一方、父親の**織田信雄**は大和松山に五万石を得て、寛永七年まで生きたが、一六一六年には四男**織田信良**《のぶよし》に上野小幡《おばた》で二万石を分与し、松山の遺領は五男の高長《たかなが》が引き継いだ。どちらを宗家というかは微妙だが、ここでは高長家を信雄の後継者としておく。高長の孫である信武は、元禄年間に諫言《かんげん》を行った重臣を殺害して自刃し、減封されたうえで丹波柏原二万石に移された。この騒動を「宇陀《うだ》崩れ」と呼ぶ。

一方、信良家は、明和年間に尊皇思想の持ち主である山県大弐《やまがただいに》が弾圧されたときに関係したとして出羽に移された。最初は高畠にあったが、天童に落ち着いた。戊辰《ぼしん》戦争では当初、官軍についたのだが、庄内藩などから攻撃を受けて城下を焼かれ、同盟側に参加を強要された。

信長の三男以下のその後は、以下のとおりである。信孝は信雄と争い自刃。秀勝は秀吉の養子となり、丹波亀山城主となるが一五八五年死去。勝長《かつなが》は二条城で兄信忠とともに討ち死。信秀は秀吉の死と同じころまで存命していたようだ。信長が晩年に気に入っていたらしい側室お鍋《なべ》の方《かた》の子である信高の子孫は旗本として存続。信吉は関ヶ原で西軍に属して失脚。信貞の子孫は旗本及び尾張藩士。信好《のぶよし》は消息不明。長次《ながつぐ》は関ヶ原で西軍に属し戦死した。

信長には多くの兄弟があったが、江戸時代に大名として残ったのは、信秀四男の**織田信包**《のぶかね》と一一男の長益《ながます》の家である。信包は伊勢の豪族長野氏を一時嗣《つ》いで安濃津《あのうづ》（津）城主となり、のちに丹波柏原に移った。孫である信雄の死後、無嗣《むし》断絶となった。このほか、信包の長男である**織田信重**《のぶしげ》が慶長年間に伊勢林で一万石を得たが、父の遺領を弟の信則《のぶのり》が嗣いだことを不満として争い除封された。

織田長益は千利休門下の茶人として知られ、有楽斎《うらくさい》と呼ばれた。東京有楽町にその名を残す。大坂城にあったが夏の陣を前に退去した。関ヶ原の戦いのあと摂津味舌《ました》で三万石を得たが、のちに五男**織田尚長**《なおなが》の大和柳本、四男**織田長政**《ながまさ》の大和戒重《かいじゅう》（のちに芝村）の二藩それぞれ一万石に分かれた。長益の長男**織田長孝**《ながたか》も美濃野村で一万石を

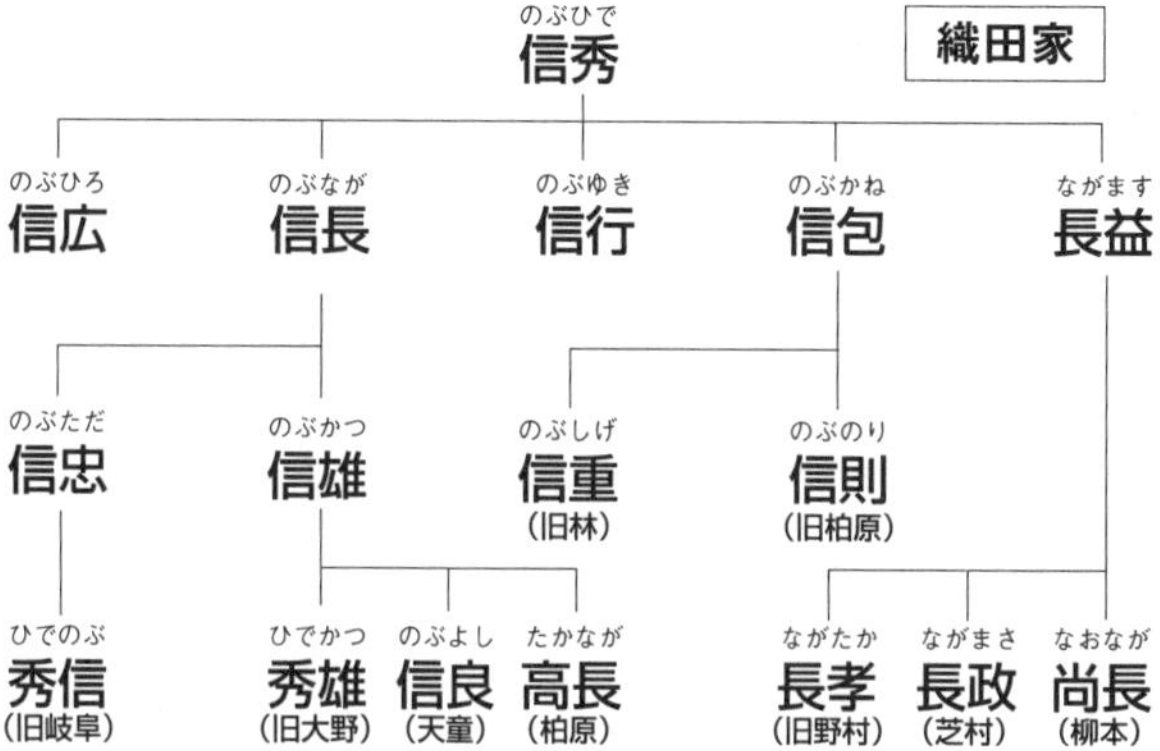

得たが、無嗣断絶となった。

津田姓は織田一族が多く名乗るが、盛月は信長に仕えたが柴田勝家との争いで刃傷事件を起こして秀吉に匿《かくま》われた。嫡男の信任《のぶとう》は山科での千人切りの嫌疑で改易。次男の**津田《つだ》信《のぶ》成《なり》**は山城三牧一万三千石だったが、京都で稲《いな》葉《ば》通重《みちしげ》らとともに酒に酔って富商の婦女たちに集団暴行に及び改易された。

それでは、織田系の大名たちにはどのような諸家があるかだが、大きく分けると、尾張に本拠を持つもの、美濃・伊勢に発祥するもの、近江・畿内にあるものに分類できる。ここでは、本能寺の変以前に織田信長の勢力下に入ったもののうち、豊臣系と徳川系以外を列挙する。ただし、近江や畿内出身者は説明の都合上、次章の豊臣系の諸大名とともに紹介することとしたい。

先輩の失脚で織田家家臣団ナンバーワンになった前田利家

丹羽（二本松）・溝口（新発田）

（丹羽）秀吉が名乗った羽柴《はしば》という姓は、丹羽《にわ》と柴田《しばた》という織田家の重臣の苗字から取ったといわれる。柴田勝家《かついえ》が織田譜代の家臣ナンバーワンだというのはともかく、丹羽という名がそれに匹敵する重い意味を持つのは、守護家である斯波《しば》家に仕えていた土豪たちの代表としてなのである。武蔵国の豪族児玉氏の一族が尾張に移り春日井郡児玉（名古屋市）に来て尾張国守護斯波氏に属し丹羽氏を名乗った。丹羽長秀《ながひで》の兄長忠は斯波氏に仕えていたが、長秀は信長のもとで活躍し柴田勝家らと並ぶ重臣として扱われた。

浅井氏の滅亡後に佐和山城で五万石を得て、戦いだけでなく、安土城の普請の責任者となるなど行政官としても能力を発揮した。天正三年には明智光秀が惟任《これとう》氏を称したのと同時に惟住《これずみ》姓を名乗ったが、これは阿蘇大神宮の神官に由来するもので、将来の九州進出に備えたものといわれている。

本能寺の変の際には、大坂にあって神戸《かんべ》信孝《のぶたか》（信長三男）、津田《つだ》信澄《のぶずみ》（信長の弟・信行の子。明智光秀の娘婿）らと四国遠征の準備中だったが、変事を聞くや、光秀につく怖れがあった信澄を攻めて自害に追い込み、山崎の戦いでは秀吉とともに明智勢と戦った。

戦後の清洲会議では秀吉と組み、近江滋賀郡と高島郡を得て、信澄の旧領だった高島郡大溝城主となった。賤《しず》ヶ岳《たけ》の戦いにあっても秀吉につき、柴田勝家の旧領越前や若狭を加え百万石の大名となった。

長秀が一五八五年に亡くなったのは、一説によれば秀吉が織田家をないがしろにするので自殺したのだともいうが、真相はよくわからない。ただ長秀の死後、**丹羽長重**《ながしげ》が嗣いだが、越中攻めや九州遠征でも軍紀が乱れて秀吉の怒りを買い、いったんは加賀松任《まっとう》四万石のみに追い込まれた。しかし、朝鮮遠征が行われた文禄年間には加賀小松一二万石にまで加増され、参議にまで昇進した。秀吉得意の上げたり下げたりの巧妙な人事政策が遺憾なく発揮されたというべきだ。

関ヶ原では、弟の**丹羽長正**《ながまさ》（越前東郷牧山五万石）ともども西軍寄りに行動し、東軍に属した加賀前田家に対抗したので改易された。光重は江戸に下って、かねてより昵懇《じっこん》の秀忠に近づき、一六〇三年には常陸古河で一万石を得て、そののち、棚倉、白河を経て、一六四三年には会津の加藤氏が改易されたあとの二本松一〇万石に移った。戊辰戦争では恭順が遅れ、武芸の心得もない少年たちを敵陣に突進させた二本松少年隊の悲劇を生んだ。丹羽家は殿さま以下、米沢にいち早く逃亡していたのだから、あきれたものだった。

（溝口）石高というのは、だいたい江戸初期の生産量を基準としており、あまり改訂しないのだが、越後新発田《しばた》藩ではあえて石高直しをして六万石を一〇万石にして幕末を迎えた。清和源氏の逸見《へんみ》義重《よししげ》の末というが、美濃を経て尾張中島郡溝口《みぞぐち》郷にあった。**溝口秀勝《ひでかつ》**は丹羽長秀、ついで秀吉に仕え、加賀大聖寺《だいしょうじ》四万石から上杉景勝《かげかつ》の会津転封《てんぽう》のあとの越後新発田六万石に移った（一五九八年）。新発田藩では新田開発を積極的に進め、越後平野を穀倉地帯にした。天保のころの直明は開明的な藩主で開国論などを積極的に唱えた名君であった。戊辰戦争に際しては、周囲を同盟派に囲まれて一時はしぶしぶ同調せざるを得なかったが、官軍の新潟上陸を手引きし、北越戦争での長岡藩に対する新政府側勝利の原動力となった。秀勝の次男である**溝口善勝《よしかつ》**は越後沢海《そうみ》で一万二千石を分与されたが、一六八七年に四代政親が発狂し改易された。

青山（旧丸岡）・上田（旧越前内）・寺西（旧伊勢内）・大島（旧関）・村上（旧村上）・奥山（旧越前国内）・山口（旧大聖寺）・長束（旧水口）・赤座（旧越前内）

（青山）いずれも丹羽長秀の家臣で、のちに秀吉の直参となっていたが、西軍に与《くみ》して除封された。越前丸岡四万六千石の**青山宗勝**《あおやまむねかつ》の子孫は二本松藩士となった。

（上田）**上田重安**《うえだしげやす》は越前に一万石を持っていたが、のちに浅野幸長《あさのよしなが》の重臣となった。

（寺西）**寺西是成**《てらにしこれなり》は、伊勢に一万石領有していたが、丹羽家に仕えた。同じく伊勢などに一万石を領していた**寺西直次**《なおつぐ》は同族か。のちに前田家に仕えている。

（大島）美濃の関出身の**大島光義**《おおしまみつよし》は弓の名手として知られ、秀吉の弓頭として一万二千石を得て、さらに、関ヶ原の戦いのあとには地元で一万八千石を領したが、一六〇四年に九七歳で亡くなったあと、子に遺産を分配したためにいずれも旗本扱いとなった。

（村上）**村上義明**《むらかみよしあき》も小松城を守っていたが、堀秀治《ほりひではる》とともに越後本庄地方に入り村上城を築いた。さらに松平忠輝《ただてる》の与力となったが、一六一八年に藩内の騒動が収用できずに改易。

（奥山）佐久間盛重《さくまもりしげ》の子奥山重定《おくやましげさだ》は、丹羽長秀、秀吉に仕え、その子の**奥山正之**《まさゆき》も越前に一万一千石を領していたが、丹羽長重らと行動をともにして改易。

（山口）尾張鳴海の山口正弘《やまぐちまさひろ》は、秀吉のもとで丹波の山奉行など治世面で手腕を発揮し、小早川秀秋《こばやかわひであき》の補佐をしたが不仲となり離れ、大聖寺五万石を与えられていたが、前田利長《としなが》と戦い戦死した。

（長束）五奉行のなかでも、もっとも経理に明るかったのが長束正家《なつかまさいえ》である。近江、あるいは尾張の人で　やはり丹羽長秀の臣であった。近江水口《みなくち》一二万石を領し西軍として関ヶ原の戦いに参加した。はじめ伊勢に出陣して安濃津城を落とした。主戦場となった関ヶ原では雨宮山に陣したが、吉川広家《きっかわひろいえ》のために戦うことができずに帰城。追っ手と戦い損害が大きかったうえに、池田長吉に欺《あざむ》かれて城を出て、蒲生郡桜井谷で自害。

（赤座）越前国守護斯波氏に属して南仲条郡新道、さらに今庄にあった赤座《あかざ》直保《なおやす》は信長・秀吉に仕えて二万石を得た。敦賀領主の大谷吉継《おおたによしつぐ》とともに西軍に属したものの、かつて与力をつとめた小早川秀秋とともに東軍に寝返ったのだが、所領を没収された。のちに加賀の前田利長に仕えて松任《まっとう》城にあったが、越中大門川氾濫の検分に赴き溺死《できし》した。子孫は赤座から永原に改姓し加賀藩に仕えた。

前田（金沢・富山・大聖寺・七日市・旧七尾）・前田（旧八上）

織田信長の**前田利家**《としいえ》に対する評価はそれほど高くなかったようだ。というのは、利家は戦士としては抜群で、敵の生首を生涯に二六も獲ったといわれる猛者《もさ》だが、指揮官としての戦功らしきものはほとんどないのである。

菅原道真《すがわらみちざね》の子孫と称する愛智郡荒子の土豪の四男で、信長に近侍《きんじ》するが、茶坊主と諍《いさか》いを起こして斬り出奔した。桶狭間の戦いに馳せ参じて功を上げるが、それでも容易には許されなかった。帰参したのちに、信長の命令で兄から家督を譲られた。柴田勝家の与力として越前府中（武生《たけふ》）で佐々成政《さっさなりまさ》、不破光治《ふわみつはる》と三人の共同領主となり、ようやく信長の死の前年になって、能登を与えられている。また、関ヶ原の戦いのあとの清洲会議でも、四宿老は柴田、丹羽、羽柴に池田恒興《いけだつねおき》であるし、賤ヶ岳の戦いでも柴田勝家のもとで消極的に出兵しているだけである。

だが、賤ヶ岳での寝返りや佐々成政制圧のおかげで、金沢をはじめ加賀二郡を獲得して大大名となったし、何よりも、旧織田家中のなかで上位者の失脚で序列が自然と上がってきた。本能寺以降を考えても、明智光秀、柴田勝家、滝川一益、丹羽長秀、池田恒興、森長可《もりながよし》、佐々成政、堀秀政《ほりひでまさ》、蒲生氏郷《がもううじさと》といったところが次々と消えて、最後に残ったのが利家だった。

秀吉の死の前後をめぐる家康との関係については、第一章でも書いたところだが、利家の死後、嫡子の利長は秀頼のお守り役の仕事を放棄して金沢に帰る。そして、家康から反逆ではないかと牽制《けんせい》されると、あっさり母のまつを人質に江戸へ送って白旗を上げた。

関ヶ原の戦いのときは、西軍の丹羽長重《ながしげ》らと小競り合いをしただけだったが、西軍寄りだった**前田利政**《としまさ》の領国能登二一万五千石を併合して、自分はやがて異母弟の利常《としつね》に家督を譲って高岡に隠棲した。江戸でかつての同輩だった秀忠に臣下扱いされて不愉快だったのも理由かもしれない。

ここで、利家夫人まつの立場も微妙である。お家安泰のために進んで江戸へ向かったが、結果は、長男の利長のあとは腹違いの利常に百万石は与えられ、次男の利政《としまさ》は京都嵯峨野に隠棲する身となったのである。大坂の陣のあとになって、まつは利政と嵯峨野で再会するのだが、そのときに、どんな会話があったのだろうか。

利長を嗣いだ利常は、ともかく野心がないことを必死に示した。その孫の綱紀《つなのり》は贅沢な工芸品産業を振興し、新井白石をして「金沢は天下の書府」と呼ばしめたほど学術を発展させた。こうして、よくも悪くも軟弱このうえない藩風ができあがった。八代将軍吉宗《よしむね》のころ藩主だった吉徳《よしのり》は、足軽上がりの大槻伝蔵《おおつきでんぞう》を抜擢させ財政改革をさ

前田（金沢加賀）

- 利家《としいえ》
  - ① 利長《としなが》 1598-1605
  - 七尾 利政《としまさ》
  - ② 利常《としつね》 1605-1639
    - ③ 光高《みつたか》 1639-1645
      - ④ 綱紀《つなのり》 1645-1723
        - ⑤ 吉徳《よしのり》 1723-1745
          - ⑥ 宗辰《むねとき》 1745-1747
          - ⑦ 重煕《しげひろ》 1747-1753
          - ⑧ 重靖《しげのぶ》 1753-1754
          - ⑨ 重教《しげみち》 1754-1771
            - ⑪ 斉広《なりなが》 1802-1822
              - ⑫ 斉泰《なりやす》 1822-1866
                - ⑬ 慶寧《よしやす》 1866-
          - ⑩ 治脩《はるなが》 1771-1802
    - 富山 利次《としつぐ》
    - 大聖寺 利治《としはる》
    - 大聖寺 利明《としあき》
  - 七日市 利孝《としたか》

せたが、藩主の側室真如院と密通して実子を藩主にしようとしたなどと讒言《ざんげん》され、保守派の巻き返しにあって越中五箇山《ごかやま》で自刃した。このときの保守派の頭目は、利政の子孫である前田土佐守だった。

この前田土佐守をはじめとして、加賀藩には加賀八家という家老家があった。前田家の古くからの家臣だった奥村家とその分家、利家が召し抱えた横山長知《ながとも》と村井長頼《むらいながのり》の子孫、本多正信の次男正重《まさしげ》の子孫、能登の名族長連龍《ちょうつらたつ》の子孫、利家の長女幸の婿だった長種を祖とする前田対馬守家、それに前田土佐守家であって、前田家の歴史を映し出す味わい深い構成だった。

いずれにせよ加賀藩は、徳川幕藩体制のなかで毒にも薬にもならない存在として生きながらえ、それほどの善政も苛政もしなかった。思いきった人材登用も加賀騒動に懲《こ》りて試みなかった。利家の子孫が順調に子を成したから、将軍家から養子をもらえなどともいわれなかった。逆に家斉《いえなり》と愛妾《あいしょう》お美与の方の娘溶姫《やすひめ》を斉泰《なりやす》に輿入れさせてできた子の慶寧《よしやす》を将軍にという陰謀があったが、加賀藩がそんな恐れ多い冒険をするはずもなく、これはお美与の一人芝居だった。その慶寧は皮肉なことに勤王派に近く、禁門の変の際には京都にあって長州寄りの動きを見せたが、父親でご隠居の斉泰に止められて、側近の勤王派は飛び地の近江高島郡で粛清され、このために幕末には中途半端な動きしかできなかった。戊辰戦争には大兵力を送り多くの戦死者も出した。加賀百万石というが、正確には百二万五千石である。

利常は、一六三九年に光高《みつたか》に家督を譲るとき、次男**前田利次**《としつぐ》に富山一〇万石、三男**前田利治**《としはる》に大聖寺七万石（のちに一〇万石）を与えた。光高と利次は秀忠の娘を母とするから待遇に少し差がある。

富山藩は二代目の正甫《まさとし》が売薬を奨励したことで知られる。大聖寺藩は九代目利之《としこれ》のとき一〇万石に石高直しが行われた。石高直しというのは、領地はそのままだが、表向きの石高を上げることである。格式は上がるが負担は多くなる。大聖寺藩からは、

前田（富山）

利常《としつね》
① 利次《としつぐ》 1631-1674
② 正甫《まさとし》 1674-1706
③ 利興《としおき》 1706-1724
④ 利隆《としたか》 1724-1745
⑤ 利幸《としゆき》 1745-1762
⑥ 利与《としとも》 1762-1777
⑦ 利久《としひさ》 1777-1788
⑧ 利謙《としのり》 1788-1801
⑨ 利幹《としつよ》 1801-1835（大聖寺前田）
⑩ 利保《としやす》 1835-1846
⑪ 利友《としとも》 1846-1854
⑫ 利声《としかた》 1854-1859
⑬ 利同《としあつ》（加賀前田より） 1859-

前田（大聖寺）

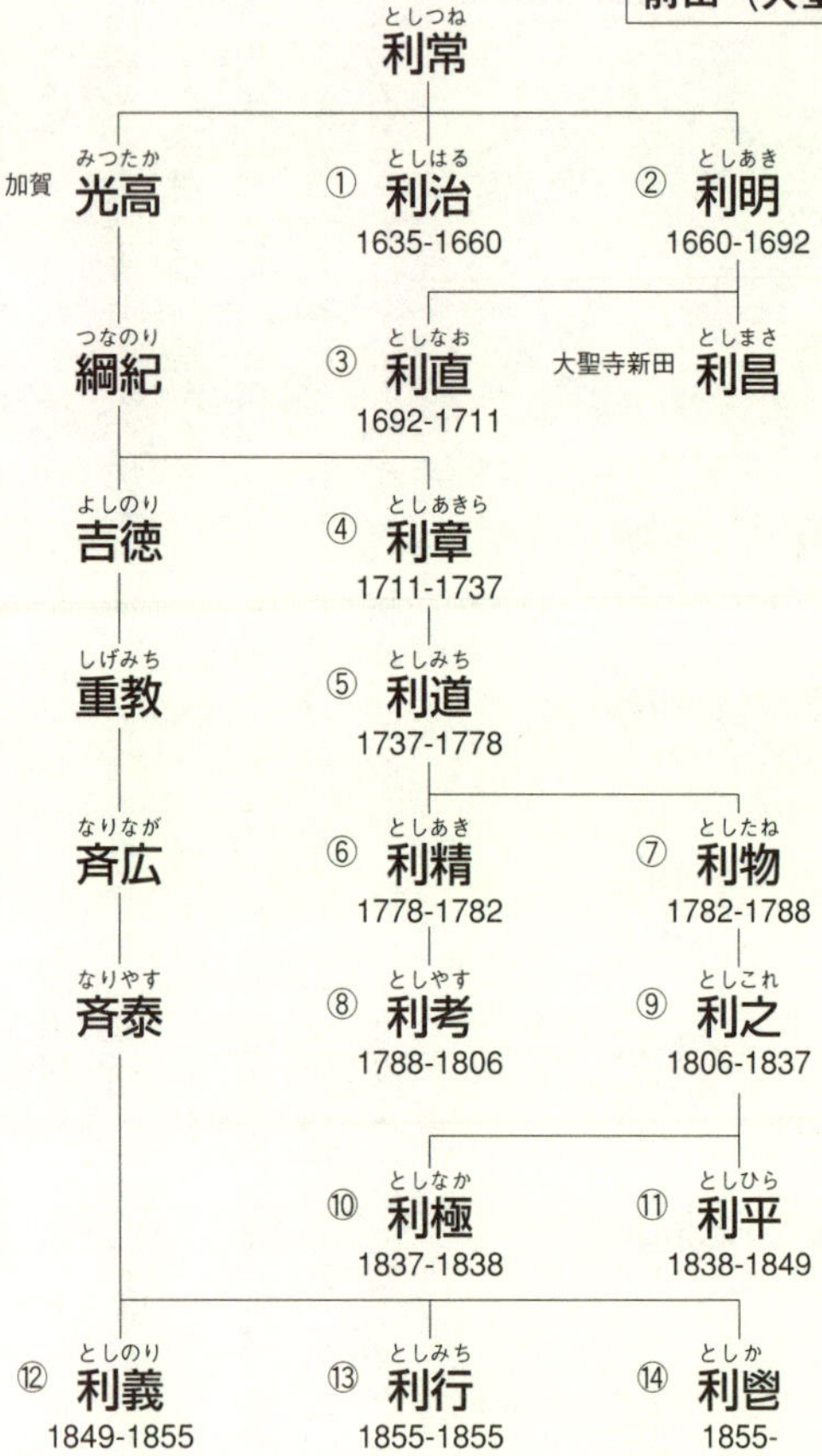

利常《としつね》
加賀 光高《みつたか》
① 利治《としはる》 1635-1660
② 利明《としあき》 1660-1692
綱紀《つなのり》
③ 利直《としなお》 1692-1711
大聖寺新田 利昌《としまさ》
吉徳《よしのり》
④ 利章《としあきら》 1711-1737
重教《しげみち》
⑤ 利道《としみち》 1737-1778
斉広《なりなが》
⑥ 利精《としあき》 1778-1782
⑦ 利物《としたね》 1782-1788
斉泰《なりやす》
⑧ 利考《としやす》 1788-1806
⑨ 利之《としこれ》 1806-1837
⑩ 利極《としなか》 1837-1838
⑪ 利平《としひら》 1838-1849
⑫ 利義《としのり》 1849-1855
⑬ 利行《としみち》 1855-1855
⑭ 利鬯《としか》 1855-

二代目利明の子の**前田利昌**《としまさ》が一万石を分与されて大聖寺新田藩を創設したが、寛永寺で行われた綱吉の法事で柳本藩主織田秀親を刺殺して、切腹除封させられた。

七日市《なのかいち》藩は、利家の五男で江戸に人質にされていた**前田利孝**《としたか》が一六一六年に一万石で創設したものである。加賀藩参勤交代のときの中継基地となった。

秀吉の五奉行の一人、**前田玄以**《げんい》は加賀前田家とは関係なく、美濃出身だが尾張で寺の住職をしていた。織田家に仕え、秀吉の下で公家や寺社を管轄した。関ヶ原では曖昧《あいまい》な立場を取ったが、子**前田茂勝**《しげかつ》は東軍に属し、丹波亀山から丹波八上に移り五万石を安堵《あんど》された。一六二一年に発狂して、殺傷や放浪を繰り返し改易。熱心なキリシタンだった。

本家岡山藩より分家鳥取藩が格上の謎

池田（岡山・鳥取・鴨方・生坂・鹿野・若桜）
岡山と鳥取という二つの雄藩を擁する池田家は、源頼光の末孫というが、詳細は不明である。近江甲賀郡の滝川恒利《たきがわつねとし》が尾張に移り池田政秀の婿養子となって織田信秀に仕えたのだが、たまたま信長が生まれたので、政秀の娘は乳母となった。一五八〇年に摂津の荒木村重《あらきむらしげ》が反旗を翻《ひるがえ》したとき、その子の恒興《つねおき》が活躍し、その遺領を得た。本能寺の変ののち、備中から戻った秀吉といち早く兵庫で会談し、清洲会議では明智光秀と滝川一益の空いた穴を埋めて、柴田勝家、丹羽長秀、羽柴秀吉と並ぶ宿老としての地位と大坂城を手に入れた。また、三好秀次の正室に娘を出した。翌年には大坂を秀吉に譲って大垣に移り、織田信孝のあとの岐阜城主に長男の之助《ゆきすけ》を送り込んだ。しかし、長久手で徳川勢に敗れ、之助や娘婿の森長可《もりながよし》とともに戦死した。

生き残った次男**池田輝政**《いけだてるまさ》は岐阜城主から三河吉田（豊橋）城主となった。吉田城を今日の形にしたのは彼である。また、正室であった中川清秀《なかがわきよひで》の娘に先立たれていたので、北条氏直《ほうじょううじなお》の夫人だった家康の次女督姫《とくひめ》を妻として迎えたが、これが池田家の飛躍的な発展に結びついた。

関ヶ原の戦いでは、緒戦の岐阜城攻防戦で攻め手の大将として手際よく勝手知ったかつての居城を陥れるなど功を上げ、戦後は姫路五二万石を得た。秀吉時代の旧城を大改造して世界遺産を創り上げた。

輝政には、前妻の中川氏との間に長男の利隆があって、これを嫡男とせざるを得なかったので、家康は督姫との間にできた**池田忠継**《ただつぐ》のために、小早川家改易後の備前二

池田（鳥取）

輝政《てるまさ》

- 利隆《としたか》
- ① 忠継《ただつぐ》 1603-1615
- ② 忠雄《ただかつ》 1615-1632
  - ③ 光仲《みつなか》 1632-1685
    - ④ 綱清《つなきよ》 1685-1700
    - 仲澄《なかずみ》
      - ⑤ 吉泰《よしやす》 1700-1739
        - ⑥ 宗泰《むねやす》 1739-1747
          - ⑦ 重寛《しげのぶ》 1747-1783
            - ⑧ 治道《はるみち》 1783-1798
              - ⑨ 斉邦《なりくに》 1798-1807
              - ⑩ 斉稷《なりとし》 1807-1830
                - ⑪ 斉訓《なりみち》 1830-1841
            - 鹿野 仲雅《なかまさ》
              - 鹿野 仲律《なかのり》
                - ⑫ 慶行《よしゆき》 1841-1848
                  - ⑬ 慶栄《よしたか》 1848-1850（加賀前田より）
                    - ⑭ 慶徳《よしのり》 1850-（水戸徳川より）
    - 清定《きよさだ》
- 輝澄《てるずみ》
- 政綱《まさつな》
- 輝興《てるおき》

八万石を与えた。さらに、その弟でやはり督姫の子である池田忠雄《ただかつ》に淡路を与えた。一六一三年に輝政が死んだとき、播磨西部の宍粟《しさわ》、赤穂、佐用《さよう》三郡は忠継に分与されたが、その忠継も一六一五年に死んだので、その遺領は、備前を忠雄が引き継ぎ、やはり督姫の息子たちである池田輝澄《てるずみ》が宍粟三万八千石、池田政綱《まさつな》が赤穂三万五千石、池田輝興《てるおき》が佐用二万五千石を得た。さらに、輝政の弟で一時は秀吉の養子にもなった池田長吉《ながよし》も、関ヶ原の戦いののちに鳥取六万石の大名になった。

姫路城を築いた輝政の石高は五二万石だったが、死後、播磨西三郡は忠継に分与させられ、利隆は四二万石になった。利隆が大坂夏の陣の翌年に没したとき、秀忠の養女の榊原康政《さかきばらやすまさ》女との間に生まれた嫡子光政はわずか七歳であったので、山陽道の要衝姫路を任すのは無理ということとされ、三二万石で鳥取に移された。

しかし一六三二年、岡山藩主忠雄が死んだとき、嫡子光仲は幼少だったので、岡山、鳥取両藩を交換せよということになった。そこで、同じ石高の両藩がそっくりそのまま交替した。光政は熊沢蕃山《くまざわばんざん》や津田永忠《つだながただ》を登用して、新田開発、領民の教育、質素倹約の奨励など「善政」を敷き、保科正之《ほしなまさゆき》などと並ぶ江戸時代前期における名君として評価を受けた。蕃山の説く領民への善政こそ将軍への忠義であるという「仁即忠」という思想は大いにもてはやされ、永忠は洪水時に樋門《ひもん》を操作して、遊水池にあふれ

池田（岡山）

- 恒興《つねおき》
  - ① 輝政《てるまさ》 1584-1613
    - ② 利隆《としたか》 1613-1616
      - ③ 光政《みつまさ》 1616-1672
        - ④ 綱政《つなまさ》 1672-1714
          - ⑤ 継政《つぐまさ》 1714-1752
            - ⑥ 宗政《むねまさ》 1752-1764
              - ⑦ 治政《はるまさ》 1764-1794
                - ⑧ 斉政《なりまさ》 1794-1829
                  - ⑨ 斉敏《なりとし》 1829-1842 （薩摩島津）
                    - ⑩ 慶政《よしまさ》 1842-1863 （中津奥平）
                      - ⑪ 茂政《もちまさ》 1863-1868 （水戸徳川）
                        - ⑫ 章政《あきまさ》 1868- （人吉相良）
        - 政言《まさこと》 （鴨方藩祖）
        - 輝録《てるとし》 （生坂藩祖）
    - 忠雄《ただかつ》 （鳥取藩参照）
  - 長吉《ながよし》

た水を入れる手法で河口周辺における新田開発を可能にした。その子綱政の代になって津田永忠が造営した国宝の閑谷《しずたに》学校や日本三大名園の一つ後楽園は、歴史的な遺産として、その栄華を今に伝える。

そののちの歴代の藩主では、松平定信《さだのぶ》の寛政の改革における倹約令に反発して「越中に超されぬ山が二つある。京の中山（太上天皇問題で対立した中山愛親《よしちか》）、備前岡山」といわれた治政《はるまさ》が知られる。書を好む粋人でもあり、隠居のために江戸を去るときに詠んだ「富士さらば　また絵であはう　国隠居」などという川柳も有名だ。

江戸末期になって、男子がおらず、島津斉興《なりおき》、奥平昌高《まさたか》（中津）、水戸斉昭《なりあき》、相良《さがら》頼之《よりゆき》の子を相次いで養子とした。ただし、相良頼之の祖父は岡山藩からの養子であるから、輝政、光政の血を引いているということになる。

岡山藩には支流として三藩があり、まず、利隆の次男である**池田恒元《つねもと》**が、当初、姫路新田を、ついで播磨山崎を与えられ三万石を領したが三代で断絶した。光政の次男である**池田政言《まさこと》**と三男の**池田輝録《てるとし》**が、それぞれ新田を分与され立藩したが、鴨方《かもがた》藩（二万五千石）、生坂藩（一万五千石）ともいう。最後の岡山藩主章政《あきまさ》は、当初は鴨方藩の養子として政詮《まさのり》を名乗っていたのを、宗家の当主が徳川慶喜の弟ではなにかと都合が悪いというので交替したものである。輝政の弟で鳥取藩主となった長吉の系統は、備中松山に移ったが四代で無嗣断絶となった。

家康というのは、自分の子供に対しても、えらく好き嫌いが激しい人物だが、督姫は好きな子供だったのだろう。忠継に、わずか五歳で備前二八万石を与え、しかも輝政の死後は、輝政の遺領の一部を加えて三八万石として利隆とほぼ同格としたのである。そののちの経緯は、すでに書いたとおりだが、江戸時代を通じて、鳥取藩のほうが、石高も官位も少しだけだが岡山の本家よりも上だったのはこういうわけである。

この鳥取藩の支藩に二つの鳥取新田藩がある。それぞれ、光仲の子である**池田仲澄**《なかずみ》と**池田清定**《きよさだ》を藩祖とするもので、東館（鹿野《しかの》三万石）、西館（若桜《わかさ》二万石）と区別された。

下間《しもつま》家は本願寺の幹部を代々輩出したが、**池田重利**《しげとし》は叔父である池田輝政に属して池田姓を名乗った。播磨新宮で一万石を与えられ、一六七〇年に四代邦照《くにてる》で無嗣断絶。

生駒（出羽矢島）・佐久間（旧飯山・長沼）

（生駒）生駒《いこま》氏は藤原氏の流れで大和生駒にあったが、一五世紀の終わりに尾張丹羽郡小折邑《こおりむら》（江南市）に移った。土豪で商いも手広くやっていたらしいが、美濃の土田《どだ》政久《まさひさ》の子親重《ちかしげ》を養子とした。親重の姉妹に織田信長の母があるが、親重の子の一人の宗家の娘が信長の愛妾で、信忠・信雄兄弟の母である吉乃である。

宗家の子家長は、のちに信雄、ついで尾張徳川家に仕えたが、宗家の兄弟である**生駒親正**《ちかまさ》は、秀吉の配下に入った。一五八六年に伊勢神戸城主となり、播磨赤穂を経て、一五八七年には尾藤知宣《びとうとものぶ》に代わって讃岐一国一七万二千石を与えられ、居城として高松城を、西讃の抑えとして丸亀城を築城した。

関ヶ原の戦いでは、親正は西軍についたが、嫡男の一正《かずまさ》は東軍で活躍し、領地を安堵《あんど》された。ところが一正の孫高俊《たかとし》のときに、生駒一族と前野一族が争い国を奪われた。親正の親友で前野長康《まえのながやす》という者があり、豊臣秀次の家老だったが、秀次失脚に連座して切腹した。遠藤周作の『男の一生』(文藝春秋)の主人公である。その彼の一族を親正は哀れんで抱えたのであるが、これが裏目に出た。出羽矢島で一万石を残されたが、のちに分割したために寄合旗本に格下げされた。明治元年に再び諸侯扱いとなった。

(佐久間)信長の家臣で佐久間氏というと、信盛《のぶもり》と盛政《もりまさ》が知られている。いずれも桓武平氏三浦義村を祖先として、安房国平群《へぐり》郡佐久間郷にあったと称している。代々織田家に属し、信盛は重臣の一人であったが、総大将をつとめた本願寺攻めの不手際を責められ、高野山、ついで熊野に追放され死んだ。信盛の従兄弟の子である盛政は柴田勝家の姉を母とし、加賀尾山《かがおやま》（金沢）城主となった。賤ヶ岳の戦いでは中川清秀を急襲して戦死させたものの、岐阜から戻った秀吉軍の餌食《えじき》になり刑死した。弟の**佐久間安政**《やすまさ》は北条家に亡命したあと秀吉に赦《ゆる》され、関ヶ原のあとには、信濃飯山で三万石を得たが、三代目の安次《やすつぐ》が死んだ一六三八年に無嗣除封とされた。別の弟の**佐久間勝之**《かつゆき》は、一時、佐々成政の養子となったが本姓に復し、一六一五年に信濃長沼藩主一万八千石となった。四代目の勝茲《かつちか》のときに綱吉の小姓を病気と偽って辞退して改易された。

河尻（旧苗木）・毛利（旧飯田）・徳永（旧高須）・岡本（旧亀山）・丹羽（三草）

（河尻）甲斐の武田勝頼《たけだかつより》が滅亡したあと甲斐一国を任されたのが、信長のもとで事務官僚として信任を受けていた河尻秀隆《かわじりひでたか》である。武田旧臣を雇うべからずという方針で苦しい経営をしていたが、本能寺の変ののちの混乱の中で殺された。次男の**河尻直次**《なおつぐ》は美濃苗木《みのなえぎ》城一万石を与えられ、方広寺大仏殿の普請奉行などをつとめたが、西軍に属し自害。弟の子孫が旗本となった。

（毛利）桶狭間で今川義元を討った毛利新助《もうりしんすけ》をはじめ、織田家中で毛利姓のものは多い。毛利秀頼《ひでより》もその一人で、じつは斯波義統《よしむね》の子であるともいう。信長から信濃伊那郡を与えられたが、本能寺の変ののち、いったん失った。しかし、天下統一後に回復した。一五九三年に秀頼が死んだあとは、女婿の京極高知《きょうごくたかとも》に飯田九万石、実子の毛利秀秋《ひであき》に一万石が与えられた。大坂の陣では大坂城に籠城し、仙石忠政と戦って討死した。

さらに、尾張の人で秀吉の老臣毛利吉成《よしなり》がいる。秀吉から豊前小倉六万石に封じられ、関ヶ原の戦いでは、西軍に与《くみ》し伏見城攻めに参戦。戦後、領地没収となるが、山内一豊夫人《やまのうちかずとよ》を保護したことで土佐藩に預けられた。弟の毛利吉雄《よしお》も豊前で一万石を与えられていたが改易。小早川秀秋に仕える。吉成の子の毛利吉政《よしまさ》（勝永《かつなが》）も豊前で一万石を領していたが、父と同じく土佐に流された。しかし、大坂の陣では大坂城に入り茶臼山で戦うが、大坂城で自害した。

（徳永）柴田勝家の養子であった勝豊《かつとよ》は、長浜城主となり秀吉と組んだが、徳永寿昌《とくながながまさ》はその重臣だった。美濃で三万石から、関ヶ原のあとは子の昌重が高須五万三千石となったが、大坂の陣ののちの大坂城普請の遅延で改易された。

（岡本）尾張出身で織田信孝の家老だった岡本重政《おかもとしげまさ》は、信孝が滅びる前に秀吉に転じ、亀山二万二千石を与えられた。朝鮮晋州城攻撃などに活躍した。居城にあって西軍に呼応したが、敗戦を聞いて開城し自刃した。

（丹羽）同じく織田信長に属していたが、二本松藩主の丹羽氏とはまったく別系統である。三河一色氏の一族が尾張丹羽郡に移ったもので、岩崎城主だった。**丹羽氏次**《にわうじつぐ》は織田信雄に臣従して伊勢にあったが、信雄改易後は徳川家康に仕えた。関ヶ原の戦いのあと、三河伊保《いほ》で一万石を与えられて大名となったあと、子孫は美濃岩村、越後高柳を経て一七四二年に播磨に入り、やがて三草《みくさ》に陣屋を構えた。

森蘭丸一族が恨んだ家康の横領事件

山内（土佐）・本多

（山内）賢夫人といわれた千代（見性院）が嫁入りのときに持ってきて鏡筐《かがみばこ》に隠して置いたへソクリのおかげで名馬を手に入れて出世の糸口をつかんだと『常山紀談』に書かれている逸話で有名な**山内一豊**は、関東武士の名門首藤氏の流れと称す。相模国山内荘にあって山内を名乗り、それが全国に広がった。

一門のうち丹波へ移った貞通は、船井郡瑞穂《みずほ》町にあって足利義政らに仕えたが、のちの盛豊は阿波を経て尾張に至り、尾張北半分の守護代である岩倉城主織田信安の重臣となった。信安が滅びたあと、一豊は美濃から近江に入り、瀬田城主山岡景隆に属したのち信長に仕えるようになり、姉川合戦などで戦功を上げた。秀吉に属し、賤ヶ岳の戦いのあとは長浜城を預けられたりした。正室千代も浅井旧臣である若宮友興《わかみやともおき》の女《むすめ》といわれ、近江とつながりが深い武将である。

家康の関東移封のあと、遠江掛川城五万石を与えられたが、この一豊が運をつかんだのは、関ヶ原の前夜、会津攻めのために下野小山にあった家康軍に石田三成挙兵の知らせが着いたとき、一番に掛川城を家康の軍勢のために提供しようと提案したことである。単に加勢するだけでなく、城まで提供しようというのは、軍事行動を円滑に進めるためにこのうえなくありがたい申し出であった。家康はこれを評価して、戦いそのものではそれほどめざましい働きもなかったにもかかわらず、領地四倍増という破格の待遇で土佐一国二四万二千石の領主としたのである。

その土佐では、長曽我部旧臣の抵抗が強かったが、ある日、宴席に招待するとして主だった土豪たちを集めて一網打尽に殺すといった荒っぽい方法で動きを止めた。また、長曽我部氏の城は桂浜に近い浦戸港そばの丘の上にあったが、高知に築城し移転した。土佐は豊かな国でなかったが、二代目忠義の家老野中兼山が強引に殖産興業と

山内（土佐）

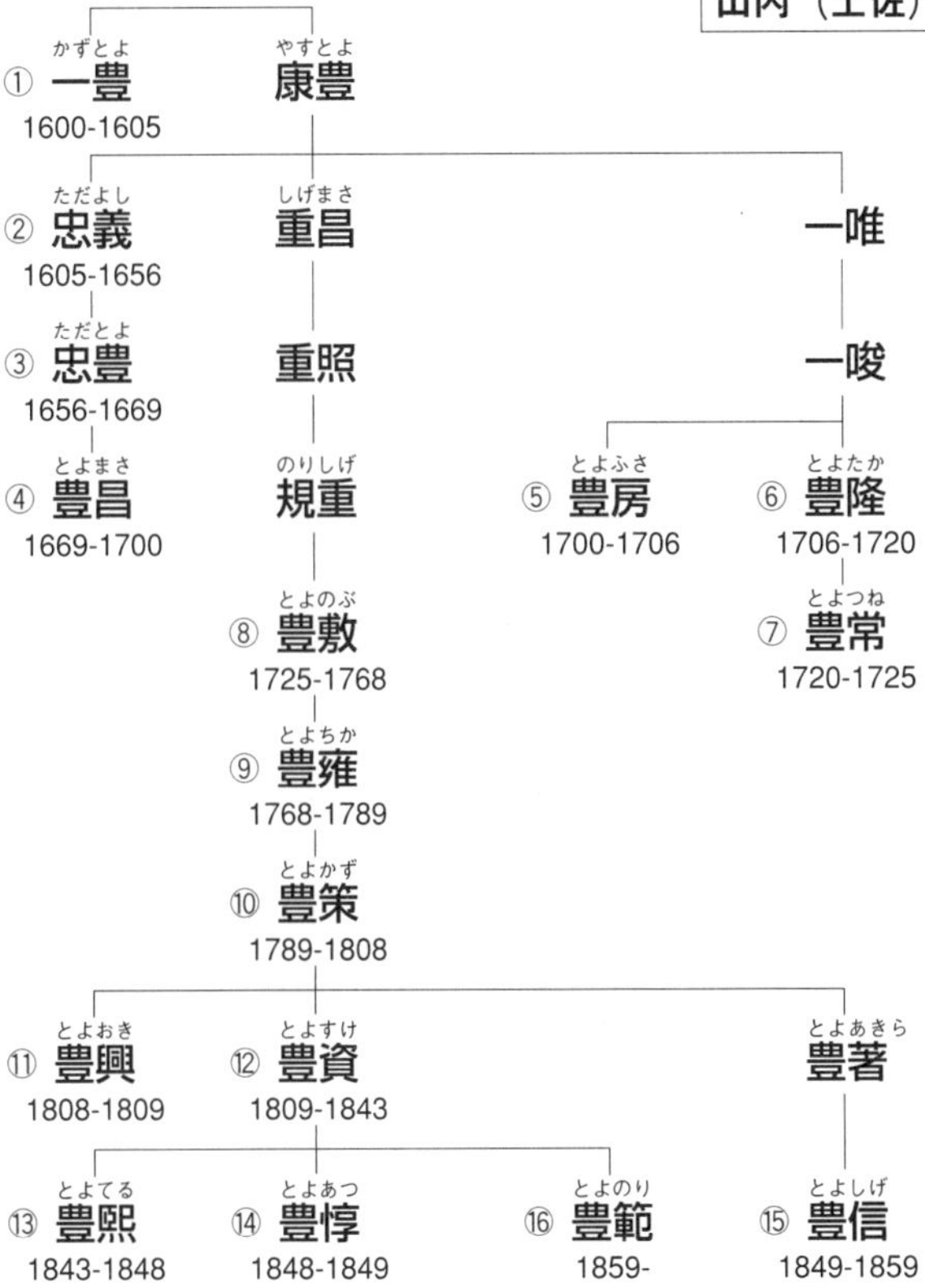
① 一豊《かずとよ》
1600-1605
康豊《やすとよ》
② 忠義《ただよし》
1605-1656
重昌《しげまさ》
一唯
③ 忠豊《ただとよ》
1656-1669
重照
一唆
④ 豊昌《とよまさ》
1669-1700
規重《のりしげ》
⑤ 豊房《とよふさ》
1700-1706
⑥ 豊隆《とよたか》
1706-1720
⑧ 豊敷《とよのぶ》
1725-1768
⑦ 豊常《とよつね》
1720-1725
⑨ 豊雍《とよちか》
1768-1789
⑩ 豊策《とよかず》
1789-1808
⑪ 豊興《とよおき》
1808-1809
⑫ 豊資《とよすけ》
1809-1843
豊著《とよあきら》
⑬ 豊熈《とよてる》
1843-1848
⑭ 豊惇《とよあつ》
1848-1849
⑯ 豊範《とよのり》
1859-
⑮ 豊信《とよしげ》
1849-1859

インフラ整備に励み、それが幕末の活躍につながる。幕末にあっては、旧長曽我部旧臣で、武士と農民・町民の中間的な存在だった郷士が近代化と尊王攘夷の格好の推進力になり、薩長土肥の一角に名を連ねた。政治に興味を持つブルジョワ層としての役割を果たしたということであり、坂本龍馬がその代表である。

支藩としては、中村藩と高知新田藩があった。中村藩二万七千石は一豊の弟**山内康豊**《やすとよ》が立てた。一豊には男子がなかったので、康豊の子の忠義が土佐藩二代目となるなどして、いったん中村藩は廃されたが、忠義の次男忠直が再興した。その子の豊明《とよあきら》は五代将軍綱吉に気に入られて、外様であるにもかかわらず若年寄となり、さらに老中を命じられたが、あまりの栄進に不安を持って固辞したところ、綱吉の逆鱗《げきりん》に触れ取り潰され、子の豊成は旗本とされた。しかし、その子の**山内豊産**《とよただ》は麻布山内氏という分家の養子となり、本家からも領地を分与されて高知新田藩一万三千石を安永九年に立て、高知城内に藩庁を設けて幕末まで続いた。

このほかにも、山内家には分家がたくさんあり、そのおかげで、藩主に男子がいない場合でも他家から養子を迎えることなく血統を維持できたのである。

（本多）織田信安の家臣だった者で本多利久という者があり、その子の**本多**《ほんだ》**利朝**《としとも》ども豊臣秀長に仕え、高取二万五千石を領した。一六三七年に無嗣断絶。三河の本多家との関係は不明である。

森（赤穂・三日月）・関（新見）

（森）美少年・森蘭丸《もりらんまる》で知られる森家は、八幡太郎義家《よしいえ》の六男義隆が相模国愛甲郡森荘（厚木市）にあったことから森氏を称し、各地に進出した。そのうち、美濃葉栗郡の可成《よしなり》は土岐、斎藤両氏に仕えたのち、一五五四年に信長のもとに移った。翌年に信長が本家筋にあたる清洲城主織田信広を攻めたときには信広の首級《しるし》を上げるなど活躍し、美濃金山城主となった。しかし、比叡山の南に位置する近江大津の宇佐山城を守っていた一五七〇年に浅井・朝倉勢に攻められ戦死した。比叡山延暦寺《えんりやくじ》焼打の前年のことである。

あとを嗣いだ長可《ながよし》は、織田信忠を助けて武田攻略に活躍し、戦後、信濃北四郡（更《さら》級《しな》・高井・水内《みのち》・埴科《はにしな》）を賜り海津城（松代城）に拠った。ところが、本能寺の変が起きたときに、甲斐の河尻、厩橋《うまやばし》の滝川、北信濃の森はいずれも統治の基礎が確立されておらずに逃げ帰らざるを得ず、長可も金山に戻った。長可は、その原因の一つを家康による一揆煽動と見て恨みがましく思っていたので、小牧長久手の戦いの際に、三河を攻めて敵の背後を衝くという奇襲を提案し実行したが失敗して、長可は戦死してしまった。

本能寺の変で、長可の弟で信長の小姓であり美濃岩村五万石を得るという厚遇を受けていた蘭丸も、信長と運命をともにした。結局残ったのは、六男の**森忠政**《ただまさ》で、長可の金山城を引き継いだ。のちに、兄の旧領であった川中島一三万石、さらに一六〇三年には、小早川秀秋の死去のあと、美作津山《みまさか》一八万六千石。津山城を近代的な城にしたのは忠政である。忠政のあとは、外孫の長継《ながつぐ》が嗣いだ。姉の子で娘婿でもある重臣関成次の長男である。しかし歴代の藩主が早世し、森家は一六九七年に断絶させられてしまった。このとき長継は八七歳ながらも存命だったので、これに備中西江原《にしえばら》に二万石が与えられ、一七〇六年に赤穂二万石に移った。

このほか、長継の四男**森長俊**《ながとし》は津山新田藩を立てていたが、本家改易にともない一六九七年、播磨三日月一万五千石に移された。

（関）常陸関氏の流れで藤原秀郷《ふじわらひでさと》の子孫と称する関成政《せきなりまさ》は、尾張一宮城主で森可成の娘婿となり、長可に従って長久手の戦いで戦死した。その孫の長継が森家の養子となり、そして津山藩主となって、弟で関家を継いだ**関長政**《ながまさ》に宮川一万九千石を分与した。津山森家の改易にともない、備中新見に移った。

堀（飯田・村松・須坂・椎谷）・多賀（旧神楽岡）・市橋（仁正寺）・伊東（岡田）

（堀）城下に統治誹謗《ひぼう》の立て札があったのを知った堀秀政《ほりひでまさ》は、「もっともな諫言《かんげん》であり、天からの下されもの」といって施政を改善したので、領民から「品行左右衛門」と称えられた。豊臣政権の将来を担う中堅どころのホープであった。祖は藤原利仁《としひと》の流れと称し、美濃にあって斎藤道三に仕えていたが、のちに、秀重のときに信長の配下に入った。その子の秀政は秀吉の中国攻めに同行し、そのまま山崎の戦いで天王山を明智方から奪う功を上げ、さらに大津に軍を展開した。明智左馬介が安土城から坂本城に向かうときに湖水を馬で渡ったのは、堀秀政軍を避けてのことである。賤ヶ岳の戦いのあと、佐和山城主を経て、丹羽長秀の死後には越前北ノ庄の太守となったが、小田原の陣の陣中で死去。

長男**堀秀治**《ひではる》は上杉景勝会津転封後の越後国主となり四五万石を得たが、忠俊《ただとし》のとき、内紛のために改易された。ただし、秀政次男の**堀親良**《ちかよし》の系統は、越後蔵王堂、真《も》岡《おか》、烏山を経て、寛文一二年に信濃飯田藩一万七千石となった。天保期の藩主堀親寚《ちかしげ》は、老中水野《みずの》忠邦《ただくに》の腹心として活躍し、「堀の八方睨み」と恐れられた。のちに阿部《あべ》正弘《まさひろ》のもとで老中に就任した。

堀秀政には**堀利重**《としじげ》という弟がいた。徳川秀忠に仕え、大坂の陣の功などで常陸玉取藩主となったが、三代目の通周《みちちか》が発狂して、家臣を殺害して改易された。

幕末には、ほかに越後村松、信濃須坂、越後椎谷の殿さまが堀氏だったが、これらはいずれも、堀家の家老だった堀直政《なおまさ》の子孫である。直政は尾張出身で、秀政の従兄弟で本姓は奥田だったが、堀姓を与えられ堀秀治の家老として越後三条にあった。堀家の内紛の際に、直政の嫡子であった直次《なおつぐ》は改易されたが、対立していた異母弟の**堀直寄**《なおより》は生き残り、長岡八万石の独立大名となった。さらに村上一〇万石に昇進するが、孫の直定《なおさだ》が夭折《ようせつ》して断絶した。しかし、直寄の次男**堀直時**《なおとき》は三万石を分与され、はじめ越後安田、ついで村松に移り幕末まで続いた。直政の四男である**堀直重**《なおしげ》も秀忠に仕えて大坂の陣などの功で信濃須坂一万石を得た。幕末の一三代直虎は若年寄・外国総奉行だったが、江戸開城をめぐる議論のさなかに憤激して自刃した。タカ派だったのかハト派だったのか、もう一つよくわからない。さらに、直政の子である直之《なおゆき》も秀忠に仕えて、江戸町奉行などをつとめたが、その子の**堀直景**《なおかげ》のときに上総苅谷で一万石を得て諸侯となり、そののち上総八幡を経て、一六九八年に越後椎谷に落ち着いた。

（多賀）おそらく美濃の人と推定される多賀《たが》貞能《さだよし》の養子になっていた堀秀重《ひでしげ》の子の**多賀秀種**《ひでたね》は、養父が明智光秀に与《くみ》したので兄の秀政に仕えることになった。のちに秀吉のもとで大和・神楽岡で二万石。関ヶ原で西軍にあったので領地を失い、はじめ越後の堀家へ、のちに加賀の前田家にあり、子孫は加賀藩士となった。

（市橋）蒲生氏郷の故郷である日野にあったわずか二万石の仁正寺《にしょうじ》（西大路）藩は、戊辰戦争の際ににわかに活躍することになる。というのは、高島秋帆《たかしましゅうはん》を江戸藩邸に幽閉する役目を仰せつかり、預かっているうちに砲術などを伝授されたからである。市橋氏は、美濃国池田（現在は揖斐《いび》）郡市橋郷にあった。美濃平定に先立って信長に属し、子の**市橋長勝**《いちはしながかつ》の代になって秀吉から海津郡今尾城一万石を与えられた。関ヶ原では、小山にあって東軍に参加し、国元でも西軍の攻撃を寄せつけなかった。伯耆《ほうき》国矢《や》橋《ばせ》、ついで越後三条に移り四万千三百石を得た。長勝には子がなかったが、甥の長政が近江仁正寺で二万石を得て存続が許された。西大路藩ともいう。

（伊東）藤原武智麻呂《ふじわらむちまろ》に始まる藤原北家に工藤氏があり、その一族に伊豆の伊東に本拠を置く伊東氏がある。尾張岩倉に移り、長久が信長に仕え、子の**伊東長実**《いとうながざね》は秀吉の配下に置かれた。小田原攻めの際に伊豆山中城一番乗りの功を立て、備中川辺一万石を得る。石田三成挙兵をいち早く家康に通報し、その功績のおかげで大坂方についたにもかかわらず赦され、備中岡田一万石を確保したというが、内通などの事情があったのであろうか。日向飫肥《ひゅうがおび》の伊東氏とは同系統だが、平安時代後期に分かれている。

竹中半兵衛など美濃出身大名も大勢力

稲葉（淀・臼杵）・氏家（旧桑名）・竹中（旧府内）

（稲葉）美濃攻略が成功する鍵となったのは、斎藤氏の重臣で美濃西部の有力者であった美濃三人衆を味方につけたことであった。その一人である稲葉良通《いなばよしみち》（一鉄）の祖父通貞は河野一族で伊予安国寺の僧だったが、武芸を志し美濃の土岐氏に仕えた。稲葉氏の名は岐阜の伊奈波神社にちなむ。

二代目は重通《しげみち》で、それを嗣いだ孫の**稲葉通重**《みちしげ》は美濃清水一万二千石を領し、関ヶ原で東軍に与したが、京都での狼藉《ろうぜき》で津田信成とともに除封された（五五ページ参照）。

同じく通重の兄の牧村政治《まきむらまさはる》は、利休七哲の一人として知られる。伊勢岩出二万石を得て、その死後は弟の**稲葉道通**《みちとお》がこれを嗣ぎ、関ヶ原の戦いの結果、伊勢田丸四万六千石となる。その子の紀通《のりみち》は摂津中島を経て丹波福知山城主となるが乱心し、悪政から領民の不満が高まるなかで幕府から詰問され自殺し断絶した。乱心の原因は、隣藩の丹後宮津藩に名物のブリを所望したところ、お頭を除いたものを届けられ激怒したためである。一鉄の子で重通の弟である**稲葉貞通**《さだみち》は、関ヶ原で西軍から東軍に転じて郡上八幡《ぐじょうはちまん》四万石から豊後臼杵《ぶんごうすき》五万石に栄進し、比較的平穏に幕末まで続いた。貞通の三男の**稲葉通孝《みちたか》**も支藩として一万四千石を得たが、まもなく宗藩に返還された。

稲葉正成《まさなり》は、信長の家老でのちに失脚した林佐渡守の一族らしいが、稲葉重通の養子となり小早川秀秋に仕えた。しかし関ヶ原の戦いのあと、裏切りを嘲笑され悪行を繰り返す秀秋に見切りをつけて職を辞す。妻で明智光秀の重臣斎藤利三《さいとうとしみつ》の娘お福《ふく》が徳川家光の乳母となったことから栄進し、美濃一七条、越後糸魚川《いといがわ》から下野真岡二万石に転じる。三男の正勝《まさかつ》は老中となり、最初、常陸柿岡で一万石を得たが、父の遺領を合わせ、小田原八万五千石を与えられた。その子でやはり老中をつとめた正則《まさのり》が一一万石となる。越後高田、下総佐倉のあと山城淀一〇万二千石に移って以後は定着した。幕末の藩主正邦《まさくに》は二本松藩丹羽氏からの養子で、老中国内事務総裁として江戸留守居のトップだったが、国元の淀藩では、鳥羽伏見の戦いで錦の御旗が出るや幕府軍の入城を拒否し幕府軍壊滅の一因となった。しかし、江戸に帰った慶喜《よしのぶ》の正邦への信頼は変わらず、勝海舟とともに恭順を主張する正邦の言を容れて江戸開城が実現した。このあたりにも、鳥羽伏見の戦いが慶喜の意に反して、会津など強硬派主導で進められたものであることが反映されており、会津の行動は「忠義」などではまったくない自分たちの都合によるものであることがわかる。

　正勝の甥である**稲葉正休**《まさやす》は、若年寄をつとめ美濃青野で一万二千石を得たが、江戸城中で従兄弟の堀田正俊を暗殺し、自らも周囲にいた老中大久保忠朝《おおくぼただとも》らに討たれた。原因はさまざまに語られるが不明である。淀藩正親の三男**稲葉正明**《まさあきら》は旗本稲葉氏の養子となり、将軍家治の小姓などをして一七八一年に一万石。のちに館山に陣屋を置いた。幕末の正巳《まさみ》は陸軍奉行から老中格となり、海軍総裁などをつとめた。

（氏家）美濃三人衆でも氏家卜全《うじいえぼくぜん》はその筆頭で、大垣城主だった。信長の重臣として活躍したが、長島の戦いで殿《しんがり》をつとめ討ち死にした。次男である**氏家行広**《ゆきひろ》が秀吉のもとで桑名二万二千石を得たが、関ヶ原で西軍に味方して滅びた。大坂の陣にも秀頼のもとで戦ったが、武運なく自害したといわれる。弟の**氏家行継**《ゆきつぐ》は近江で一万五千石を領していたが、兄と行動をともにして改易され、細川忠興のもとに身を寄せて子孫は熊本藩士となった。

　美濃三人衆のあと一人は、北方にあった安藤守就《あんどうもりなり》であるが、佐久間信盛らが追放されたときに武田への内通を理由に追放された。本能寺の変に乗じて北方城《きたがた》を回復しようとしたが、稲葉一鉄らに討伐された。

（竹中）講談などでおなじみの名軍師竹中半兵衛《たけなかはんべえ》は、播磨三木城攻撃の陣中で死んだが、その一族は江戸初期まで大名だった。従兄弟の**竹中重利**《しげとし》は豊後高田で一万石であったが、関ヶ原で小西行長を捕らえた功もあり、府内（大分）二万石となった。その子の重義は秀忠に重用されたが、長崎奉行在職中、裁きに公正を欠き品行も悪く、輸入品の横領などもあり切腹させられた。典型的悪代官だった。竹中氏は豊臣系というべきだろうが、解説の都合でここに置く。

土岐（沼田）・金森（旧郡上八幡）

（土岐）明智光秀の出自については諸説あるが、桔梗《ききょう》を紋所にしていたところなどから土岐《とき》一族であることを主張していたと見てよいのではないか。さて、斎藤道三によって土岐氏が滅ぼされたときに一族の多くが各地に離散したが、土岐定政《さだまさ》もその一人であった。定政は母方の実家である三河国額田《ぬかた》郡の菅沼《すがぬま》家に世話になり家康に仕えた。関東入りのときには、下総守谷《もりや》で一万石を与えられた。文禄二年に土岐姓に復した。子の**土岐定義**《さだよし》は元和三年、秀忠から高槻二万石に移される。下総、上山、田中三万五千石、六代目の頼稔《よりとし》は寛保二年に老中となり、同時に上野沼田に入った。

（金森）飛驒高山の町を創った**金森長近**《かなもりながちか》は、土岐氏の一族で大畑を名乗っていたが、蓮如上人《れんにょしょうにん》が布教の根拠地の一つとした近江国野洲《やす》郡金ヶ森《かながもり》の城主だったことで、その地名を姓とした。信長、ついで秀吉に属して活躍し、飛驒の三木氏を滅ぼすのに功があり、飛騨を与えられて高山城を築いた。関ヶ原では東軍に属し、美濃上有知《こうずち》も所領とした。死後、上有知二万三千石は実子である**金森長光**《ながみつ》が嗣いだが、一六一一年に没して断絶した。

高山は、養子の可重《よししげ》が継承した。大坂の陣では、長男で古田織部《ふるたおりべ》の弟子でもあった宗和《そうわ》（重近）が大坂寄りの姿勢だったので勘当し、三男の重頼《しげより》が跡を嗣いだ。宗和は京都に住み、茶道の宗和流を創設する。六代目の頼旹《よりとき》の代の一六九二年に出羽上山《かみのやま》に移され、さらに、一六九七年に郡上八幡《ぐじょうはちまん》三万八千石に転じるが、たび重なる引っ越しに疲弊《ひへい》したのか徴税を厳しくして一揆が起こり、処罰を恐れて幕閣に賄賂《わいろ》攻勢をしたことから、一七五八年に除封された。いわゆる「金森騒動」である。子孫は寄合旗本となり、家臣の一部は飛騨に帰ったという。

可重の七男で酒井忠勝《さかいただかつ》の猶子《ゆうし》とされた**酒井重澄**《しげすみ》は、家光の寵愛を受け、堀田正盛とともに「一双の寵臣」と呼ばれた。どういう関係か具体的に書かなくても明らかであろう。ところが、病気療養と称して屋敷に引きこもっている間に妻妾に子を産ませたとして家光に嫉妬され、勤務怠慢を理由に下総で二万五千石の所領を没収され、備後福山藩主水野勝成に身柄を預けられた。重澄は、かつての同僚正盛が累進するのを見て己の境遇を嘆き、食を断って自害した。江戸時代の大名取り潰しの理由としてもっともバカらしいものの一つである。

遠山（苗木）・日根野（旧豊後府内）・遠藤（三上）・原（旧太田山）・古田（旧丹波国内・旧浜田）・丸毛（旧福束）・高木（旧高須）

（遠山）遠山《とおやま》というと天保期に江戸町奉行として活躍した「遠山の金さん」こと遠山金四郎景元《かげもと》が時代劇で大人気である。この金四郎と美濃中津川にあった苗木藩主遠山家は、源頼朝から美濃国恵那郡遠山荘を与えられた加藤景廉《かとうかげやす》の孫の世代に分かれた。室町時代には美濃で土岐氏につぐ勢力を持っていた。苗木城主の遠山友忠《ともただ》・**遠山友政**《ともまさ》父子は信長に属したが、小牧長久手の戦いで森長可の攻撃を受けて家康のもとに逃れた。関ヶ原では旧領である苗木城の河尻直次《かわじりなおつぐ》を攻撃し、そのまま一万五百石を与えられ幕末まで続いた。陸奥湯長谷《ゆながや》藩内藤氏も一時は遠山姓を名乗っていた。

（日根野）斎藤道三・竜興《たつおき》の重臣であった**日根野弘就**《ひねのひろなり》は、稲葉山落城のあと今川、浅井、長島門徒と反信長勢力を渡り歩いたが、天正二年ころには信長に属した。秀吉から伊勢などで一万六千石を得たが、関ヶ原では西軍に属し改易された。息子の高吉は、諏訪高島二万七千石を得て高島城の基礎を築いた。関ヶ原では子の**日根野吉明**《よしあきら》が東軍に参加したが、祖父の行動を咎《とが》められ、一六〇二年に壬生《みぶ》一万九百石、豊後府内二万石に回復したが、一六五六年に無嗣断絶した。

（遠藤）相馬氏などと同じ平氏一門千葉一族で下総にあった東《とう》氏が、承久の変の功により郡上の地頭となった。子孫は和歌に秀で、東常縁《つねより》は飯尾《いのお》宗祇《そうぎ》に古今伝授を初めて行ったことで知られる。遠藤《えんどう》というのは東氏の一族らしく、内紛の複雑な経緯ののち、東でなく遠藤が主流となったらしい。

遠藤慶隆《よしたか》は斎藤氏に仕えたが、信長の美濃攻略後にも郡上を安堵された。織田信孝に属し、信孝と秀吉の一時的講和の時に秀吉に下ったが、美濃国加茂郡小原に転じさせられた。関ヶ原では東軍に与し郡上の稲葉貞通を攻めるが、貞通が東軍に寝返ったので攻城戦は不発に終わった。戦後、稲葉氏は豊後臼杵に移ったので、遠藤慶隆は郡上に復すことができた。ところが五代目の常久が家臣によって謀殺され、遠藤家は断絶する。そこで、大垣新田藩主戸田家の養子としたうえで五代将軍綱吉《つなよし》の側室お伝の方の妹の子である白須《しらす》胤親《たねちか》が名跡を嗣ぎ、一万石を与えられ、元禄一一年近江野洲郡三上に移った。明治になり、姓も東に復した。

（原）土岐氏の一族で柴田勝家に属した**原勝胤**《はらかつたね》は、美濃太田山三万石だった。関ヶ原で高須城の救援などに活躍したが、敗戦後に自害した。

（古田）大坂の陣のとき、丹波氷上郡など一万石の領主で茶人として有名な**古田織部**《ふるたおりべ》

（重然《しげてる》）は、大坂方に内通して京都を焼き払おうという陰謀をなしたとして切腹させられた。この古田氏と美濃の同族といわれるのが**古田重勝**《しげかつ》で、近江日野、ついで伊勢松阪で三万五千石を与えられていた。関ヶ原で東軍につき二万石を加増。一六一九年に石見浜田に移る。三代目の重恒は、病と称して限られた側近としか会わないなど異常な行動が目立ったが、一六四八年に没したときに改易された。自殺ともいわれる。

（丸毛）美濃多芸郡の土豪**丸毛**《まるも》**兼利**《かねとし》は斎藤氏の支配下にあったが、信長に従っていた。美濃直江・大墳城主を経て福束城（安八郡輪之内《あんぱち》）二万石となった。関ヶ原では福島正則らに攻められ大垣城へと敗走。戦後は加賀前田家に属した。

（高木）美濃高須一万石の**高木**《たかぎ》**盛兼**《もりかね》は、関ヶ原の戦いに先立って落城し改易。出雲の堀尾氏に仕えた。

中国山地のため池で水軍訓練を続けた九鬼氏

滝川（旧片野）・土方（伊勢菰野）・田丸（旧岩村）・関（旧黒坂）・分部（大溝）

（滝川）織田信長の重臣であった滝川一益《たきがわかずます》は、近江甲賀郡大原の出身だといわれている。北伊勢を治めていたが、武田滅亡後には、上野厩橋《うまやばし》、信濃国小県《ちいさがた》・佐久両郡を与えられ関東攻略の責任者とされた。しかし本能寺の変を聞いた北条勢に敗れ、領国長島に帰った。秀吉と反目するが、最後は越前大野に隠棲した。**滝川雄利**《かつとし》は北畠一族木《き》造《づくり》家出身だが一益の養子となった。一五九〇年に神戸二万石。関ヶ原で西軍に属して改易されたが、常陸片野で二万石を再び与えられた。一六二五年、二代目の正利のときに病弱を理由に旗本となることを願い出た。

（土方）多田源氏の流れとされ、大和土方《ひじかた》にあった土方氏だが、信治が織田信長に仕えた。子の**土方雄久**《かつひさ》は織田信雄に属して犬山城主となり、信雄改易後は、越中野々市、能登石崎などにあった。秀吉の死後に家康暗殺計画にかかわり、常陸に流されたが許され、慶長九年に下総多古藩一万五千石になった。次男雄重《かつしげ》が嗣ぎ、陸奥窪田で二万石となったが、その孫の雄高のとき内紛で改易された。雄久の長男**土方雄氏**《かつうじ》は、父とは別に伊勢菰野《こもの》藩一万一千石を立て幕末まで続いた。

（田丸）蒲生氏郷の与力で妹婿ともいわれる伊勢北畠一族の**田丸具安**《たまるともやす》は、陸奥守山にあったが、秀行の減封後には川中島を経て美濃岩村四万石となった。西軍に与して除封されたが、のちに蒲生家に拠り、子孫は加賀藩に仕えた。江戸初期の国土建設に貢献した河村瑞賢《かわむらずいけん》の先祖は田丸氏に属していた。小山の陣での評議のとき、西軍につくことを宣言し堂々と去ったともいわれる。田丸城は度会《わたらい》郡にあり、北畠氏の本拠で松阪城ができるまでは南伊勢の中心だった。

（関）平重盛の子孫と称する関盛信《せきもりのぶ》は長島一向一揆と戦い討ち死にしたが、弟の**関一《かず》政《まさ》**は秀吉によって蒲生氏郷に与力して陸奥白河城主とされた。関ヶ原の戦いののち、亀山に復帰した。その後、伯耆《ほうき》黒坂五万石となったが、家中の争いのため除封された。

（分部）曽我兄弟に仇討ちされた工藤祐経《くどうすけつね》の三男祐長は、伊勢長野（美里町）の地頭職となって長野氏を称した。戦国末期、長野本家は織田信長の弟信包《のぶかね》を養子に迎えたが、分家の**分部光嘉**《わけべみつよし》は秀吉に仕え伊賀上野で大名となり、大坂夏の陣ののちに、近江大溝二万石に移った。三代目の嘉治は、妻の叔父である池田長重と口論の末、殺すという事件を起こした。一八二六年には、択捉《えとろふ》探険で知られる近藤重蔵が子の農民殺傷事件の責任をとらされて当藩に預けられ、二年後に大溝で死んだ。

筒井（旧伊賀上野）・松倉（旧島原）・岸田（旧岸田）・九鬼（三田・綾部）・堀内（旧新宮）

（筒井）洞ヶ峠で山崎の戦いの帰趨《きすう》を計っていたという伝説は事実でないが、筒井順《つついじゅん》慶《けい》が態度を決めかねていたのは本当である。順慶に限らず、畿内の大名にとっては、光秀のクーデターは無謀で失敗間違いなしとまでは断言できるものでなかったのだ。筒井氏は鎌倉時代から興福寺の衆徒として力を持っていた。戦国時代には、大和に進出してきた松永久秀《まつながひさひで》と常に対立関係にあり、信長との関係も久秀と信長の関係次第というところであった。

久秀が信貴山《しぎさん》城に滅びたあと、順慶は大和在地土豪第一の実力者になりはしたが、塙直政《ばんなおまさ》や明智光秀の監督の下に置かれて、大和一国を所領としたというほどではない。一五八四年に順慶が没し、翌年、養子の**筒井定次**《さだつぐ》が伊賀上野二〇万石に移封された。関ヶ原では東軍についたが、西軍に城を取られたので領地を安堵されたにとどまり、一六〇八年には内紛から改易され磐城に流された。大坂の陣で豊臣方に通じているとの嫌疑を受け自害させられた。同じく順慶の養子だった**筒井定慶**《さだよし》は、郡山城番一万石だったが、大坂の陣に先立ち西軍の攻撃を受けて逃亡、自害した。

(松倉)島原の乱で改易された**松倉重政**《まつくらしげまさ》は、大和筒井氏の旧臣で、一六〇八年に一万石を与えられ、一六一六年に島原四万石となったが、一六三八年に切腹させられた。

(岸田)大和の国人で筒井順慶、豊臣秀長のもとで働いた**岸田忠氏**《きしだただうじ》は、山辺郡岸田(天理市)で一万石を与えられた。西軍に属して除封され、南部藩に預けられた。子孫は南部藩士。

（九鬼）戦国時代に水軍を率いて活躍した九鬼《くき》氏は、一六三三年に摂津三田と丹波綾《あや》部《べ》という山間に移された。九鬼家ではいつしか海上に覇《は》を唱えるべく、中国山地の山中の池で水軍の訓練をしつづけていたという。九鬼氏はもともと熊野別当の家柄だが、南北朝時代に志摩地方に進出した。信長にいち早くつき、北畠、長島、石山、朝鮮などを攻めるときに活躍した。関ヶ原では、父の嘉隆《よしたか》は西軍、子の**九鬼守隆《もりたか》**は東軍に与して鳥羽五万五千石を維持した。本家は五男の久隆《ひさたか》が嗣いだが、三男隆季《たかすえ》と争い、摂津三田三万六千石になった。幕末の藩主隆義は神戸の不動産王となり、神戸女学院の創設を支援したことなどで知られる。**九鬼隆季**は丹波綾部で二万石を得て、そのまま幕末まで続いた。

（堀内）熊野新宮別当の家柄である**堀内氏善《ほりうちうじよし》**は、信長に仕え、朝鮮晋州城攻撃でも水軍を率いて功があった。新宮二万七千石を領し、関ヶ原では義父九鬼嘉隆と西軍に属して伊勢へ侵攻したが、敗戦を聞き蟄居《ちっきょ》。のちに加藤清正に仕えたともいう。氏善の子は大坂の陣で豊臣方に属したが、千姫救出を扶《たす》け旗本となった。

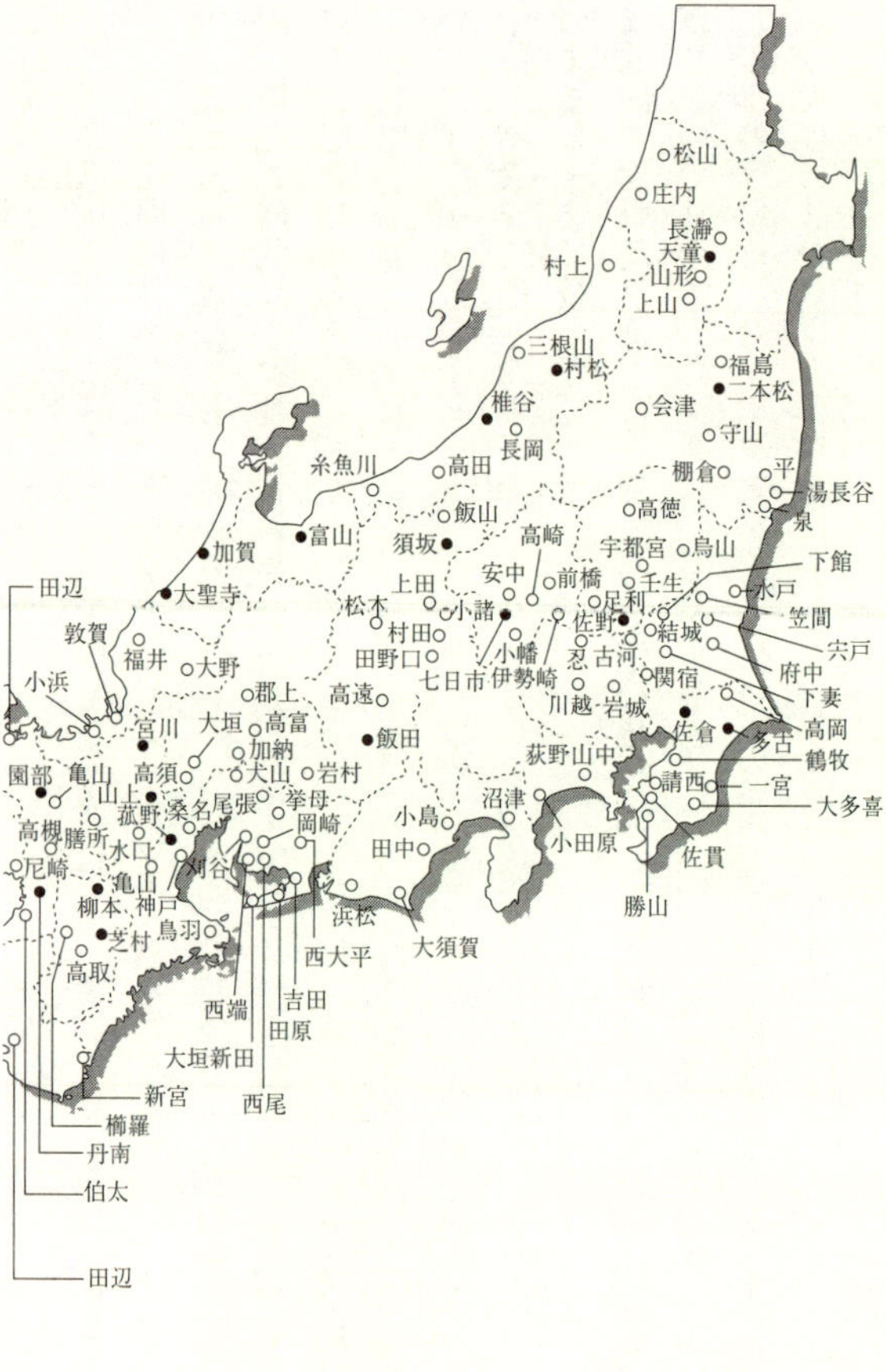
松山
庄内
長瀞
天童
山形
上山
村上
三根山
村松
福島
二本松
椎谷
会津
守山
長岡
糸魚川
高田
棚倉
平
湯長谷
泉
飯山
高徳
富山
須坂
高崎
宇都宮
烏山
加賀
下館
田辺
大聖寺
上田
安中
前橋
壬生
水戸
松本
小諸
足利
佐野
笠間
敦賀
結城
宍戸
福井
村田
小幡
忍
古河
府中
田野口
七日市
伊勢崎
大野
関宿
小浜
郡上
高遠
川越
岩城
下妻
宮川
大垣
高富
佐倉
高岡
多古
飯田
加納
荻野山中
鶴牧
園部
亀山
高須
岩村
犬山
請西
一宮
山上
挙母
沼津
大多喜
菰野
桑名
尾張
小島
高槻
膳所
岡崎
小田原
水口
田中
尼崎
刈谷
佐貫
亀山
柳本
神戸
浜松
勝山
芝村
鳥羽
大須賀
西大平
高取
吉田
西端
田原
大垣新田
西尾
新宮
櫛羅
丹南
伯太
田辺

愛知県出身の殿さま分布図

○ 三河出身の殿さま
● 尾張出身の殿さま

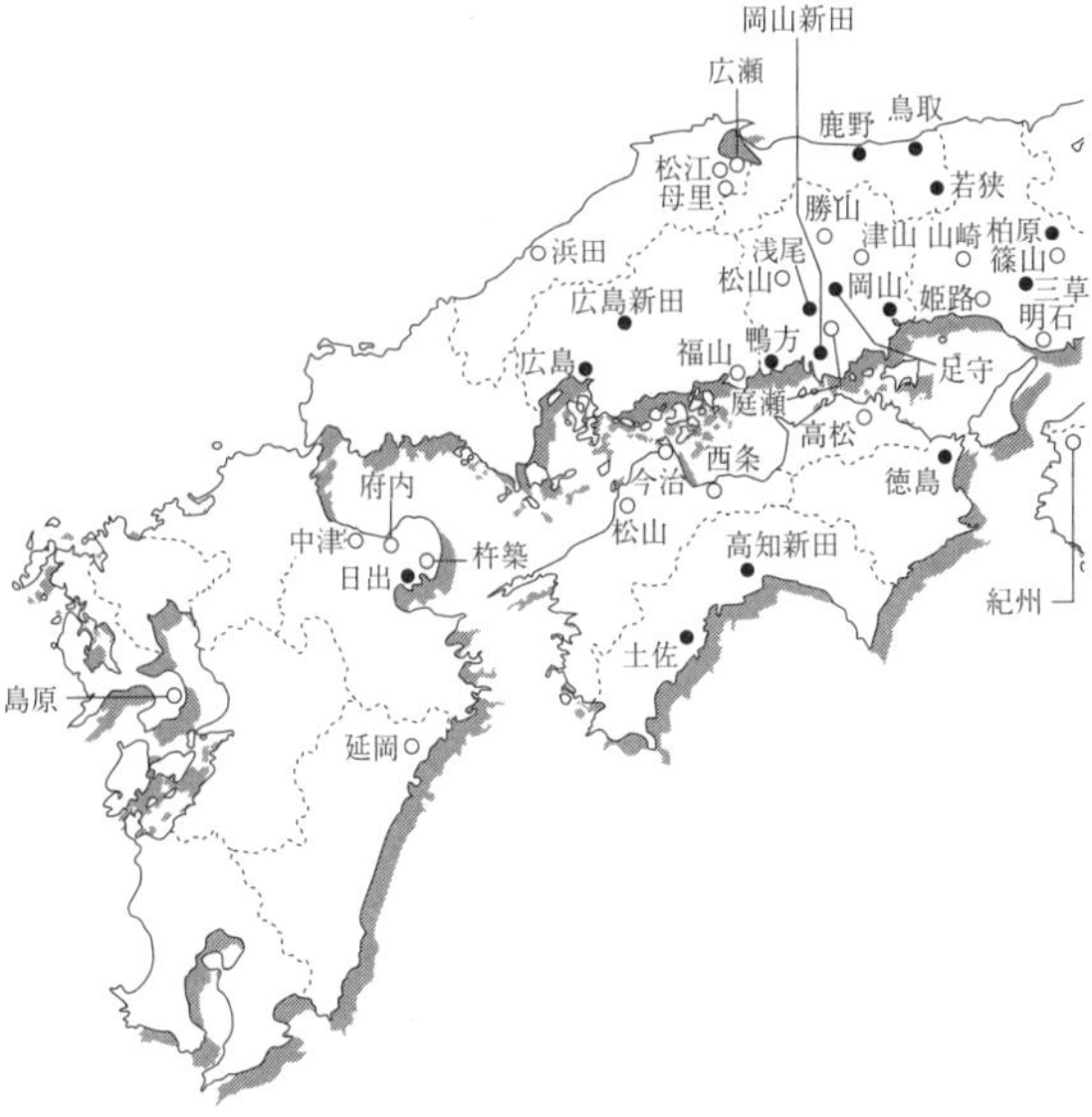

コラム　時代別石高ベスト20

石高の大きい大名を、関ヶ原、大坂夏の陣前夜、安政の大獄のころの3期について並べた。徳川幕府が、子だくさんの家系であることを活用して、一族に大きな領地を与えて安定をはかっていることがわかる。また、1600年の20大大名で、1860年にも引き続きこの表にあるのが、将軍家も含めて6家、諸侯として、なんとか生き残ったのを含めても9家のみである。

	1600年	関ヶ原前夜		1615年	大坂夏の陣前夜		1860年	安政の大獄のころ	
1	江戸	徳川	256	金沢	前田	120	金沢	前田	102
2	会津	上杉	120	鹿児島	島津	73	鹿児島	島津	77
3	広島	毛利	101	福井	松平忠直	67	仙台	伊達	62
4	金沢	前田	81	大阪	豊臣	66	名古屋	徳川	62
5	岩出山	伊達	58	仙台	伊達	63	和歌山	徳川	56
6	岡山	宇喜多	57	会津	蒲生	60	熊本	細川	54
7	鹿児島	島津	56	高田	松平忠輝	60	福岡	黒田	47
8	水戸	佐竹	53	駿府	徳川頼宣	56	広島	浅野	43
9	名島	小早川	36	名古屋	徳川義直	55	萩	毛利	37
10	佐賀	鍋島	36	山形	最上	52	佐賀	鍋島	36
11	春日山	堀	30	福岡	黒田	52	彦根	井伊	35
12	熊本	加藤	25	広島	福島	50	水戸	徳川	35
13	山形	最上	24	岡山	池田	45	鳥取	池田	33
14	浦戸	長曽我部	22	和歌山	浅野	40	津	藤堂	32
15	清洲	福島	20	萩	毛利	37	福井	松平	32
16	郡山	増田	20	小倉	細川	37	岡山	池田	32
17	上野	筒井	20	佐賀	鍋島	36	会津	松平	28
18	宇土	小西	20	姫路	池田	32	徳島	蜂須賀	26
19	佐和山	石田	19	柳川	田中	32	高知	山内	24
20	宇都宮	蒲生	18	米沢	上杉	30	久留米	有馬	21

（単位は万石）

第三章　豊臣秀吉に仕えた武将と官僚

――新しい経営理念が古参社員に浸透せず

北政所寧々の親戚たち

豊臣（旧大坂）

尾張の農民の子として身をおこして関白太政大臣にまで上った豊臣秀吉の家は、その死後、一七年にして滅び、わずか二代で終焉《しゅうえん》を迎えた。もともと一族と呼べるほどのものもなく、また秀吉自身、現在知られている限りでは三人の実子しかいなかったし、そのうち二人は早世し、唯一成人した秀頼の悲劇はよく知られたとおりである。秀吉の後継者となったのは秀頼であるが、年代別に秀吉の想定後継者が誰であったかを少し追いかけてみよう。大坂城ができるまで、寧々《ねね》ら秀吉の家族が住んでいたのは長浜城である。その長浜には有名な曳山祭《ひきやま》があるが、これは秀吉の長男である秀勝《ひでかつ》の誕生を祝って始められたものだとされ、その秀勝は一五七六年に死んだようだ。これを受けて、秀吉は信長の四男御次《おつぎ》を養子として秀勝を名乗らせている。その時期は、遅くとも一五八〇年であり、一五八五年に丹波亀山城で没している。その後、一五八九年に淀君《よどぎみ》が鶴松《つるまつ》を産むのだが、その間、想定される後継者が誰であったか不明である。甥の秀勝（秀次の弟）が養子となるが、後継者と見られていたとはいいにくいし、一五九二年には朝鮮に出陣して病死している。徳川秀忠夫人お江与《えよ》の最初の夫である。

そして鶴松が死ぬと、甥の秀次を後継者にするのだが、一五九三年に秀頼が生まれて、一五九五年には秀次失脚事件が起きた。秀次は一五八五年に近江八幡城主となり、信雄除封後には清洲城を得ている。秀次事件のとき、母の日秀尼《にっしゅうに》らは清洲にいた。

堺屋太一《さかいやたいち》が「理想のナンバーツー」と推奨する異父弟秀長《ひでなが》は、秀吉より三歳ほど下らしい。実際的な問題解決能力に優れ、補佐役として好適な人物であったことは確かである。郡山城を本拠に、大和、和泉、紀伊で百万石を領した。毛利《もうり》秀元《ひでもと》夫人となった娘しか実子がなく、その意味でも秀吉の後継者というわけにはいかなかった。一五九一年に没し、養子で秀次の弟の秀保《ひでやす》が跡を嗣《つ》いだが、一五九五年に変死した。

こうして**豊臣秀頼**《ひでより》がただ一人の後継者となるのだが、織田家の血も引いており、織田・豊臣カンパニーとしては理想の後継者であった。ただ、一族にまったく代替者がいないということは、体制を非常に不安定なものにした。そのあたりの経緯は第一章で解説したとおりである。

木下（足守・日出）・杉原（旧豊岡）

現代につながる豊臣家の後継者ということになると、寧々の実家である木下《きのした》家である。それまでは杉原氏、あるいは林氏を称していたらしいが、寧々の兄の**木下家定《いえさだ》**が木下の姓を与えられたという。あるいは、もともと木下で秀吉のほうが妻の実家の姓を名乗ったのだという人もいるが、やや不自然であるとすでに書いた。

家定は三成挙兵のときには北政所《きたのまんどころ》の護衛と称して日和見をしたので、姫路から足守に移される。長男**木下勝俊《かつとし》**は小浜城主二万五千石だったが、関ヶ原の戦いの前哨戦で伏見城から退去し、同じく北政所の警備にあたったので領地を奪われた。次男**木下利房《としふさ》**は高浜城主だったが、西軍に属してそれぞれ除封された。家定の死後は、勝俊は長嘯子《ちょうしょうし》と称し歌人として名をなし、利房は備中足守藩主二万五千石となった。家定の領地は、勝俊と利房に折半させようということになっていたが、寧々が勝俊に単独相続させようとして介入したのに怒った家康が、懲罰的に利房の単独相続にさせた。

北政所については、賢夫人説と、淀君への嫉妬から家康を利した愚かな老女と見る人とがいるが、秀吉が若いころは別にして、秀吉が天下を取ってからはあまりぱっとしない人事への口出しをしているくらいで存在感がない。大坂城西の丸を家康に明け渡したのは愚劣だが、積極的に家康についたともいえない。加藤清正ら武功派の大名

豊臣・木下家

- 青木一矩《あおきかずのり》の母
- 加藤清正《かとうきよまさ》の母
- 小出秀政《こいでひでまさ》の妻
- 福島正則《ふくしままさのり》の母
- なか（大政所）
  - 日秀尼《にっしゅうに》
    - 秀次《ひでつぐ》
    - 秀勝《ひでかつ》
    - 秀保《ひでやす》
  - 秀長《ひでなが》
  - 旭《あさひ》
  - 秀吉《ひでよし》
    - 秀頼《ひでより》

秀吉《ひでよし》＝寧々《ねね》

- 女
  - 寧々《ねね》
  - 浅野長政《あさのながまさ》の妻
  - 木下家定《きのしたいえさだ》
    - 勝俊《かつとし》（足守）
    - 利房《としふさ》（旧高浜）
    - 延俊《のぶとし》（日出）
    - 小早川秀秋《こばやかわひであき》
- 杉原家次《すぎはらいえつぐ》
  - 長房《ながふさ》

たちにしても、自分の利害で動いただけで彼女の意向とは関係なさそう。家康もたいして大事にしていないし、関ヶ原の戦いのあとの木下家への扱いも冷淡である。彼女の役割を重く見ること自体がホームドラマ的虚構である。

このほか、弟に日出《ひじ》藩祖延俊《のぶとし》と小早川秀秋がいる。**木下延俊**は姫路城の留守居をしていたが、妻の兄である細川忠興と福知山城を攻め、豊後国日出で三万石を得た。足守、日出両藩とも江戸時代や幕末維新を通じてさしたる特別の動きもないが、維新後には協力して豊国神社の復興にあたって、秀吉の名誉回復に一役買った。

（杉原）北政所寧々の母親の兄弟である杉原家次《すぎはらいえつぐ》は、秀吉に仕えて福知山、ついで坂本の城主となった。子の**杉原長房**《ながふさ》は豊後杵築《きつき》を経て但馬豊岡城主となった。関ヶ原では西軍に与《くみ》したが、浅野長政の仲介で存続を許された。家次の子の重長《しげなが》に跡取りがなかったときには甥の重玄《しげはる》を竹中家から迎えて一万石での存続を許されたが、重玄にも跡取りがいなかったので除封された。

浅野（広島・吉田）

二条城で行われた家康と秀頼の会見に秀頼に従って同席したのが、加藤清正と浅野《あさの》幸長《よしなが》であり、仮病を使って大坂城を守ったのが福島正則であった。この会見の首尾については加藤清正の項で論じたいが、加藤家と福島家が断絶されたのに浅野家が大諸侯として生き残ったのは、家康の孫が浅野家の当主になったことが決め手になった。幸長は二条城会見の翌々年に没し、あとを嗣いだ弟の長晟《ながあきら》のもとに、家康の娘で蒲生秀行《ひでゆき》未亡人の振姫《ふりひめ》が嫁し、運よく嫡子光晟《ちゃくしみつあきら》を三十歳代後半という当時としては高齢出産ながらも残したのである。家康の養女は多いが、実の娘で他家と縁組みしたのは、奥平信昌《おくだいらのぶまさ》夫人の亀姫《かめひめ》、北条氏直及び池田輝政と結婚した督姫、そして、この振姫だけなのである。

　浅野氏の先祖は土岐氏の流れというのが公式見解だがはっきりしない。また、家名のもとになった浅野という地名も、美濃国土岐郡のものとも、尾張丹羽郡のものともいわれる。いずれにせよ、尾張の住人であった浅野長勝は妻の姉の娘二人を養い、姉を木下藤吉郎に、妹を養子の長政に嫁がせた。長政は秀吉と兄弟の契りを結び、その配下とされて一五八三年に大津城主となり、ついで小浜城主となったが、秀吉の朝鮮渡海に諫言《かんげん》して謹慎させられた。しかし許されて、息子の**浅野幸長**ともども甲斐を領した。幸長は秀次と近かったこともあり、危ういこともあったが許され、関ヶ原では東軍に属して紀伊の国守となった。和歌山城の現在の姿は浅野氏によってつくられたといってよいだろう。

一六一九年に福島正則改易後の広島城主四二万六千石となって明暗を分けたが、これは、前述のとおり嫡子光晟が家康の孫だったおかげというもので、光晟は松平の姓も与えられた。

支藩がいくつかあったが、その第一は、長政の三男である**浅野長重**《ながしげ》が父の隠居領を嗣いだ常陸真岡藩で、大坂の陣の功で笠間に、子の長直のときに播磨赤穂五万石に移った。長直は山鹿素行を遇し、赤穂城は彼の縄張りによる。しかし、一七〇一年に内《たく》匠頭《みのかみ》長矩《ながのり》が吉良《きら》上野之介《こうずけのすけ》に殿中で刃傷に及んだ事件で改易された。

長晟には振姫と結婚する以前に**浅野長治**《ながはる》という子があったが、家督は振姫の子である光晟に譲られたので、長治には三次《みよし》五万石が与えられた。浅野長矩の妻阿久里の実家でもある。一七二〇年に廃絶した。

一方、光晟の曾孫にあたる**浅野長賢**《ながかた》が一七三〇年に設立した広島新田藩三万石は幕末まで存続した。本来は江戸定府《じょうふ》だったが、一八六四年に毛利《もうり》元就《もとなり》の城があった安芸《あき》吉田に陣屋を置いた。幕末に活躍し、一九三七年まで生き、「最後の殿さま」と幕末の生き証人として重宝がられた長勲《ながこと》は、広島藩世子となる前には、広島新田藩主だったこともある。広島にあったのが、広島新田藩を嗣ぐことになり、そして江戸に出ることになり、今後は定府大名のために西国に帰る機会もないだろうと、京都などを見

浅野（広島）

- 長政《ながまさ》
  - ① 幸長《よしなが》 1600-1613
  - ② 長晟《ながあきら》 1613-1632
    - 長治《ながはる》（三次藩）
    - ③ 光晟《みつあきら》 1632-1672
      - ④ 綱晟《つなあきら》 1672-1673
        - ⑤ 綱長《つなwhile》 1673-1708
          - ⑥ 吉長《よしなが》 1708-1752
            - ⑦ 宗恒《むねつね》 1752-1763
              - ⑧ 重晟《しげあきら》 1763-1799
                - ⑨ 斉賢《なりかた》 1799-1831
                  - ⑩ 斉粛《なりたか》 1831-1858
                    - ⑪ 慶熾《よしてる》 1858-1858
                - 長懋《ながとし》
                  - ⑫ 長訓《ながみち》 1858-1869
                  - 懋昭《としてる》
                    - ⑬ 長勲《ながこと》 1869-
          - 長賢《ながかた》（広島新田藩）
  - 笠間 長重《ながしげ》
    - 赤穂 長直《ながなお》
      - 赤穂 長矩《ながのり》

物しながら江戸に下った。この物見遊山の経験が、幕末の動乱期に思いもかけず役に立ったのである。

加藤清正が福島正則より格下なのはなぜ

小出（園部）・青木（旧北ノ庄）

（小出）秀吉の母である「大政所《おおまんどころ》なか」は、関兼員《せきかねかず》の次女とされるが、姉妹といわれるものが五人いる。長女が杉原家に嫁して寧々の祖母となるというから、それだと秀吉と寧々は血縁ということになる。三女は青木《あおき》一矩《かずのり》の、四女が加藤清正、六女が正則のそれぞれ母親だという。そして、五女の夫が小出秀政《こいでひでまさ》だというのである。どこまで正確かは不明だが、彼らが秀吉の母の遠縁にあたるというくらいは事実なのではないか。

小出家は藤原南家の流れをくむ二階堂氏の一族で、信濃国伊那郡の小出にあって、秀政の祖父が尾張に移ったと称している。秀政は根来《ねごろ》攻めの際に岸和田に入り、現在の城を築いた。子の**小出吉政**《よしまさ》は播磨竜野、ついで但馬出石の城主となり、関ヶ原ではともに西軍に属し、吉政は田辺城攻撃にも参加したが、秀政の次男の秀家が東軍に参加したこともあって領地を失わなかった。大坂の陣では、大坂方の誘いに乗らずに徳川に忠誠を尽くし生き残った。領地は、江戸初期に岸和田藩と出石藩で藩主が相続ごとに交替して複雑だが、吉政の長男小出吉英が出石から岸和田に、さらに出石六万石に戻って子孫が一六九六年に無嗣断絶するまで続いた。一方、次男**小出吉親**《よしちか》は、出石から園部二万石に移り幕末まで続いた。吉英は出石出身の沢庵和尚の支援者の一人であった。秀政の四男**小出三尹**《みつまさ》も一六〇四年に和泉陶器で一万石を得たが、一六九六年に無嗣断絶。

（青木）秀吉の遺命により、越前北ノ庄城主だった小早川秀秋が筑前名島に復し、そのあとに二〇万石で入ったのが**青木一矩**であるが、残された情報が大変少ない人物である。大政所の親戚だとか、その再婚相手の筑阿弥の親族ともいうがはっきりしない。四国征伐に従軍したのち、紀伊入山、播磨立石を経て、九州遠征の功で越前大野八万石。一五九二年には、かつて前田利家の城だった府中（武生）一〇万石、さらに北庄の太守になった。関ヶ原では西軍についたが病気で動けず、戦後すぐに病没して除封された。孫の久矩は大坂の陣で豊臣方にあって討死した。

青木一重《かずしげ》ははじめ家康に仕えたが、丹羽長秀を経て秀吉に仕え、大坂の陣のときには、秀頼から家康への使者として派遣され、そのまま拘束された。戦後、摂津麻田藩一万石を与えられた。右記青木家との関係は不明である。

福島（旧川中島）

名古屋の西にある美和町は、秀吉の姉が嫁いだ三好吉房《みよしよしふさ》が住んでいたところであり、蜂須賀小六や**福島正則**《ふくしままさのり》の出身地でもある。福島正則は秀吉の縁者らしく、また、比較的に年長であったために、加藤清正などより先輩として扱われている。一五八七年には、伊予国府《こくふ》一一万石、秀次追放のあとは清洲城を得ている。関ヶ原では東軍に属し、戦後は毛利氏の旧城である広島に入った。東軍の一員として関ヶ原の主戦場で戦ったなかでは、もっとも豊臣家に近い存在であり、福島家が東軍についた意味は大きく、広島四九万八千石を与えられたのも当然である。

だが、秀吉の親族でもあった福島正則が東軍に与《くみ》したのは、石田三成憎しというだけだったわけで、家康が豊臣家に取って代わるなどとは夢にも思っていなかった。だから、名古屋城築城に駆り出されて加藤清正に家康への文句を言ったり、何かと反抗的だったりした。大坂の陣では江戸で軟禁されていたが、大坂にあった蔵屋敷の米を豊臣方が確保するに任せたり、家老の子を大坂城に送り込もうとしたり、かなり危うい橋を渡った。こうしたことが響いてか、一六一九年に改易され、信州川中島で五万石を得ただけになった。さらに、それも正則の死に際して、検視を得ずに火葬したとして没収され、ここに福島氏は滅亡した。

正則の弟**福島高晴**《たかはる》は、伊勢長島一万石から関ヶ原ののちに大和松山三万石となったが、大坂の陣での内通を疑われて改易された。

加藤（旧熊本）

秀吉の故郷でもある名古屋市中村には、名古屋市秀吉清正記念館というものがある。同じ村出身の**加藤清正**も秀吉と対等に扱われているわけである。加藤清正の家は、二代目忠広において早々に絶えた。全国的な知名度も抜群だが、かってほどではないのは、朝鮮遠征における活躍がかえって仇になっている。なにしろNHKの大河ドラマでも、清正を主人公にすることは日韓友好上不可能とさえいわれているのだ。

少年時代から秀吉に仕え、賤ヶ岳七本槍の一人として勇名を馳せた。肥後を与えられた佐々成政が国人の反乱で失脚すると、小西行長《こにしゆきなが》に南部が、清正に北部二五万石が与えられた。朝鮮戦役では、この両者が先陣をつとめたが、外交での収容を念頭に置いていた行長と、攻撃一本槍の清正はことごとく対立し、清正のたび重なる軍規違反を行長らが秀吉に報告するので清正は召還されてしまった。危うく領地没収となるところ、伏見大地震でいち早く秀吉のもとへ駆けつけて許された。清正としては、必死で戦っているのに細かいことをいうなといったところだが、罪状はいずれも事実であり、司令官としては失格といわざるを得ないものばかりである。しかし、これを清正は逆恨みし、秀吉の死後の豊臣家家臣団分裂を主導する。

二条城での家康・秀頼会談も大失敗で、これを機に家康は秀頼排除を決意したのだということはすでに第一章で書いたとおりである。清正は部下をいたわる情の深い武将であり、周囲からは慕われたが、天下国家を見る目はなかった。

加藤清正の子の忠広は、一六三二年に五四万石を改易され庄内に流された。駿河大納言忠長を押し立てての反乱を呼びかける文書を受け取ったにもかかわらず、子の光正が届けなかったとかいわれているが、真偽は不明である。清正の娘が紀伊《きい》頼宣《よりのぶ》の正室であるとか、忠長とも親しいとかいったことが家光周辺にとってうっとうしい存在であったのが背景だろうか。

明治天皇から野武士の子孫といわれて怒った蜂須賀公

蜂須賀（徳島）

三河矢作《やはぎ》川の橋の上で寝そべっていた日吉丸と野武士の頭目蜂須賀小六《はちすかころく》の出会いは『太閤記』で喧伝《けんでん》され、子供たちの胸をわくわくさせた。明治になって蜂須賀の殿さまが宮中で煙草をポケットに入れたのを明治天皇に見つかり、「ご先祖がご先祖だから」とからかわれてから、学者に頼んで蜂須賀小六が野武士でなかったことを証明しようとした。

幕藩体制が安定したあとの終身雇用制の時代になると、主従の関係はがっちりしたもので、主人を替えるのはよほどのことで、ねたまれたり悪いことをしたりして、やむを得ずのことだということになる。だから、徳島藩のご先祖である野武士の頭目も、誰の家来でもないという間違った地位だったのを、かつての手下ながら殿さまの正式な家来になった藤吉郎の説得で、墨俣《すのまた》城の築城に協力することを条件に、侍としての正道に立ち返らせてもらったということになるわけである。

しかし、戦国時代の社会はそんなに固定的なものではなく、蜂須賀小六もアウトローというものではなかった。木曾川のほとりに住み、戦いごとに時限契約で傭兵《ようへい》として参加するのはごくまっとうなことだった。運送業者としての仕事も、この当時は武装して行うことが不可欠だったのも当然だ。

早くから秀吉に属し、墨俣築城にもきちんと活躍したといわれる。四国平定後、秀吉は正勝に阿波一国を与えようとしたが、高齢のために辞退したので、子の**蜂須賀家政**《いえまさ》が阿波に入った。関ヶ原では家政は西軍についたが、子の至鎮《よししげ》が東軍についたので領地は安堵された。大坂の陣での戦功で淡路も与えられ、二五万七千石。

しかし、蜂須賀の血統も絶えたので、讃岐松平、秋田佐竹から養子を取った。佐竹家から一七五四年に養子に来た重喜《しげよし》は、藍の専売制や人材登用を軸とした改革を試みたが、門閥派に阻《はば》まれて幕府から隠居させられた。一三代目には将軍家斉の子である斉裕《なりひろ》を養子に迎えた。その息子の茂韶《もちあき》は、幕末維新にかけて重鎮《じゅうちん》として活躍し、フランス公使、東京府知事、貴族院議長となった。

至鎮の孫の**蜂須賀隆重**《たかしげ》は阿波富田《とみた》藩を立てたが、三代目の正員《まさかず》が宗藩を嗣いだので廃藩となった。

松下（旧三春）・戸田（旧安居）・中村（旧米子）・堀尾（旧松江）

（松下）少年時代の秀吉の主人だった遠江の松下加兵衛之綱《まつしたかへえゆきつな》は、秀吉によって久野一

蜂須賀（徳島）

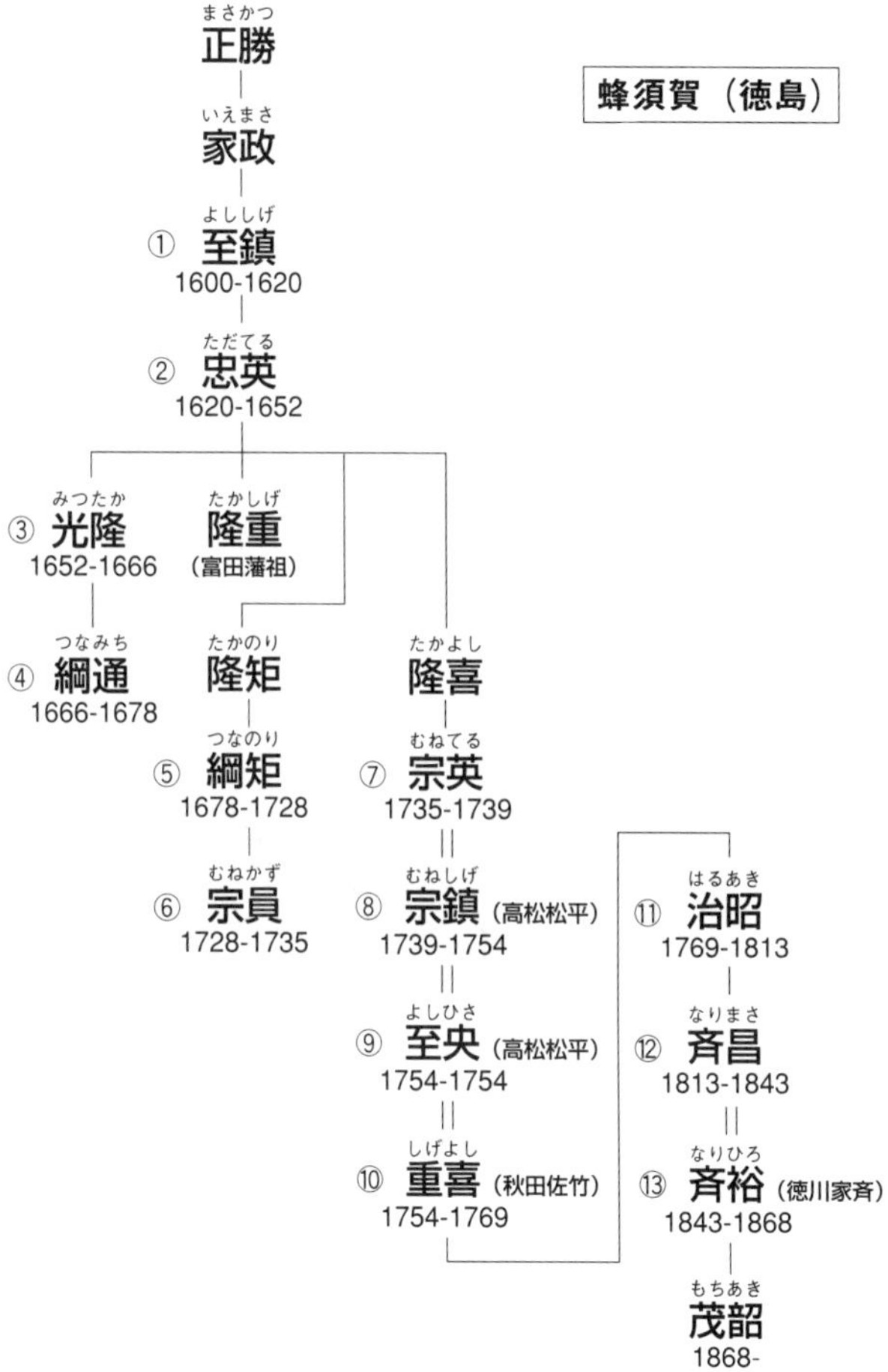
正勝《まさかつ》
家政《いえまさ》
① 至鎮《よししげ》
1600-1620
② 忠英《ただてる》
1620-1652
③ 光隆《みつたか》
1652-1666
隆重《たかしげ》
（富田藩祖）
④ 綱通《つなみち》
1666-1678
隆矩《たかのり》
隆喜《たかよし》
⑤ 綱矩《つなのり》
1678-1728
⑥ 宗員《むねかず》
1728-1735
⑦ 宗英《むねてる》
1735-1739
⑧ 宗鎮《むねしげ》（高松松平）
1739-1754
⑨ 至央《よしひさ》（高松松平）
1754-1754
⑩ 重喜《しげよし》（秋田佐竹）
1754-1769
⑪ 治昭《はるあき》
1769-1813
⑫ 斉昌《なりまさ》
1813-1843
⑬ 斉裕《なりひろ》（徳川家斉）
1843-1868
茂韶《もちあき》
1868-

万六千石の大名に抜擢された。子の**松下重綱**《しげつな》は秀次に属し、関ヶ原のあとは常陸小張から烏山、さらに二本松五万石に栄進。その子の長綱は幼少のため三春《みはる》三万石。一六四四年に発狂して改易。

（戸田）秀吉の老臣で勇猛をもって知られた戸田勝隆《とだかつたか》は大洲七万石を領したが、一五九四年に朝鮮からの帰途、病死した。その弟**戸田重政**《しげまさ》は、はじめ丹羽長秀に仕え、越前安居城主となり一万石を領した。関ヶ原の前後には、大谷吉継とともに奮戦して華々しい討ち死にをした。関ヶ原のヒーローの一人である。

（中村）生駒親正《いこまちかまさ》、堀尾吉晴、中村一氏《なかむらかずうじ》という三人に、秀吉は「中老」という称号を与えて五大老と五奉行の緩衝材にしようとした。あまり効果はなかったようであるが、この三人が豊臣家内における長老として、とにもかくにも尊敬されていたことは確かである。

一氏は岸和田、水口から家康が関東に移ったあとの駿府城主一五万石となった。関ヶ原のころには病気であったが、駿府を通った家康に子供の**中村一忠**《かずただ》を託したという。戦後、一忠は伯耆米子《よなご》一八万石を与えられたが、重臣横田内膳《だいぜん》の諫言を恨んで成敗し、藩内に大混乱を起こし、やがて一六〇九年に死去して無嗣断絶となった。

（堀尾）子供のころ読んだ『太閤記』では、秀吉が稲葉山城を攻撃したときに裏山で会い道案内をつとめた少年が、長じて**堀尾吉晴**《ほりおよしはる》と名乗り、出雲の太守となったということになっているが、もちろんつくり話である。先祖は長屋王を先祖とする高階《たかしな》氏と称し、父泰晴《やすはる》は尾張北部の守護である岩倉織田氏に仕えていたが、信長に滅ぼされた。吉晴は秀吉に仕えて中堅幹部として重きをなし、若狭高浜、近江坂本、佐和山を経て浜松一二万石に封じられ、中村一氏、生駒親正とともに中老とされた。関ヶ原では東軍に属したが、三河知立《ちりゆう》で水野忠重、加賀井重望《かがのいしげもち》との宴席で重望と口論し斬りつけられて重傷を負った。しかし戦後は、出雲・隠岐二四万石を得て松江城を築城した。一六三三年、三代目の忠晴《ただはる》が、子がないまま没し無嗣断絶した。

加藤（水口）・加藤（大洲・新谷）

一六二二年、徳川家光が鎧着初《よろいきぞめ》という成人の儀式を挙行したとき、介添役に選ばれたのが、賤ヶ岳七本槍の一人として勇名を馳せた伊予松山城主**加藤嘉明**《かとうよしあき》であった。生まれながらの将軍といわれたお坊ちゃま育ちの家光に「本物」の戦国武者の心意気を伝授させようとしたのである。しかし、家光は鎧の重さに耐えかねてよろめき、周囲を落胆させた。

加藤嘉明は、藤原北家の利仁《としひと》の子孫で三河にあったが、父教明《のりあき》は一向一揆に荷担して尾張に移り秀吉に仕えた。淡路志知で一万五千石を得て、水軍を率いて朝鮮戦役で活躍し、伊予松山一〇万石に栄進した。関ヶ原前夜には、清正や正則らと石田三成を襲撃し、関ヶ原でも東軍に属して、隊伍を乱さない整然とした戦いぶりを家康から誉められた。

戦後、二〇万石に加増されたのを機に松山城を築いた。この松山城の建設に嘉明は心血を注いだのだが、一六二七年、城の完成を目前にして、嗣子《しし》忠知《ただとも》が幼少であった蒲生氏と交替で陸奥会津四〇万石への転封を命じられた。いまだ伊達政宗も健在で、それに対抗できる武将といえば嘉明くらいしか生き残っていなかったのである。幕府はよほど伊達政宗を警戒していたのだろう。ところが、子の明成《あきなり》のとき、家臣の堀主水《もんど》と対立、脱藩した堀は幕府に訴えたが、明成は会津四〇万石と交換でもよいから堀の身柄を引き渡すように要求し、これは聞き入れられたので明成は堀を虐殺したが、明成は石見《いわみ》に一万石で移された。

その後、明友《あきとも》が水口二万石に移った。いったん下野壬生に移ったこともあったが、やがて水口に戻り幕末まで続いた。嘉明の子の**加藤明利**《あきとし》は、二本松で二万石を与えられたが、宗家が会津を収公された際に旗本に格下げされた。

鵜飼《うかい》い、そして中江藤樹《なかえとうじゅ》が一時期いたことで知られる伊予大洲の藩祖加藤光泰《みつやす》は、同じ秀吉家臣の加藤清正や嘉明に比べて知名度は低いし、華々しい逸話にも欠ける。しかし経歴からいえば遜色はないし、結局のところ、幕末まで六万石というそこそこの封地を確保したのである。

光泰は美濃国多芸《たぎ》郡にあったが、斎藤氏滅亡後は秀吉に仕え、三木城攻撃戦で功があり、丹波周山、近江海津、近江大溝を経て大垣城主となったが、一時、秀吉の勘気をこうむり失脚し、秀長に属した。赦されて佐和山城主となり、小田原の陣ののち甲府二四万石を得て、現在の甲府城の基礎を築いた。朝鮮戦役の際に慶尚南道西生浦《そせんぽ》で病死。子の**加藤貞泰**《さだやす》は幼少ということで美濃黒野四万石に移されたが、関ヶ原で東軍についたこともあり、慶長一五年に伯耆米子で六万石、元和三年には伊予大洲に移った。近江聖人中江藤樹は、祖父が大洲藩に仕えていたことから、それを嗣いで一時、大洲にいた。貞泰の次男である**加藤直泰**《なおやす》が一万石を分封され、新谷藩を創立し幕末まで続いている。

仙石（出石）・寺沢（旧島原）・一柳（小野・小松）

（仙石）天保年間に勃発した仙石騒動《せんごく》は、古典的お家騒動としては最後のものだったといってよい。仙石左京という家老が財政再建のために急進的な政策を試み、かつ自分の息子を藩主の跡継ぎにしようとしたという事件である。この騒動に浜田藩主で老中筆頭松平康任《やすとう》がからみ、しかも康任が密貿易にからんでいたというおまけまでついた。この事件を吟味したのが若手老中水野《みずの》忠邦《ただくに》と寺社奉行脇坂安宅《わきざかやすおり》で、忠邦が最高実力者となるきっかけになった。そして、この事件の結果、出石《いずし》藩は五万八千石から三万石に減封された。

仙石氏の出身は美濃国本巣《もとす》郡中村である。**仙石秀久**《ひでひさ》は信長に仕えて秀吉の配下に置かれた。淡路にあったが、四国平定後に讃岐を与えられた。しかし九州攻めの緒戦、豊後戸次《へつぎ》川の戦いで島津勢に惨敗して除封され、高野山で謹慎した。関東平定後には、信濃小諸五万石で復活し、関ヶ原では秀忠とともに上田城攻撃に参加した。二代目の忠政《ただまさ》は、大坂の陣の功で信濃上田六万石、五代目の政明《まさあきら》のとき出石五万八千石に転じた（一七〇六年）。

（寺沢）唐津と天草を領地としたが、この二ヵ所での評判はあまりにも違う。唐津では、藩祖**寺沢広高**《てらさわひろたか》は、朝鮮から陶工を連れ帰り、唐津焼を創始し、名護屋城の遺材を使って唐津城を築城した恩人である。ところが天草では、領内から天草四郎《あまくさしろう》を出してしまった。乱ののち、鎮圧に勇猛に立ち向かったとして天草召し上げだけで済んだのだが、堅高《かたたか》は悲観して自害し改易された。広高は織田家の家臣だったが、秀吉のもとで頭角を現し、唐津六万石。朝鮮での功で二万石加増、関ヶ原で東軍に参加して天草を得て一二万石となった。たいへんストイックな人物であったという。

（一柳）一柳《ひとつやなぎ》氏は伊予河野氏の一族だが、いつの日か土岐氏に仕えた。直末《なおすえ》は豊臣秀吉に仕え美濃軽海城主だったが、北条攻めの際に相模山中城で戦死。弟の**一柳直盛**《なおもり》に尾張黒田二万石が与えられた。関ヶ原の功で伊勢神戸五万石。一六三六年には父祖の地である西条六万八千石に移ったが、到着前の一六三六年に病死。長男直重《なおしげ》が西条藩を嗣いだが、子の直興《なおおき》が勤務怠慢を理由に除封。次男**一柳直家**《なおいえ》は播磨小野二万八千石。子の直次《なおつぐ》に子がなかったので一万石に。三男**一柳直頼**《なおより》は伊予小松で一万石となり幕末まで続いた。

蒔田（浅尾）・伊藤（旧大垣）・平塚（旧垂井）・桑山（旧御所・旧谷川・旧新庄）

（蒔田）尾張出身の**蒔田**《まいた》**広定**《ひろさだ》は秀吉に仕えて、備中浅尾一万石を領したが、関ヶ原で西軍に属す。浅野幸長《よしなが》らのとりなしで事なきを得たが、一六三六年に領地を分割相続したので旗本に。一八六三年に江戸市中警衛の功で大名に復帰する。

（伊藤）戦災で焼けて復興している大垣城の天守閣は、四層という珍しいものである。これを建てたのが**伊藤**《い》**盛正**《とうもりまさ》である。美濃舟岡城主で秀吉の配下にあった。関ヶ原では盛正が西軍に属したが、敗れて追放され加賀前田家に仕えた。大垣では三万四千石。

（平塚）美濃垂井《たるい》一万二千石の**平塚為広**《ひらつかためひろ》は三浦氏の一族で、姓は武蔵国平塚に由来する。薙刀の名手で豊臣秀吉に仕えて馬廻をつとめた。小早川秀秋の寝返りにより討ち死に。早くから小早川秀秋の動向を疑っていたといわれる。子孫は紀州藩士となり、吉宗に従って旗本となったものもいる。

（桑山）和歌山城を築いて紀州の中心都市の基礎をつくったのは、豊臣秀長の重臣であった**桑山重晴**《くわやましげはる》である。尾張の人で丹羽長秀に仕えていたらしいが、秀長が大和、和泉、紀伊の三国を得たときに和歌山に城を築いて三万石を知行する城代となった。関ヶ原では家康に与し、嫡孫《ちゃくそん》の一晴に大和布施（のちに新庄と改称）二万石、次男**桑山元晴**《もとはる》に一万石（のちに重晴の遺領を合わせて二万六千石）で大和御所、さらに重晴の遺領の一部を割いて元晴の次男である**桑山清晴**《きよはる》に和泉谷川一万石が、それぞれ与えられた。しかし谷川藩は、一六〇九年に将軍の勘気に触れ除封、御所藩は一六二九年に無嗣断絶。新庄藩も一尹《かずただ》の一六八二年に家綱の法要の際の公家衆饗応に不手際があったとして改易された。

石田三成の敗因は横綱相撲にあり

京極（丸亀・多度津・豊岡・峰山）

室町時代初期からの守護大名だが、本国の近江でなく、はるか西の讃岐丸亀藩主として幕末まで生き残った。丸亀城を訪れると、日本一高い石垣の上にある天守閣で南北朝時代の婆沙羅《ばさら》大名佐々木《ささき》道誉《どうよ》グッズが売られていて、近江源氏の血が四国の地でしっかり生きていることを実感させられる。戦国時代にあって近江南部は、同じ佐々木一族の六角氏、北部は京極《きょうごく》氏によって支配されていた。徐々に家臣の浅井氏によって実権を奪われたが、高秀《たかひで》は足利義晴の側近として活躍し、坂田郡上平寺《じょうへいじ》城を本拠に生きのびた。浅井氏ともある種の平和的関係を保ち、京極高次《たかつぐ》の母は浅井長政の姉妹である。**京極高次**は岐阜の信長のもとに人質に送られて以来、織田方に属したが、本能寺の変においては、明智光秀に呼応し滅亡の危機にさらされた。しかし、同じく光秀についた旧若狭守護武田《たけだ》元明《もとあき》に嫁していた妹の竜子《たつこ》が、秀吉の側室となったことから赦された。

この間、近江国内でなにがしかの領地を得ていたらしいが、大津城主となり六万石を得て、淀君の妹で従姉妹であるお初と結婚している。秀吉の死後は、大津城に妹の竜子を迎えた。竜子は、秀吉の側室でも最高の美女といわれ、淀君が子を産むまでは第二夫人的な扱いを受けていたし、醍醐《だいご》の花見のときですら、席次争いを淀君と繰り広げた。従姉妹といえども仲はよくなかったのだろう。関ヶ原の前夜に西軍は高次、お初、竜子のこもる大津城の攻防戦を繰り広げており、ここでの立花宗茂《たちばなむねしげ》らの足止めが、勝敗の帰趨《きすう》にかなりの影響を及ぼした。大津城は関ヶ原の前日に降伏し、高次はいったん高野山に入ったために、戦後それほど優遇されず、若狭小浜で九万二千石を得ただけであった。これが家康らしいところで、戦死者の遺族などに比べて、いかに抵抗したとはいえ、敵に降伏した者には冷たいのである。

高次夫妻には子がなく、庶子の忠高《ただたか》が嗣いだが、秀忠夫妻の娘である初姫が幼児のころから京極家で養われており娶《めあわ》された。忠高は松江二六万四千石に栄進したが、無嗣のため除封され、甥の高知《たかとも》に播磨竜野、ついで丸亀で六万石が与えられた。さらに、高知の孫**京極高通**《たかみち》が一万石を分与され、多度津藩を創設した。

高次の弟である**京極高知**は、二度目の妻の父である毛利秀頼の領地飯田を引き継いだ。高知は家康の会津遠征に同行して、そのまま東軍に加わり丹後宮津一二万三千石となった。母の京極マリアは熱心なキリシタンだったが、高知もそれを引き継いだ。死後、領地は宮津、田辺、峰山に三分された。宮津には嫡男の高広《たかひろ》が入った。その嫡男高国《たかくに》は、悪政がゆえに隠居した父に親不孝と訴えられ、除封されたが、高家《こうけ》としては生き残った。田辺（舞鶴）には、高知三男の**京極高三《たかみつ》**が入り、一六六八年に孫の高《たか》盛《もり》のとき豊岡転封となった。六代目の高寛《たかのり》に子がなかったために、弟高永《たかなが》に継承は認められたが、一万五千石となり財政難に悩みつづけた。峰山には、高知が朽木家から養子に迎えた**京極高通《たかみち》**が入り、一万三千石を与えられた。四代藩主高之《たかゆき》のころ、京都からの技術導入で丹後縮緬《ちりめん》が盛んとなった。

石田（旧佐和山）・宇多（旧大和国内）

（石田）江戸時代には、**石田《いしだ》三成《みつなり》**は佞臣《ねいしん》として悪口の限りをいわれたが、水戸光圀《みつくに》だけは忠臣として評価した。明治になっても低い評価は変わらなかったが、吉川英治が『新太閤記』を連載したときに、当時の滋賀県知事の近藤壌太朗《こんどうじょうたろう》が自身の研究を示して、彼のことを悪く書かないように依頼してから風向きが変わった。

三成はまことに清廉《せいれん》で公平無私であり、すばらしい構想力にあふれた政治家であった。自身の野望のために秀次を失脚させたり、清正を陥れようとしたり、氏郷《うじさと》を毒殺したりしたなどという伝説に何の根拠もない。朝鮮出兵の推進者だというのも中傷である。淀君と親しく、北政所に近い尾張派の武将と対立したというのも事実でない。

淀君は関ヶ原でも財政援助を断るなど、中途半端な対応しかしていないし、寧々も徳川寄りだったということもない。

三成をしょせんは単なる官僚と見るのも正しいと思われない。明治政府でいえば、大久保利通と伊藤博文の中間くらいの性格ではないか。ただ、西郷隆盛のようなリーダーとしてのカリスマ性はなかったし、大村益次郎のような軍事的センスもなかったのは確かだ。

関ヶ原での三成は、日本を二分するような大兵力を集める「企て」には成功したが、そのあとがいけない。正々堂々としたオーソドックスな横綱相撲をやろうとして、完璧な体制を組みたがった。織田信長も桶狭間では奇襲をしたが、以後は、事前の政治工作と兵站《へいたん》部隊の準備で相手を圧倒するという戦いを繰り返してきた。秀吉もそうであった。それを見て育ってきた三成は、まさにその申し子である。何度も相手より少数の兵を率いての修羅場をくぐっている家康とまったく違ったのだ。関ヶ原での敗因はそこにある。

三成は、近江坂田郡石田村の地侍**石田正継**《まさつぐ》の次男である。一五九五年に近江佐和山城主となり一九万四千石。諸国の検地や、また九州・小田原征伐、朝鮮の役での兵站や占領地の処理などに抜群の才能を示した。ただ、厳しい軍律を求めたり、軍監の報告による管理をしようとしたりして、加藤清正らと対立した。急成長企業において総務部長が、領収書のない支出や違法行為をともなう売り込みをやめさせようとして、現場の古手営業マンから嫌われたといったところである。関ヶ原の決戦で小早川秀秋の裏切りにより西軍は大敗。三成は戦場を離脱したが、伊吹山中で田中吉政《よしまさ》の兵に捕らえられ、京都六条河原で斬首された。父の正継と兄の**石田正澄**《まさずみ》はそれぞれ三万石、一万石を近江で得ていたが、佐和山城で自害した。

（宇多）三成夫人の父である**宇多**《うだ》**忠頼**《ただより》は、もともと秀長の家臣で、引き続き大和に一万三千石を領していたが、佐和山城で戦死した。

増田（旧郡山）・田中（旧柳河）・小堀（旧小室）・木村（旧北方）・脇坂（竜野）・新庄（麻生）

（増田）大和郡山二〇万石の領主であった**増田**《ました》**長盛**《ながもり》は五奉行の一人だったが、その行動にはひどい迷いがある。出身は近江国東浅井郡益田とも、尾張増田町ともいわれる。五奉行の一人として徳川家康に対して弾劾状《だんがいじょう》を作成したかと思えば、石田三成が挙兵すると、同調するように見せて大坂城にいたまま参戦しなかった。所領は没収され高野山に追放。さらに武蔵岩槻の高力清長に預けられた。大坂の陣が起こるとスパイとして大坂に入城するように勧められるが拒否。息子の盛次《もりつぐ》は義直の下にあって、いったんは東軍に属すが、豊臣方に転じて討ち死に。長盛も自害を命じられた。

（田中）近江高島郡の人である**田中吉政**は、豊臣秀次の家老的な立場にあり、近江甲賀郡で三万石、ついで岡崎で六万石を領した。秀次にさまざまな諫言をしたが聞き入れられず、むしろ遠ざけられた。そのおかげで秀次事件に連座することなく過ごせた。関ヶ原の戦いののちに、領内に隠れていた石田三成を逮捕した。現実的なことこのうえない人物だったらしく、岡崎で寺院に桜の花が咲き誇るのを見て、桜を切って実のなる木でも植えたほうがよいと指示したという逸話が残る。戦後、筑後柳河三二万石に大抜擢され、嗣子忠政に松平康元《まつだいらやすもと》の娘を迎えるなどして、徳川との関係強化につとめたが、一六二〇年に無嗣断絶。

（小堀）桃山文化を代表する庭園や建築づくりの名人として知られる**小堀遠州**《こぼりえんしゅう》の本貫は、坂田郡（長浜市）小堀である。浅井氏に属したが、正次《まさつぐ》が秀吉、秀長に仕え、関ヶ原の戦いのあと備中松山で一万五千石の大名となった。子の政一《まさかず》（遠州）は、近江小室《こむろ》一万二千石に転じ、駿府城など各地で作事奉行として腕をふるい、茶道の遠州流も創設した。一七六一年、伏見奉行をつとめていた政方《まさかた》が私腹を肥やすために伏見町民に重税をかけていたことが露見し改易された。ただし、旗本として再興された。

（木村）木村常陸介《きむらひたちのすけ》は近江の人で、秀次の家老であり越前府中一〇万石の城主だった。連座して自害したが、その子が大坂の陣で活躍し、歌舞伎でもおなじみの重成《しげなり》だともいう。**木村由信《よしのぶ》**は剣術の達人で、常陸介重茲《ひたちのすけしげこれ》に仕えていたが、主家の断絶後に美濃北方一万石を与えられて、長束正家《ながつかまさいえ》の指揮の下で越前国の検地に従事した。関ヶ原では美濃大垣城を守ったが、東軍に寝返った相良頼房《さがらよりふさ》や秋月種長《あきづきたねなが》らによって殺された。

（脇坂）譜代というと「三河以来の」ということになりそうだが、じつは江戸時代になってから譜代扱いされた大名がたくさんある。理由はいろいろなのだが、この脇坂氏もその一つである。九代目の安親《やすちか》が宮川藩堀田家からの養子だったので、その子の安董《やすただ》のときから譜代ということになった。その安董は名寺社奉行として家斉の時代に活躍して、仙石騒動などを処断し水野忠邦の側近として老中になった。その子の安宅《やすおり》も京都所司代、老中をつとめ、家茂将軍初期の代表的な幕閣政治家の一人だった。近江国東浅井郡脇坂の出で藤原氏を称するが、**脇坂安治《やすはる》**は佐々木氏の庶流といわれる神崎郡の田付《たつけ》氏からの養子である。幼少のころより秀吉に仕え、賤ヶ岳の戦いで七本槍の一角を占める。大和高取を経て淡路洲本三万三千石を得て、朝鮮戦役では水軍を率いた。関ヶ原では西軍につきながら家康とも連絡し、小早川秀秋ともども寝返り、慶長一四年になって伊予大洲五万三千五百石に栄進した。その後、安元《やすもと》のとき信濃飯田、さらにその養子の安政《やすまさ》の代に播磨竜野に移った。

安治の次男の**脇坂安信**《やすのぶ》も美濃に一万石を与えられたが、娘の嫁ぎ先である備中松山藩池田家の相続についての親族協議に出席していた席で斬りつけられ、これが原因で改易された。一六三二年のことである。

(新庄)近江国坂田郡というのは、長浜から彦根市の北部あたりまでを含んでいた。佐和山城の跡も彦根城も現在では彦根市になるが、もとの郡では佐和山は坂田郡で、彦根は犬上郡である。新庄氏は藤原秀郷の流れと称しているが、足利幕府の初期から京都で活躍し、三好長慶《みよしちようけい》と細川晴元《ほそかわはるもと》が戦ったときには、直昌《なおまさ》が細川方に立って戦死した。その子の**新庄直頼**《しんじようなおより》は朝妻城にあったが、姉川の戦いのあと秀吉に従い、山崎、大津、宇陀などを経て高槻三万石を得た。関ヶ原では西軍に属して会津の蒲生家に預けられるが、一六〇五年に復権して、常陸麻生で三万石を与えられた。五代目にして無嗣断絶するところ、麻生一万石で復権した。直時《なおとき》は、従兄弟の直好《なおよし》の養子となって藩主を嗣いだが、直好に実子直矩《なおのり》が生まれたので分家して交代寄合になった。ところが、直矩が後継者なく断絶したので、やむなく直時に加増して諸侯扱いにしたのである。直頼の弟**新庄直忠**《なおただ》も近江などに一万六千石を与えられていたが、西軍に与して改易。のちに家康に仕えた。

片桐（小泉）・大谷（旧敦賀）・速水・宮部（旧鳥取）・木下（旧若桜）

（片桐）秀頼の後見役だったが、方広寺鐘銘事件についての駿府協議で、秀頼の江戸参勤、淀君の人質、大坂退去のいずれかをのめという条件を持ち帰って淀君の逆鱗に触れて茨木《いばらき》に退去した**片桐且元**《かたぎりかつもと》は、近江浅井氏の旧臣である。先祖は、信濃国伊那郡片桐の発祥。賤ヶ岳の七本槍の一人で一万石を得ていたが、関ヶ原の戦いのあと家康が大坂に入城することを円滑に運んだ功で、茨木城を預けられ、あわせて大和竜田で二万八千石を得た。大坂の陣のあとは、さらに加増され四万石となった。孫の為次《ためつぐ》に子がなかったので一六五四年に断絶した。且元の弟である**片桐貞隆**《さだたか》は、兄と行動をともにして、関ヶ原のあと大和小泉で一万六千石を得て幕末まで続いた。二代目の石州《せきしゅう》は茶人として知られ、京都知恩院の普請奉行もつとめた。

（大谷）関ヶ原で小早川軍の攻撃を受け止めたのは、**大谷吉継**《おおたによしつぐ》らの部隊である。ハンセン病を押しての奮戦だった。大友宗麟《おおともそうりん》の家臣大谷盛治《もりはる》の子という説もあるが、近江国伊香郡余呉町大字小谷の出だろう。九州攻めでは石田三成とともに兵糧奉行をつとめ、蜂屋頼隆《はちやよりたか》の断絶のあとを受けて、越前敦賀五万石を与えられた。関ヶ原で戦死した。また、次男の**木下頼継**《きのしたよりつぐ》も越前で二万五千石を領していたが改易された。

（速水）秀吉に長浜時代から属していた**速水守久**《はやみもりひさ》は、近江浅井郡の人。一万五千石で秀頼に仕えていたが、大坂の陣で自害した。

（宮部）比叡山の僧から出た珍しい大名が、鳥取城主五万石だった宮部善祥房継潤《みやべぜんしょうぼうけいじゅん》である。東浅井郡宮部の出身で、浅井氏家臣となったが、秀吉に下る。因幡《いなば》鳥取城攻めに参加、九州の陣で活躍。その後隠居、子の**宮部長熙**《ながひろ》に家督を譲るが、長熙は関ヶ原の戦いで西軍について敗れ、所領没収となって南部氏に預けられた。

（木下）荒木村重《あらきむらしげ》の小姓でその一族と見られる**木下重堅**《きのしたしげかた》は、因幡若桜《わかさ》二万石を領して宮部氏に従っていたが、西軍に属して敗れ自害した。

蒲生氏郷の死で一世代が失われた

蒲生（旧伊予松山）・朽木（福知山）・山崎（旧丸亀）・池田（旧伊予国内）・毛利（佐伯）・建部（林田）・富田（旧宇和島）

（蒲生）万葉集における大海人皇子《おおあまのおうじ》と額田王《ぬかたのおおきみ》の恋歌で知られる近江国蒲生《がもう》郡の日野

にあった蒲生賢秀《かたひで》は、藤原秀郷の流れと称し守護六角氏に属していたが、織田信長に服し、子の氏郷を人質として送った。この氏郷が信長に気に入られ娘婿になった。本能寺の変の直後には、安土にあった信長の家族をいち早く日野城に匿《かくま》い、小牧・長久手の戦いでも活躍して伊勢松ヶ島（松阪）城主となった。関東平定後には、会津黒川に送り込まれた。（会津）若松の名は故郷蒲生郡の地名に由来する。米沢に押し込められた伊達政宗が糸を引く葛西《かさい》・大崎旧領の一揆などに苦しめられたが見事に制圧し、九二万石の太守となった。だが一五九五年に四〇歳で病死した。利休の高弟であり、教養ある文化人で、松阪や会津若松の街づくりにも手腕を発揮した。氏郷を失ったことで豊臣政権では一五六〇年代生まれの世代に穴があき、政権弱体化の一因となった。その死について、石田三成に毒殺されたとする俗説があるが、何の根拠もない。

氏郷の死後、子の**蒲生秀行《ひでゆき》**は家康の娘婿だが、家臣の内紛もあり、宇都宮一八万石に移された。関ヶ原では東軍に属し、会津に六〇万石で復帰した。家康の娘振姫との長男忠郷《たださと》が一六二七年に死んだあとは、やはり振姫の子である忠知《ただとも》が嗣いだが、伊予松山二四万石に移された。しかし、忠知にも子がなく、一六三四年に蒲生家は絶えた。晩年、忠知は乱心し、妊婦の腹を割くなどの悪行があったという伝説もある。ただし将軍家の親族ということで、家臣たちは他家に厚く迎えられた。

(朽木)佐々木一族でやはり幕末まで存続したのが、京都から若狭へ抜ける朽木谷の領主朽木《くつき》氏である。若狭から京都に抜ける最短ルートは、八瀬大原から途中、峠を越え、安曇《あずみ》川水系の葛《かつら》川から朽木谷に入り、さらに峠越えをして小浜に向かうことになる。佐々木信綱の曾孫がここに住みつき、室町時代には足利将軍が京の乱を避けて、たびたび葛川や朽木に滞在した。戦国末期にも、稙綱《たねつな》が義晴、義輝を迎え、子の元綱《もとつな》は義昭、信長、秀吉に仕えた。関ヶ原では小早川秀秋の裏切りに呼応して東軍についたが、九千五百石に減封された。しかし、三男の**朽木稙綱**が家光の小姓組番頭をつとめて、下野鹿沼、ついで常陸土浦三万石の大名になり、その子の稙昌《たねまさ》が丹波福知山藩主となった。一八世紀後半の藩主昌綱《まさつな》は、世界地理や古銭に興味を持ち、著作をものしている。

(山崎)**山崎片家**《やまざきかたいえ》は近江国愛知郡を本拠にして六角氏に属したが、信長、秀吉に仕えた。一五八二年に摂津三田で二万三千石を領有した。家盛は関ヶ原では西軍に属したが、池田輝政室(家康の娘)を守ったので許され、因幡若桜三万石、丸亀五万石と移り、一六五七年に四代目の治頼《はるより》で断絶したが、明治になって復活する。

(池田)近江源氏の一族で甲賀郡池田にあった**池田秀氏**《いけだひでうじ》は、六角氏、ついで信長に属した。関ヶ原で西軍に与し、伊予などの二万石を改易された。藤堂高虎《とうどうたかとら》に属し、のちに旗本となった。

（毛利）豊後佐伯には、**毛利高政**《もうりたかまさ》が関ヶ原の戦いのあと日田《ひた》から移って二万石。毛利氏は近江源氏の一族で鯰江《なまずえ》氏と称していたが、信長に敗れて森というところに移り森氏となる。さらに、毛利氏に人質として預けられた縁で毛利氏を名乗る。三井財閥の創始者越後守高利《たかとし》も一族である。

（建部）近江の国は織豊政権に多くの能吏を提供したが、建部寿徳《たけべじゅとく》もその一人である。神崎郡建部の出身で近江源氏の流れだとされる。信長のもとで代官をつとめ、秀吉の時代には小浜、尼崎の郡代となった。関ヶ原では西軍に属したが、池田輝政のとりなしで救済され、大坂の陣で尼崎をよく守った功で、**建部政長**《まさなが》が一八一五年に一万石、ついで播磨林田藩を創設した。

（富田）のちに千姫事件で有名になる坂崎直盛《さかざきなおもり》は、一族の左門が出奔したのを追っていたところ、叔母である宇和島藩主**富田信高**《とみたのぶたか》夫人に匿《かくま》われていることを突きとめ、幕府に訴え出た。信高の父である一白《いっぱく》は近江の人で室町幕府、信長、秀吉に仕えた。使者として重要な役割を命じられているから、しかるべき風格の人物だったのだろう。信高は伊勢安濃郡に二万石を持って、関ヶ原では東軍側で奮戦し、安濃津城主から伊予板島（宇和島）一〇万一千石に栄進したが、この事件で改易された。

藤堂（津・久居）・谷（山家）・高田（旧丹波国内）・小川（旧今治）

（藤堂）甲良《こうら》というところが近江国犬上郡にあるが、この小さな町は日光東照宮にゆかりのある二人の故郷である。一人は棟梁甲良豊後守宗廣《ぶんごのかみむねひろ》であり、もう一人は、東照宮の場所を決めた**藤堂高虎**である。藤堂家は藤原氏を称し、佐々木氏の支族ともいわれるが、確かなのは、彼らが浅井氏に仕えてからである。高虎は、浅井氏を皮切りに主人をたびたび変えたが、豊臣秀長のもとで紀伊粉河《こがわ》城主となる。秀長の養子である秀保《ひでやす》の死後、いったん高野山に入ったが、秀吉から南予を与えられ、宇和島（板島）の基礎をつくり、朝鮮でも水軍を率いるなどして活躍した。秀吉の死後は家康に接近し、関ヶ原では大谷軍などを撃破し、宇和島に加えて今治を得た。慶長一三年には、伊勢津三二万三千石に移り、とくに上野城を完成させ大坂への備えとした。このほか、江戸、名古屋、篠山、亀山など多くの城の縄張りにかかわった。いろいろな主人に仕えたが、高虎としては秀長と家康に心服していたのだろう。

安定した治世を続けたが、鳥羽伏見の戦いでは、淀川左岸八幡付近を後退する幕府軍に右岸山崎周辺から砲撃を浴びせ、決定的な打撃を与えた。高虎の孫**藤堂高通**《たかみち》から

藤堂（津）

- 虎高《とらたか》
  - ① 高虎《たかとら》 1600-1630
    - ② 高次《たかつぐ》 1630-1669
      - ③ 高久《たかひさ》 1669-1703
      - 久居 高通《たかみち》
        - ⑤ 高敏《たかとし》 1708-1728
      - ④ 高睦《たかちか》 1703-1708
  - 高清《たかきよ》
    - 高英《たかひで》
      - 高明《たかあき》
        - ⑥ 高治《たかはる》 1728-1735
        - 高武《たかたけ》
          - ⑦ 高朗《たかほら》 1735-1769
            - ⑨ 高嶷《たかさと》 1770-1806
              - ⑩ 高兌《たかさわ》 1806-1825
                - ⑪ 高猷《たかゆき》 1825-1871
                  - ⑫ 高潔《たかきよ》 1871-
            - ⑧ 高悠《たかなか》 1769-1770

久居藩五万石が出ている。また、丹羽長秀の子で養子となった藤堂高吉《たかよし》は名張に拠したが、独立した諸侯とは扱われなかった。

（谷）細川幽斎《ほそかわゆうさい》が田辺城にこもったとき、西軍に丹波山家城主**谷《たに》衛友《もりとも》**もあった。しかし、衛友は和歌の師である幽斎を討つことが躊躇《ちゅうちょ》され、サボタージュを決め込んだらしい。そのおかげで取り潰しにあわなかった。苗字は、近江源氏の末流で甲賀郡谷にあったことに由来する。美濃に移り道三、ついで信長に従った。衛好《もりよし》は三木城攻撃で討ち死に。最初は一万六千石だったが、親族への分与で一万石になった。

（高田）近江の人といわれる**高田《たかだ》治忠《はるただ》**は、信長の四男で秀吉の養子だった秀勝《ひでかつ》に従ったが、死後、秀吉に仕え、丹波で一万石。関ヶ原で西軍に参加して除封。

（小川）関ヶ原で東軍に寝返ったのに所領を安堵《あんど》されなかった気の毒な殿さまがいる。伊予国府（今治）七万石の**小《お》川《がわ》祐忠《すけただ》**である。裏切りばかりしていたので家康が嫌ったとか、子の祐滋《すけしげ》が石田三成と親しかったことなどが理由であるといわれる。近江国神崎郡小川の出身で、はじめ柴田勝豊《かつとよ》に属して賤ヶ岳、小牧、朝鮮で軍功をあげた。

細川邸から逃げ出した前田利家の娘

小西（旧宇土）・石川（旧犬山）・石川（旧山城国内）・福原（旧府内）・熊谷（旧安岐）・垣見（旧富来）・太田（旧臼杵）

（小西）キリシタン大名**小西行長**《こにしゆきなが》は、堺の薬種商小西隆佐《りゆうさ》の次男として京都に生まれた。舟奉行として小豆島、塩飽《しあく》島を与えられ、紀州雑賀《さいが》攻めでは水軍を率いて活躍。一万石摂津守となる。一五八八年の肥後一揆鎮圧の功により、肥後の国の半分にあたる二四万石を与えられ、宇土城を居城とした。文禄の役には先鋒として加藤清正、黒田長政とともに戦い、釜山《ぷさん》、平壌《へいじょう》を占領し軍功をあげる一方、早期の和平工作を娘婿である宗義智《そうよしとも》と推進したが成功しなかった。関ヶ原で西軍の主力として戦い、伊吹山中にひそんだが竹中重門《たけなかしげかど》に捕われ、石田三成、安国寺恵瓊《あんこくじえけい》らと京六条河原で首をはねられた。遺臣から、天草四郎をはじめとして島原の乱に参加した者が多い。

（石川）国宝犬山城を現在のような形にしたのは、秀吉の金切裂指物使番《きんぎれさしものつかいばん》や木曾谷の森林管理を担当した**石川貞清**《いしかわさだきよ》である。関ヶ原で西軍に属して一万二千石を没収されたが、木曾郷士らの人質を解放したことのために一命は助けられ、京都に住んだという。

越後上杉氏の旧臣といわれる**石川貞通**《さだみち》は、秀吉に仕えて山城国の検地奉行などにつき、山城などで一万二千石を与えられたが、西軍に属して田辺城攻撃に参加し改易。南部藩に預けられ、子孫はそこに仕えた。前記の石川貞清とは別系統といわれる。

（福原・熊谷・垣見・太田）秀吉の死から関ヶ原までの間に改易された大名が四家ある。いずれも豊後に領地を持ち、朝鮮遠征軍の軍監をつとめていたのだが、報告が気に入らないという武将の意を受けて家康が処断した。**福原直高**《ふくはらなおたか》は豊後府内五万石。大分城の築城者である。石田三成の娘婿だったという説もある。**熊谷直陳**《くまがやなおのぶ》は、近江出身で安岐二万石。**垣見**《かきみ》**一直**《かずなお》は国東半島の富来二万石。**太田宗隆**《おおたむねたか》は美濃の出身で蔚山《うるさん》城攻防戦で奮闘したが、臼杵《うすき》六万五千石であった。熊谷直陳と垣見一直は大垣城で徹底抗戦を主張したが、東軍に寝返った相良長毎《さがらながつね》などによって謀殺された。福原直高は伊勢に逃れて自害。太田宗隆は黒田《くろだ》如水《じょすい》の尽力で助命され、京都に隠棲した。

早川（旧豊後府内）・杉若（旧紀伊田辺）・小野木（旧福知山）・山崎（旧竹原）・中江・木下・平岡（旧徳野）・真野

（早川）近江の検地や朝鮮出兵などに活躍した**早川長政**《はやかわながまさ》は、豊後府内二万石だったが、関ヶ原で西軍に与し除封。大坂の陣に豊臣方として入城したが、その後の消息は不明。

（杉若）越前の人といわれる**杉若氏宗**《すぎわかうじむね》は、豊臣秀長について紀伊田辺二万石を領した。関ヶ原で最初西軍についたが、のちに東軍に転じ、桑山一晴《くわやまかずはる》と新宮の堀内氏を攻撃した。だが領地の安堵は得られず、京都に住んだ。田辺周辺には杉若姓が今も多い。

（小野木・山崎・中江）**小野木重次**《おのぎしげつぐ》は秀吉の古くからの家臣で福知山三万一千石を領し、田辺城攻撃に参加したが、敗戦を聞いて自害した。秀吉の馬廻りをつとめた伊勢竹原の**山崎定勝**《やまざきさだかつ》は、関ヶ原で西軍に属して富田信高《とみたのぶたか》の津城を攻撃したが、敗戦の結果、改易。同じく秀吉の馬廻りで一万石を領した**中江直澄**《なかえなおずみ》は、津城攻撃に参加して伊達藩に預けられた。領地や生地など詳細不明。

（木下）関ヶ原で西軍に属して改易されたなかに木下利久《きのしたとしひさ》、木下延重《のぶしげ》がある。利久はもともと柴田勝豊の家臣で二万石。延重は播磨に二万石の領地を持っていたらしいが、いずれも詳細は不明である。

（平岡）小早川秀秋に裏切りを教唆《きょうさ》したのは、**平岡頼勝**《ひらおかよりかつ》だといわれている。清和源氏頼光の流れで、先祖が河内国平岡郷にあったらしい。小早川家滅亡のあと家康から美濃徳野で一万石を与えられた。子の頼資《よりすけ》の死後に相続争いが起きて所領没収されたが、旗本としては残った。幕末に御側用取次として家茂将軍就任などに活躍し、一八六四年に安房船形一万石となった**平岡道弘**《みちひろ》は甲斐が本貫なので直接には関係なさそうである。

（真野）大坂七手組と呼ばれる馬廻組頭の一人の**真野**《まの》**助宗**《すけむね》は、秀頼のもとで一万石の知行を受けて、豊臣家と運命をともにした。

細川（熊本・高瀬・宇土・谷田部）

肥後の殿さまであり細川護煕《ほそかわもりひろ》首相を生んだ細川家の発祥は三河の国である。足利一門の義季《よしすえ》が三河守護になった足利義氏《よしうじ》について赴任して、そのまま額田郡細川にとどまった。足利尊氏の挙兵に呼応して幕府の重鎮となった。とくに頼之は、将軍義満の幼少期に後見役として足利幕府の基礎をつくった。

肥後細川家の先祖は、この頼之の弟である頼有《よりあり》を始まりとし、和泉半国の守護をつとめ、和泉家といわれる。幽斎は将軍義輝と行動をともにし、朽木谷などで亡命生活を送った。義輝が松永久秀に殺されると、弟で興福寺にあった義昭《よしあき》をかついで近江和田、矢島、越前一乗谷などと居場所を変え、ついに岐阜の織田信長を頼って義昭の京都復帰を実現させた。義昭と信長の対立を回避しようと努力したが容れられず、義昭

細川（熊本）

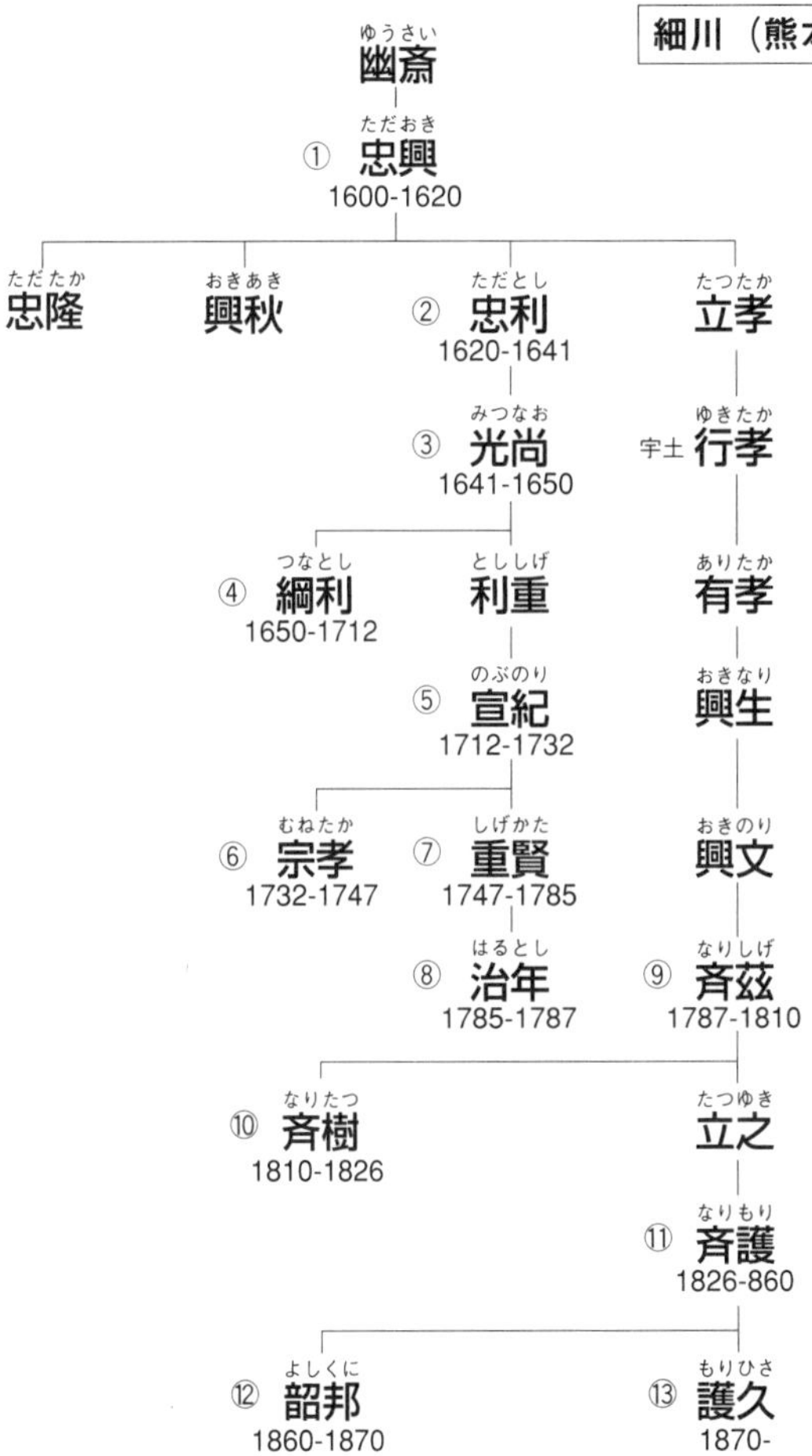

幽斎《ゆうさい》
① 忠興《ただおき》
1600-1620
忠隆《ただたか》
興秋《おきあき》
② 忠利《ただとし》
1620-1641
立孝《たつたか》
③ 光尚《みつなお》
1641-1650
宇土 行孝《ゆきたか》
④ 綱利《つなとし》
1650-1712
利重《とししげ》
有孝《ありたか》
⑤ 宣紀《のぶのり》
1712-1732
興生《おきなり》
⑥ 宗孝《むねたか》
1732-1747
⑦ 重賢《しげかた》
1747-1785
興文《おきのり》
⑧ 治年《はるとし》
1785-1787
⑨ 斉茲《なりしげ》
1787-1810
⑩ 斉樹《なりたつ》
1810-1826
立之《たつゆき》
⑪ 斉護《なりもり》
1826-860
⑫ 韶邦《よしくに》
1860-1870
⑬ 護久《もりひさ》
1870-

から追放されて洛西の領地に引きこもり、信長に従った。丹波の攻略を命じられたが、徐々に明智光秀の配下に入れられ、丹波を領した光秀の後押しのもと、丹後宮津に城を構えた。

義昭のもとでの地位を逆転し、子の忠興《ただおき》の妻に光秀の娘ガラシャを迎えるように信長から命じられた。幽斎は機を見るには敏であるが、軍司令官としてはもう一つであることが、光秀との地位逆転につながった。秀吉のもとでは、むしろ、**細川忠興**が若手のホープとして活躍し、会津に蒲生氏郷が赴任したときのもう一人の候補は忠興だった。しかし忠興は、秀次事件で危機に陥る。秀次と親しく、借金をしていたことが糾弾《きゅうだん》されたのである。返済資金を貸してやり、この危機を救ったのが家康であり、これが、忠興が家康に近づくきっかけになる。

関ヶ原では、忠興は家康に従い、幽斎も田辺城にこもって西軍と戦い、豊前一国三九万九千石を与えられることになったが、妻のガラシャは大坂で人質に取られることを拒否して自害した。ただし自分の意志でなく、忠興の命令によるともいわれる。長男忠隆の妻は前田利家の娘だったが、勝手に脱出したとして忠興の不興を買い、それを弁護した利隆まで廃嫡《はいちゃく》にされた。前田家と親しいということが禍《わざわい》にならないように、忠興や幽斎がいかに神経質になっていたかが面白いところだ。忠興は、徳川に人質に出していた三男の忠利《ただとし》を後継者としたが、これも家康の意を迎えるための、慎重にも慎重を期した措置である。このために、次男の興秋《おきあき》は出奔し、のちに大坂の陣で豊臣方につき、戦後、忠興から自刃させられる。こうして、二代目となった忠利だが、一六三二年に加藤家改易後の肥後五四万石に移った。肥後藩は、参勤交代において、豊後鶴崎経由と小倉ルートを交互に使ったが、これは旧領小倉を意識してのことであった。

一七四七年から一七八五年まで藩主であった重賢《しげかた》は、殖産興業、教育振興、近代法治主義などを推進した典型的な江戸中期の名君として、上杉鷹山《うえすぎようざん》と並び称される。

細川家には、熊本藩以外に三つの藩があった。忠興の弟の**細川興元**《おきもと》は、下野茂木一万石、ついで常陸谷田部二万六千二百石を与えられた。忠利の弟立孝《たつたか》の子の**細川行孝**《ゆきたか》は、正保三年に宇土で三万石を与えられ独立した。忠利の孫の**細川利重**《とししげ》も一六六六年に三万五千石を与えられて熊本新田藩を創設。定府《じょうふ》大名だったが、明治になって玉名郡高瀬に陣屋を構えた。

中川（岡）・木村（旧福島）・本郷（旧川成島）・長谷川

（中川）清和天皇の孫である六孫王源経基《みなもとつねもと》の子源満仲《みつなか》は、摂津多田荘に拠って多田源氏と呼ばれる。その長男頼光《よりみつ》がいわゆる坂田金時さんだが、戦国末期に摂津豊津（豊能）郡から出た中川清秀《なかがわきよひで》は、この多田源氏の一党であると称している。従兄弟である荒木村重の配下に入って信長のもとで働くことになったが、村重の反旗には、妹婿古田織部の説得で同調しなかった。茨木城一二万石を得て、息子の秀政《ひでまさ》は信長の娘婿となった。清秀は賤ヶ岳の戦いで佐久間盛政《さくまもりまさ》に討ち取られたが、秀政は播磨三木城一三万石。朝鮮水原城の近くで鷹狩り中に毒矢で襲われて死亡した。叔父の**中川秀成**《ひでなり》が嗣いで一六九四年、豊後岡城七万石に移り、関ヶ原では西軍に属する臼杵の太田宗《むね》隆《たか》を攻撃した。秀成の正室は、皮肉にも兄の清秀を討った佐久間盛政の娘であった。

（木村）福島県の県庁所在地である福島に城を築いたのが**木村吉清**《きむらよしきよ》である。明智光秀、あるいは荒木村重の家臣だったらしい。大政所《おおまんどころ》に気に入られ、福島三〇万石に封じられたが反乱を収容できずに蒲生氏郷の傘下《さんか》に入れられた。豊後で一万四千石を領した**木村秀望**《ひでもち》は、関ヶ原で西軍に属して、瀬田唐橋を守り改易された。大坂の陣で戦死。

（本郷）本郷信富《ほんごうのぶとみ》は足利義昭、信長のもとにあった。のちに家康に属したが、幕末の**本郷泰固**《やすかた》は若年寄となり加増されて、一八五七年に駿河国富士郡川成島一万石で大名となった。しかし一橋派だったので、一八五九年に隠居謹慎、減封されて、再び旗本となった。

（長谷川）京都の町衆出身で画家や茶人として知られ、織田信長に仕えていた宗仁《むねひと》の子**長谷川守知**《はせがわもりとも》は、関ヶ原の役では西軍に属し、近江佐和山城にあったが、東軍に内通し、城が包囲されると、小早川秀秋らの軍勢を引き入れた。各地の所領合計で一万石を与えられ諸侯に列したが、一六三二年の死後は分割され旗本となった。


別所（旧園部）・垣屋（旧浦住）・松浦（旧井生）・石川（旧丹波国内）・糟谷（旧加古川）・横浜・寺田

（別所）三木城主別所長治《べつしょながはる》は、秀吉の兵糧攻めによって滅びたが、一族の重棟《しげむね》は織田方に属し、秀吉に仕えて但馬八木一万五千石。**別所吉治**《よしはる》は西軍に属して細川幽斎の守る丹後田辺城を攻撃したが、吉治の伯母が徳川秀忠の乳母で、助命を嘆願したため領地を安堵された。のちに園部二万石となったが、一六二八年に参勤交代を怠ったために改易。赤松一族が播磨国印南郡別所におこったのが発祥。

（垣屋）但馬山名氏の重臣**垣屋恒総**《かきやつねふさ》は、因幡浦住一万石で宮部継潤《みやべけいじゅん》の与力だったが、関ヶ原では西軍に属し、伏見城や大津城の攻撃に参加した。高野山千手院へ逃れ自刃。子孫は紀伊藩士。

（松浦）和泉出身の**松浦久信**《まつらひさのぶ》は秀吉の近臣で、伊勢井生《いう》一万石だったが、関ヶ原前哨戦の大津城攻撃中に被弾し戦死した。

（石川）**石川頼明**《いしかわよりあき》という人は、「丹波忍者」だとか、家康暗殺を試みたとかいわれ、一部のマニアの間では有名人である。兄の一光《かずみつ》は賤ヶ岳の七本槍の一人だが、惜しくも戦死している。丹波で一万二千石を領していた頼明は西軍に属して敗れ、井伊直政《なおまさ》に助命を依頼したが、かなわず切腹させられた。

（糟谷）播磨加古川出身の**糟谷宗孝**《かすやむねたか》は、秀吉に属し賤ヶ岳の七本槍の一人であった。西軍に与して加古川一万二千石を失った。子孫は旗本になったらしい。

（横浜）播磨（または大和）で一万七千石を領していた**横浜茂勝**《よこはましげかつ》は、豊臣秀長の家臣だったが詳しい経歴は不明である。伏見城に大和額安寺の塔を移築した工事を担当した記録がある。関ヶ原で西軍に属して高取、大津城の攻撃に参加し改易された。

（寺田）**寺田光吉**《てらだみつよし》は播磨の人で豊臣秀長に仕えた。大和で一万五千石を領したが、関ヶ原で西軍に属し領地を失った。

赤松（旧置塩）・斎村（旧但馬竹田）・有馬（久留米・吹上）

（赤松・斎村）播磨国佐用郡佐用荘の地頭に鎌倉初期に送り込まれた宇野則景《うののりかげ》の子の

家範が、荘内の赤松上村にちなんで赤松《あかまつ》氏を名乗った。南北朝時代に円心が活躍して幕府四職の一翼を担い、播磨、備前、美作《みまさか》の守護を兼ねたが、満祐《みつすけ》が六代将軍義教を自邸で謀殺した嘉吉《かきつ》の乱で没落した。その後、勢力をいったんは回復して信長と組み、豊臣政権下では、宗家の**赤松義祐《よしすけ》**が飾磨《しかま》郡夢前《ゆめさき》の置塩一万石、**斎村政弘《さいむらまさひろ》**が但馬竹田城主となるが、いずれも西軍に属して自害した。広通《ひろみち》は藤原惺窩《せいか》を援助し、朝鮮の役で捕虜となった儒学者姜沆《かんこう》が帰国をするのを助けたりしたことで知られる。

（有馬）久留米藩主の有馬氏をキリシタン大名の末裔《まつえい》と勘違いしている人が多い。だが、天正遣欧使節に千々石《ちぢわ》ミゲルを参加させた島原半島の有馬《ありま》晴信《はるのぶ》の子孫は、越前丸岡藩主であって、久留米の有馬さんとは何の関係もない。こちらの有馬氏は、中世の名族赤松氏の一党で、六甲山の裏にある有馬温泉の出身である。

則頼《のりより》は播磨国三木に近い淡河城主として秀吉につき、九州平定などでも活躍し、子の豊氏《とようじ》は遠江国横須賀で三万石を得た。一貫して家康に近い立場を取り、豊氏は長沢松平家に嫁いだ異母妹の娘連姫を妻として迎えた。関ヶ原ののち、**有馬豊氏**は福知山城主、則頼は摂津三田城主となった。さらに大坂の陣での功もあり、嗣子の忠頼《ただより》が連姫の実子であったこともあり、久留米二一万石の太守となった。どうしたわけか、あまり知名度がない殿さまだが、二一万石というのは、石高ランキングでも堂々二〇位

有馬

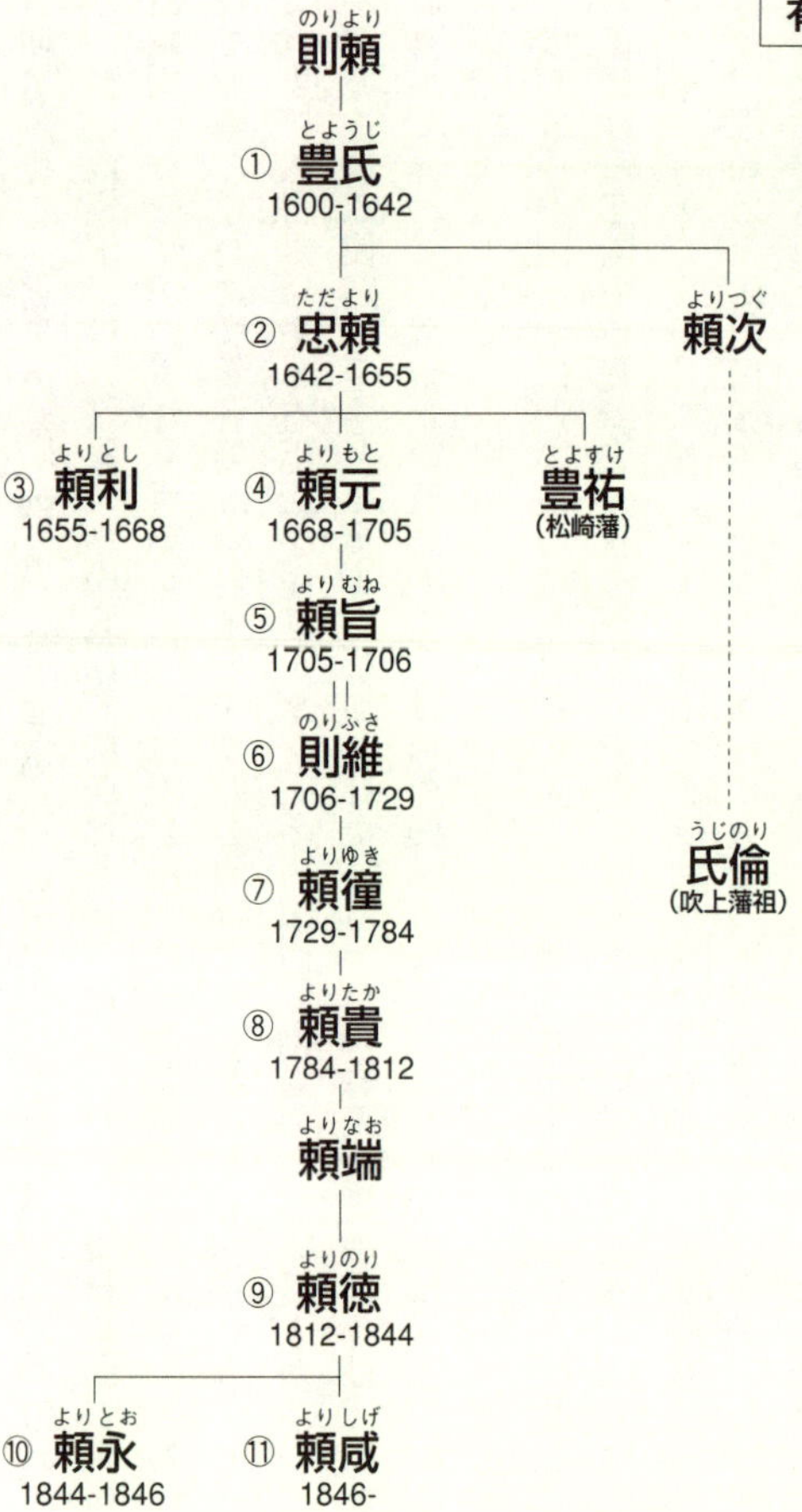

則頼《のりより》
① 豊氏《とようじ》
1600-1642
② 忠頼《ただより》
1642-1655
頼次《よりつぐ》
③ 頼利《よりとし》
1655-1668
④ 頼元《よりもと》
1668-1705
豊祐《とよすけ》
（松崎藩）
⑤ 頼旨《よりむね》
1705-1706
⑥ 則維《のりふさ》
1706-1729
氏倫《うじのり》
（吹上藩祖）
⑦ 頼徸《よりゆき》
1729-1784
⑧ 頼貴《よりたか》
1784-1812
頼端《よりなお》
⑨ 頼徳《よりのり》
1812-1844
⑩ 頼永《よりとお》
1844-1846
⑪ 頼咸《よりしげ》
1846-

である。豊氏は利休七哲の一人として知られ、七代目の頼徸《よりゆき》は和算家として知られる。殖産興業に熱心だったが、一七八八年には一二歳ほどの少女だった井上伝が久留米絣を考案した。水天宮は久留米が本拠で、東京のものは久留米藩邸に設けられたものを起源とする。

忠頼の養子だった小出吉重《こいでよししげ》の子**有馬豊祐《とよすけ》**は、一六六八年に筑後松崎で一万石を分与されたが、姉の嫁ぎ先である陸奥窪田藩土方家の仲裁を頼まれたのに断ったことを理由に、一六八四年に改易された。綱吉の時代ならではの取り潰し理由である。

八代将軍吉宗の紀伊藩主時代からの側近で側用人だった**有馬氏倫《うじのり》**も有馬一族であるが、一七二七年に一万石、その後、五井を経て吹上藩主となる。

近江・備前・播磨・豊前・筑前と移った黒田家

黒田（福岡・秋月）

今やアジアの主要都市として、九州でも一人勝ちの感がある福岡だが、その地名の由来は岡山県邑久《おく》郡長船《おさふね》町にある。黒田《くろだ》如水《じょすい》（孝高《よしたか》）の先祖は近江源氏京極氏の一党で、賤ヶ岳に近い湖北の伊香郡木之本町黒田というところから出ている。如水の曾祖父にあたる高政が、事情があって備前に移り、その子の重隆《しげたか》が播磨に転じて、その子の職隆《もとたか》が赤松一族の小寺氏に属し姫路城を得た。増強する信長によしみを通じておくために、如水は信長のもとへご機嫌伺いに赴いたが、このときに秀吉に紹介され、これ以降、如水は秀吉の参謀役として活躍することになる。

友人の荒木村重が反乱を起こしたときには、説得に行ったまま有岡城に幽閉されたが、無事救出された。秀吉に播磨の中心として姫路がふさわしいとして、自分の城を明け渡した。九州平定後には、豊前中津の城主となった。

朝鮮の役にあっては、現地の占領行政に腕をふるえる家康や利家のような人物を派遣する必要があると秀吉に進言するなど冴えを見せたが、晩年は秀吉からあまり重んじられなかった。一方、城づくりの名手としての評判が高く、高松を築城地として選定したり、広島城の縄張りを行ったりしたのは彼である。関ヶ原では息子の**黒田長政《ながまさ》**が、毛利説得など外交面でも大活躍した。如水のほうは中津にあって浪人を集め、近隣に勢力を広げようと野心の一端を見せたが、東軍の完全勝利に終わったので、あわよくばというわけにはいかなかった。

長政は、筑前四七万三千石に移り、以降、幕末までこの地を治めた。二代目の忠之《ただゆき》

黒田（福岡）

- 孝高《よしたか》
  - ① 長政《ながまさ》 1589-1623
    - ② 忠之《ただゆき》 1623-1654
      - ③ 光之《みつゆき》 1654-1688
        - ④ 綱政《つなまさ》 1688-1711
          - ⑤ 宣政《のぶまさ》 1711-1719
        - 長清《ながきよ》（直方藩）
          - ⑥ 継高《つぐたか》 1719-1769
            - ‖ ⑦ 治之《はるゆき》（一橋家より） 1769-1782
            - ‖ ⑧ 治高《はるたか》（多度津京極家） 1782-1782
            - ‖ ⑨ 斉隆《なりたか》（一橋治清の子） 1782-1795
            - ⑩ 斉清《なりきよ》 1795-1834
            - ‖ ⑪ 長溥《ながひろ》（島津重豪の子） 1834-1869
            - ‖ ⑫ 長知《ながとも》（藤堂高猷の子） 1869-
    - 長興《ながおき》（秋月藩祖）
    - 高政《たかまさ》（東蓮寺藩祖）

のときに、家臣の栗山大膳に謀反を幕府に訴えられるという危機があって、いったん取り潰しのうえで再興される形をとらされた。幕末の藩主である長溥《ながひろ》は、島津重豪《しげひで》の息子で、開国を主張し、三条実美《さねとみ》らを預かるなど好ポジションにあったが、一八六五年に勤王派の大弾圧をするという大失敗をした。

長政の三男である**黒田長興**《ながおき》から秋月藩五万石が出ている。このほか、四男の**黒田高政**《たかまさ》から東蓮寺藩四万石が、元禄年間には三代藩主光之《みつゆき》の子の**黒田長清**《ながきよ》が直方《のおがた》藩五万石を創設したが、いずれも藩主が宗家を嗣いだことで廃藩とされた。

山名（村岡）・亀井（津和野）・南条（旧羽衣）

（山名）六分の一殿と呼ばれて、一一ヵ国の守護を兼ねた山名《やまな》氏の領国の多くは山陰山陽にあり、宗全《そうぜん》は但馬を本拠にした。但馬出石の山名堯熙《たかひろ》は秀吉に下って播磨に領地を与えられ、その子の堯政《たかまさ》は大坂の陣で戦死した。因幡の守護は山名豊国だったが、秀吉が鳥取城を攻めたときには、さっさと城を出て、兵糧攻めをされて人肉まで食べた攻防戦で籠城したのは毛利勢だった。**山名豊国**《とよくに》は秀吉のお伽衆《とぎしゅう》となり、子孫は寄合旗本として生き残り、明治になって諸侯として認められ、村岡藩を起こした。

（亀井）山名氏に替わって山陰の覇者となったのは、出雲守護京極氏の一族で守護代だった尼子《あまこ》氏である。尼子経久《つねひさ》は毛利元就と中国地方の主を争って敗れ滅びたが、その家臣だった亀井《かめい》氏が近世大名として生き残った。亀井氏は熊野出身だが、出雲に移り尼子氏に属した。出雲の土豪湯《ゆ》氏《し》から養子に入った**亀井茲矩**《これのり》が因幡鹿野で諸侯となり、関ヶ原でも東軍に属して加増され、一六一七年に坂崎出羽守失脚後の津和野城主四万三千石となった。幕末の茲監は、久留米藩有馬氏からの養子だが、学問を奨励し、明治維新後は国家神道の確立に尽くした。その一方で、森鷗外や西周《にしあまね》も輩出している。

（南条）伯耆の名門で南北朝時代の塩冶《えんや》高貞《たかさだ》の子孫**南条忠成**《なんじょうただなり》は、伯耆羽衣石《うえし》四万石だったが、西軍につき改易。大坂の陣では西軍につくが、東軍を城内へ入れることを画策し、城内の千畳敷で切腹させられた。

宇喜多（旧岡山）・坂崎（旧津和野）・戸川（旧庭瀬）

（宇喜多）絶海の孤島である八丈島に流されて五〇年以上も生き続けた宇喜多秀家《うきたひでいえ》の一生は、ドラマティックなようでありながら、もう一つ迫力がない。利発な貴公子には違いなく、また、それなりの冴えもあったのだろうが、何か甘いところがあるのである。宇喜多家は児島高徳《こじまたかのり》の子孫で、備前国の宇喜多というところにあり、備前守護代浦上氏に仕えていた。浦上氏の内紛で、秀家の曾祖父にあたる能家《よしいえ》が殺され衰えたが、孫の直家《なおいえ》が戦国時代でも最低のワルといわれたほどの権謀術数を駆使し、浦上氏を追放して美作まで勢力圏に置いた。最初は毛利と組んで織田方に対抗したが、織田方に乗り換えた。

子の**宇喜多秀家**《ひでいえ》は秀吉の猶子《ゆうし》として扱われ、五七万四千石を領し、前田利家の娘で秀吉の養女だった豪姫《ごうひめ》と結婚して地歩を固めた。利発で容姿にも優れ、趣味人でもあったうえに、朝鮮戦役でもそこそこ活躍し、五大老の一人にもなった。しかし、戦国の気風を残す家臣団との折り合いは悪く、内紛で大混乱した。いってみれば、二世代議士で中央政界では活躍するが地元の掌握はできず、父親の代からの秘書団との折り合いも悪いといったタイプの政治家に似ている。それでも関ヶ原ではよく戦ったが敗れ、薩摩に匿われたあと出頭し、前田家のとりなしもあって、八丈島への流罪で済んだ。のちには赦免を仲介しようという申し出も前田家からあったが断り、前田家の援助を受けながら、長い年月を過ごした。この貴公子なりに、気楽な隠遁生活が気に入っていたのかもしれない。

浮田《うきた》**（坂崎**《さかざき》**）詮家**《あきいえ》があった。関ヶ原では東軍に与し、石見《いわみ》浜田二万石から津和野三万

（坂崎）宇喜多家の内紛で関ヶ原を前に主家を去ったなかに、秀家の従兄弟にあたる

石となり坂崎氏を名乗った。かの坂崎出羽守である。大坂の陣で千姫を救い出し、妻として与えられると考えたが、約束を破られたので怒って千姫を奪おうとして失脚したといわれる。だがこれは、秀忠の依頼で千姫を公卿に輿入れさせることを斡旋《あっせん》したのに破談にされ、面目を潰されたというほうがもっともらしい。お家大事とばかりに重臣たちに殺されたが、自主的に腹を切らせたのならともかく、家臣が主君を殺したのを認めるわけにはいかないと除封されてしまった。

（戸川）同じく内紛で袂《たもと》を分かったなかに、**戸川逵安**《とがわみちやす》がいる。関ヶ原ののちには備中庭瀬で二万九千石を得た。一六七九年、三代安風《やすかぜ》のとき無嗣断絶したが、分家が旗本として残った。明治の名著である『三百諸侯』を著した戸川残花《ざんか》はその末である。

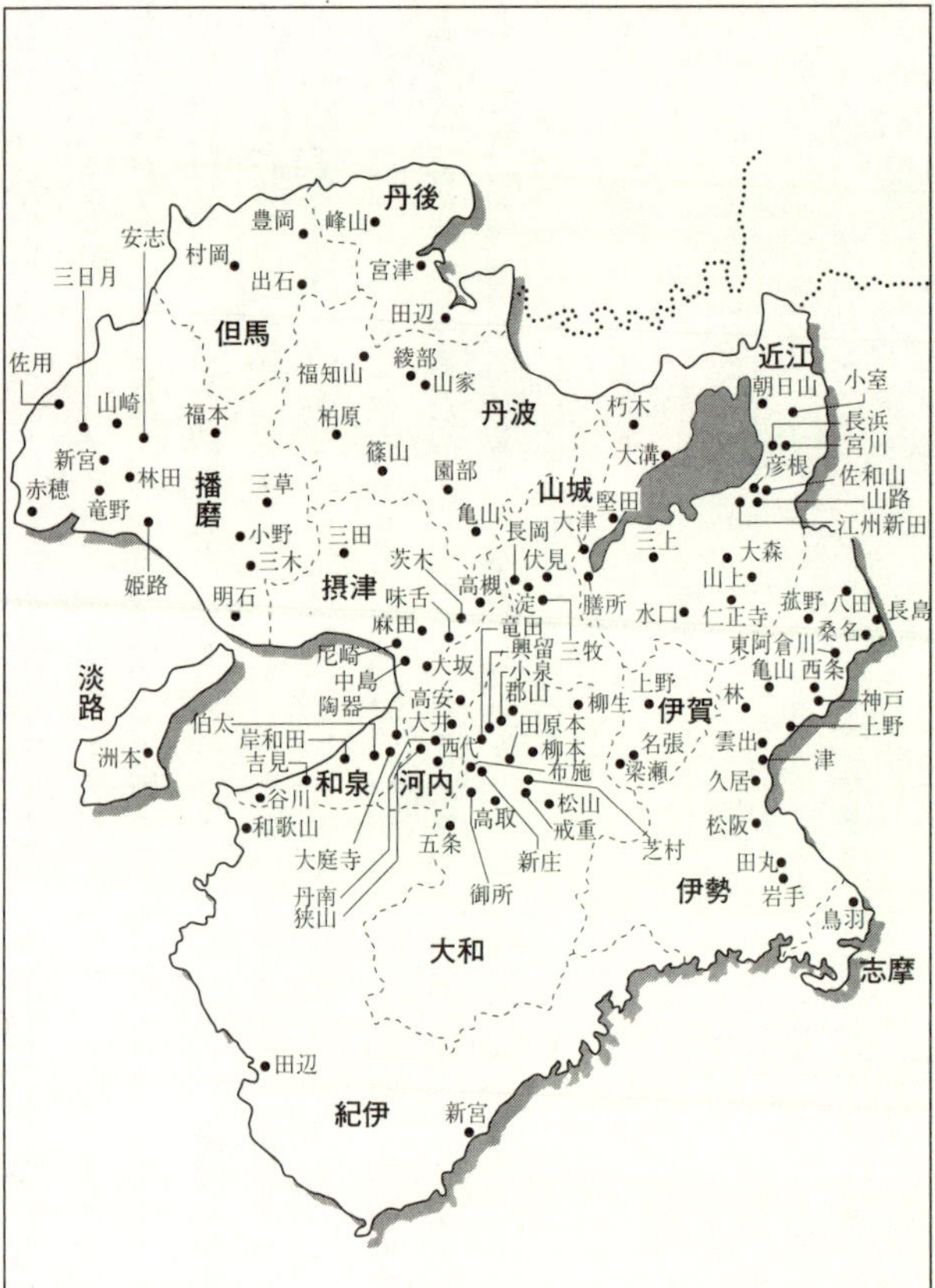

丹後
豊岡
峰山
安志
村岡
三日月
宮津
出石
田辺
但馬
近江
佐用
綾部
福知山
山家
小室
丹波
朽木
朝日山
山崎
福本
柏原
長浜
新宮
宮川
大溝
篠山
彦根
播磨
林田
三草
園部
佐和山
赤穂
山城
竜野
堅田
山路
亀山
大津
江州新田
小野
三田
長岡
三上
三木
大森
伏見
姫路
茨木
摂津
高槻
山上
明石
味舌
淀
膳所
菰野
八田
長島
水口
仁正寺
麻田
竜田
桑名
三牧
東阿倉川
興留
尼崎
淡路
亀山
西条
大坂
小泉
中島
上野
郡山
林
神戸
高安
柳生
陶器
伊賀
大井
田原本
上野
伯太
名張
雲出
岸和田
柳本
西代
津
洲本
梁瀬
吉見
布施
久居
和泉
河内
谷川
松山
和歌山
高取
戒重
松阪
五条
芝村
大庭寺
新庄
田丸
伊勢
丹南
御所
岩手
狭山
鳥羽
大和
志摩
田辺
紀伊
新宮

近畿の藩

（一部省略あり）

第四章　徳川・松平家の御親戚集合

――社長の子だくさんこそ繁栄の秘密

一四松平家は遠い親戚たち

竹谷松平（旧吉田）・形原松平（丹波亀山）・能見松平（杵築）

三〇〇諸侯のなかで徳川か松平《まつだいら》を名乗るものをすべてあわせると、五六家にものぼる。だが、これに三分類がある。第一は、松平家初代の親氏《ちかうじ》から家康の父の広忠《ひろただ》に至るまでの世代で本流から分かれた諸家である。第二は、家康の子孫たちであり、第三は、直系ではないが松平を名乗ることを許された諸家である。第三のカテゴリーのなかには、島津や毛利のような外様名門も含まれるが、久松とか奥平、保科《ほしな》のように親戚でありながら父祖をほかに持つ家々も入る。この章で扱うのは、第一グループと第二グループである。第一グループは、しばしば一四松平と呼ばれる。なかには、大名家を出していないところもあるが、とりあえず古い世代に本流から分かれた諸家から順に紹介していこう。

まだ足利幕府の全盛期だった応永年間から応仁の乱の時代まで活躍した三代目の信《のぶ》光《みつ》は、若いころに谷間の松平郷から開けた平野部の岩津に本拠を移し、晩年には西三河中央部の安祥（安城）に進出した。東海道新幹線の三河安城駅があるところだが、徳川譜代のなかでも古くから松平家に仕えた由緒を持つものを安祥譜代と呼ぶようになったのはこのためである。この信光はたいへんな精力家であったらしく、四〇人もの子をつくって、あちこちに配置した。これが、松平一族が西三河全域に勢力を張り、また江戸時代になって一四松平と呼ばれる家々から大量の大名や有力旗本を生んで徳川家発展の基礎となった。

（竹谷松平）信光の長男を守家《もりいえ》といい、子孫は宝飯《ほい》郡竹谷（蒲郡市《がまごおり》）を本拠にした。**松平家清**《いえきよ》は家康の異父妹（久松氏）を妻として、関東移封後に武蔵八幡山一万石、関ヶ原のあと吉田三万石の城主となったが、二代目の忠清《ただきよ》に嗣子《しし》がなく断絶。旗本として名跡は残った。

（形原松平）井伊大老の正室は、丹波亀山の形原松平氏から来ている。信光の四男与副《ともすけ》の流れで宝飯郡形原（蒲郡市）に本拠を置いた**松平家信**《いえのぶ》は、関東入りのときに下総五井、大坂の陣ののちの一六一八年に三河形原一万石、高槻、佐倉を経て高槻五万石。五代目の信庸《のぶつね》は正徳四年から老中になり、その子の信岑《のぶみね》のとき丹波亀山。信義《のぶよし》は万延元年に老中になり、生麦事件の処理などを担当した。

（能見松平）信光から始まるもう一家は、八男光親《みつちか》から出て額田《ぬかた》郡能見《のうみ》（岡崎市）を本拠にした流れである。松平忠輝《ただてる》の付家老として**松平重勝**《しげかつ》が三条で二万石を得たが、忠輝失脚後は、関宿《せきじゅく》から遠江横須賀城主兼駿府城代となった。上山、三田、豊前竜王、豊後高田と移り、四代目の英親《ひでちか》が一六四五年に豊後杵築《きづき》三万二千石になった。

重勝の三男である**松平重則《しげのり》**は、一六三三年に上総百首《ひゃくしゅ》一万石の大名となり、のちに下野皆川に移ったが、三代目で無嗣断絶。同じく重勝の五男**松平勝隆《かつたか》**は、寺社奉行をつとめ、一六三三年に大名となり、一六三九年に佐貫《さぬき》藩主になる。子の重治《しげはる》は、品川（今川氏が改名）家からの養子で、やはり寺社奉行をつとめたが、職務上のミスを責められ一六八四年改易された。

長沢松平・大河内（吉田・高崎・大多喜・旧高田）・深溝松平（島原）

（長沢松平）知恵伊豆で知られる家光側近の**松平伊豆守信綱《いずのかみのぶつな》**は、本来は大河内家の出身だが、叔父正綱《まさつな》の養子になって松平を名乗った。もともと信光の子の親則《ちかのり》が宝飯郡長沢（音羽町）に拠ったものである。本家が断絶したのち、家康の子の**松平忠輝《ただてる》**、ついで養子の（奥平）忠明《ただあきら》が継承したことになっている。

忠輝は、一五九二年に徳川家康の六男として生まれた。母は阿茶《あちゃ》の方《かた》で家康の信頼厚い女性である。忠輝は皆川広照《みながわひろてる》が育てたが、長沢松平家の名跡を継ぎ、下総佐倉五万石、信濃川中島一四万石、一六一〇年には高田で七〇万石を領した。ところが、藩

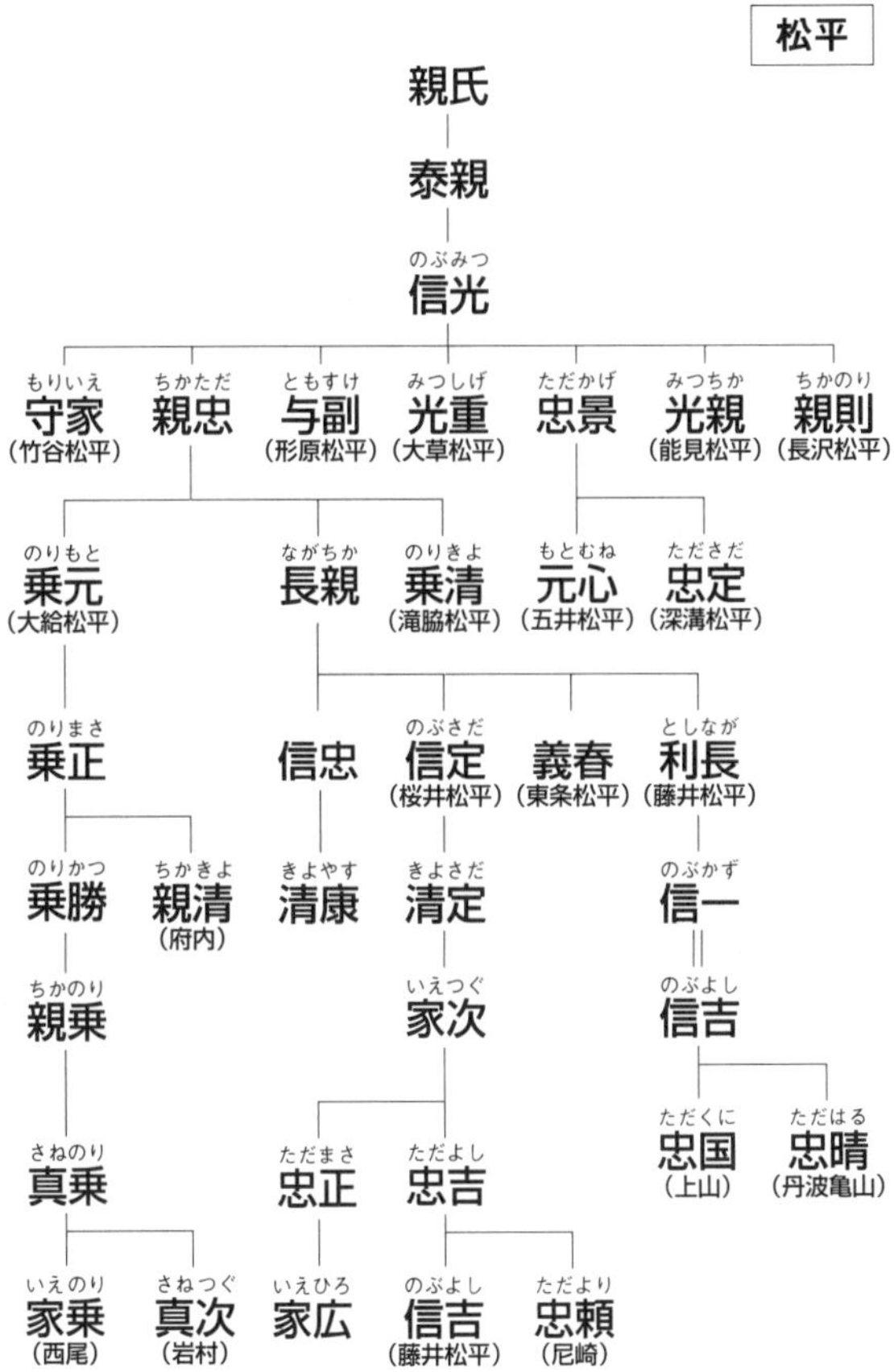

松平
親氏
泰親
信光《のぶみつ》
守家《もりいえ》
(竹谷松平)
親忠《ちかただ》
与副《ともすけ》
(形原松平)
光重《みつしげ》
(大草松平)
忠景《ただかげ》
光親《みつちか》
(能見松平)
親則《ちかのり》
(長沢松平)
乗元《のりもと》
(大給松平)
長親《ながちか》
乗清《のりきよ》
(滝脇松平)
元心《もとむね》
(五井松平)
忠定《たださだ》
(深溝松平)
乗正《のりまさ》
信忠
信定《のぶさだ》
(桜井松平)
義春
(東条松平)
利長《としなが》
(藤井松平)
乗勝《のりかつ》
親清《ちかきよ》
(府内)
清康《きよやす》
清定《きよさだ》
信一《のぶかず》
親乗《ちかのり》
家次《いえつぐ》
信吉《のぶよし》
真乗《さねのり》
忠正《ただまさ》
忠吉《ただよし》
忠国《ただくに》
(上山)
忠晴《ただはる》
(丹波亀山)
家乗《いえのり》
(西尾)
真次《さねつぐ》
(岩村)
家広《いえひろ》
信吉《のぶよし》
(藤井松平)
忠頼《ただより》
(尼崎)

内では内紛を繰り広げた。大坂の陣でも勝手な振る舞いに終始し、秀忠の旗本を斬るという不祥事を起こした。これを見て家康は、忠輝を改易流刑にした。最後は諏訪家に預けられて、綱吉の時代に九二歳で死んだ。舅である伊達政宗の野望を抑えるためとか、家老でもあった大久保長安《ながやす》やキリシタンと結ぶ陰謀があった、などと想像をふくらませることは可能だが、家康は、秀忠の代の不安定要因になりかねないことを危《き》惧《ぐ》して、念のために切ったのであろう。家康はそういう人である。

（大河内）このほかに、分家が断絶したあとに復活したところに、大河内《おおこうち》正綱《まさつな》が養子に入り、さらに、その甥の信綱《のぶつな》も養子となり隆盛した。信綱は、実家が将軍の側に仕えるには十分な身分でないというので、叔父が松平一門の長沢松平家の養子となっていたのに頼んで、その養子にしてもらい、家光の小姓から老中となった。野心満々の才人で、戦国の世に生まれていたら豊臣秀吉か石田三成かといったタイプだった。

躁鬱気味でいい加減な家光の面子《めんつ》を潰すことなく適当にあしらうことができた人物で、綱吉以降に顕著になる側用人政治の先駆的な存在である。一六二七年に大名となり、忍《おし》三万石から川越六万石に栄進した。三代目信輝《のぶてる》が古河七万石、四代目の信祝《のぶとき》は吉田から浜松へ移り、享保年間に老中をつとめた。その子の信復《のぶなお》は、一七四九年に再び吉田に戻ったが、藩校時習館を創立したのがこの殿さまである。信明《のぶあきら》は松平定信の腹心で老中首座をつとめ、「寛政の遺老」の代表格である。その子の信順《のぶのり》も天保年間に老中をつとめた。最後の藩主である信古《のぶひさ》は間部詮勝《まなべあきかつ》の子。

高崎藩の大河内家は、信綱五男の**松平信興**《のぶおき》から始まる。家綱の小姓をつとめ、一六七九年に大名となり、大坂城代や京都所司代の地位にあり、土浦三万二千石になった。養子の輝貞《てるさだ》は宗家の輝綱《てるつな》の子で、綱吉の小姓から吉宗のもとで老中格となった。壬生《みぶ》、高崎、村上、さらに高崎に戻って七万二千石となった。四代輝高《てるたか》、六代輝延《てるのぶ》も老中となった。

信綱の養父である**松平正綱**《まさつな》は、一六二五年に相模玉縄二万二千石を得て、のちに大多喜二万石に移った。幕末の正質《まさただ》は間部詮勝の子で、慶応三年に老中格となった。鳥羽伏見の戦いで、淀の本営で幕軍の指揮をとったが敗走し、官軍によって大多喜城も討伐された。

なお大河内家は多田源氏の流れと称し、額田郡大河内郷（岡崎市）にあった。秀綱《ひでつな》は一向一揆の乱で家康と戦い、のちに伊奈家に仕えた。子の正綱が長沢松平家を嗣いで運が開けた。なお三家のうち、吉田藩以外は明治になって大河内姓に復した。

（深溝松平）「松平家忠日記」には、一五七七年から一五九四年までの出来事が書かれており、家康の周辺で起こったことや家中の雰囲気などをもっともよく伝える第一級の史料である。信康事件などでも、家康と信康の確執が書かれており、信長の要求に従ってしぶしぶ切ったというような単純なものでないことを教えてくれる。

その家忠は、忍で一万石の城主だったが、その後、下総上代、小見川に移り、伏見城で鳥居《とりい》元忠《もとただ》などとともに城を枕に討ち死にした。その子の**松平忠利**《ただとし》は、深溝《ふこうず》、吉田、刈谷、福知山、島原、宇都宮と移り、一七七四年に島原七万石に復帰した。最後の藩主忠和《ただかず》は水戸斉昭《なりあき》の子。代々長崎警備を担った。深溝松平家は信光の七男忠景《ただかげ》の次男忠定《たださだ》が、額田郡深溝（幸田町）に拠ったことに始まる。家定の父である伊忠《これただ》は、長篠の戦いで戦死した。

大給松平（西尾・岩村・田野口・豊後府内）・滝脇松平（小島）

（大給松平）信光が八八歳まで長寿を保ったので、その子の親忠《ちかただ》の影は薄いのだが、それでも、彼の子供たちから大給《おぎゅう》松平と滝脇松平の二家が出ている。親忠の次男の乗《のり》元《もと》は、加茂郡大給（豊田市）を与えられた。乗元の孫の乗勝《のりかつ》から西尾、岩村、田野口藩が出て、親清《ちかきよ》から豊後府内藩が派生している。

西尾藩祖**松平家乗**《いえのり》は、姉川や長篠で活躍した真乗《さねのり》の子で、関東移封にあたって上野《こうずけ》那《な》波《わ》で一万石。関ヶ原ののちに岩村で二万石となった。二代目の乗寿《のりなが》は、浜松を経て館林六万石。一六四二年に老中に就任した。佐倉、唐津を経て、五代目の乗邑《のりさと》は、吉宗側近で、とくに田安宗武《たやすむねたけ》を将軍にしようと企てたというエピソードで知られる。鳥羽、伊勢亀山、淀、佐倉と移動し、一七四五年には一万石を加増されたが、その年のうちに吉宗が引退して家重が将軍になると罷免《ひめん》され、一万石を取り上げられ、山形に左遷されたが、一七六四年に西尾に移った。その後も、松平定信のもとで活躍した乗完《のりさだ》、乗寛《のりひろ》、乗全《のりやす》と、たびたび老中を出した。幕末に河井《かわい》継之助《つぐのすけ》が仕えた長岡藩主牧野《まきの》忠恭《ただゆき》は、乗寛の子である。

三代目乗久《のりひさ》の弟である**松平**（**石川**）**乗政**《のりまさ》は、石川姓を名乗って四代将軍家綱の近臣となり、常陸小張一万石から小諸二万石。乗紀《のりただ》が岩村に移り松平に復姓した。三代目の乗賢《のりかた》は、家重に近侍して西の丸老中から本丸老中となった。四代目の乗蘊《のりもり》は、乗邑《のりさと》の子で岩村藩の養子になったが、その子が幕府儒官の林家を嗣いで林述斎《じゆさい》となり、昌平坂学問所を開設するとともに、『寛政重修諸家譜』や『徳川実紀』を編纂した。水野忠邦のころ江戸町奉行をつとめて悪名を轟かした鳥居《とりい》耀蔵《ようぞう》は、林家から養子に出た。岩村藩（三万石）のほうは、福知山朽木《くつき》家出身の乗保《のりやす》が嗣いで西の丸老中をつとめた。

西尾藩家乗の甥である**松平乗次**《のりつぐ》は大坂定番《じようばん》などをつとめて、一六八四年に大給一万六千石。佐久を経て三河奥殿《おくどの》。幕末の恒《ゆずる》（乗謨《のりかた》）は、一八六三年に信濃田野口に洋式の城塞を築いて移る。老中格陸軍総裁をつとめ、維新後も賞勲局総裁として華族制度の確立に中心的な役割を担うなどしたことで、子爵から伯爵に異例の陞爵《しょうしゃく》をした。

豊後府内とは現在の大分市のことだが、藩祖の**松平一生《かずなり》**は、伏見城で戦死した近正《ちかまさ》の子である。下野板橋城主となり、丹波亀山、豊後亀川、豊後高松と、めまぐるしく動いて府内二万石に定着した。

（滝脇松平）滝脇松平家は、親忠の九男乗清《のりきよ》が加茂郡（豊田市）滝脇に本拠を置いたことに発する。形原松平家からの養子である**松平信孝《のぶなり》**が元禄二年に若年寄となり、駿河小島に一万石で立藩した。大名を出した松平一族のなかではやや影が薄い。

桜井松平（尼崎）・藤井松平（上山・上田）・松井松平（川越）・東条松平（旧清洲）

（桜井松平）尼崎藩の松平家の祖先の信定《のぶさだ》は長親《ながちか》の三男で、碧海郡桜井（安城市）を本拠としたが、兄の信忠の出来がよくないのにつけこみ、織田信秀と縁戚関係を結び惣領を狙った。甥の清康《きよやす》の時代にはそれに従ったが、清康が横死したあとは、織田と結んで力を回復し、広忠排斥を図ったが、今川に推された家康の父広忠に最終的には従った。

孫の家次《いえつぐ》は一向一揆でも家康に反旗を翻したが、その子の忠正《ただまさ》は長篠の戦いで功をあげ、家広《いえひろ》が関東移封ののちに武蔵松山一万石を与えられた。関ヶ原のあと**松平忠頼**《ただより》は浜松五万石に栄進したが、水野忠胤《ただたね》の屋敷に招かれたおりに、水野家中の服部半八と久米左平次の武道についての口論の仲裁に入って刺殺されてしまった。この事件で、忠胤は切腹、松平家も改易されたが、のちに子の忠頼が再興を赦されて深谷、佐貫、田中、掛川、飯山、掛川を経て尼崎四万石となった。明治になって桜井に改姓。

（藤井松平）桶狭間の戦いのとき、家康は丸根砦を攻めたが、そのときに戦死した松平利長《としなが》は長親の五男である。碧海郡藤井（安城市）を本拠にした。**松平信一**《のぶかず》が関ヶ原のあと土浦三万五千石の城主となった。養子の信吉《のぶよし》は、大坂の陣の功で高崎を経て篠山五万石。三代目忠国《ただくに》が明石七万石、四代目の信之《のぶゆき》は老中をつとめて、郡山を経て古河九万石を得た。五代目の忠之《ただゆき》は乱心で改易されたが、一万石を分与されて、大和興留《おきどめ》にあった**松平信通**《のぶみち》が備中庭瀬を経て、一六九七年に上山三万石となった。

信吉の次男**松平忠晴**《ただはる》は、秀忠の小姓出身で、一六四二年に田中を皮切りに、掛川から丹波亀山三万八千石に。三代目の忠周《ただちか》は側用人などをつとめ、岩槻、出石から宝永三年、上田五万八千石に。幕末の忠固《ただかた》は、姫路藩酒井忠実《ただみつ》の子だが、老中をつとめ、井伊直弼《いいなおすけ》を大老に擁立した。

（松井松平・東条松平）仙石騒動は江戸後期におけるもっとも大きなお家騒動だったが、このとばっちりで日韓両国で争われている竹島を舞台に密貿易をしていたのが発覚して左遷されたのが、元老中首座松平康任《やすとう》だった。すでに隠居していたが、康爵《やすたか》が一八三六年に陸奥棚倉に移された。松井家はもともと東条松平の縁者らしく、永禄七年に康親《やすちか》は松平姓を許されている。家康の子の**松平忠吉**《ただよし》が、長親の四男義春に始まる東条松平家を継いだときに、松平康親・**松平康重**《やすしげ》親子が後見役となって、東条系の家臣団の統率にあたり、武蔵寄居二万石から常陸笠間、丹波八上を経て一六〇九年、丹波篠山の初代城主となる。子の康映《やすてる》は岸和田、山崎から石見浜田五万千石。六代目の康福《やすよし》は老中となり古河、岡崎へ移ったが、矢作川の氾濫に嫌気がさして浜田に戻った。幕末の康英《やすひで》は、同族の旗本だったが、神奈川奉行などをつとめ、渡欧使節にも加わり、一八六六年、棚倉から川越八万石に栄転したが、官軍からは一時であるが減封の憂き目にあった。忠吉については尾張藩を参照。

このほか、一四松平と呼ばれる家系に、信光の子から出た大草《おおくさ》松平、五井《ごい》松平、長親からの福釜《ふくがま》松平、信忠系の三木松平があるが、大名にはなれなかった。ただし、三木松平以外は旗本として生き残った。本籍地ともいえる松平郷は、松平太郎左右衛門家が四百石で守りつづけた。

家康は好きな子供と嫌いな子供の差が極端

徳川将軍家

徳川一五代といわれる将軍家の継承についてはよく知られているし、本書でも各章で触れているが、いちおう代替わりごとの経緯を振り返っておこう。

徳川家康の後継者は長男の信康のはずだったが、粗暴な振る舞いと武田への内通を疑われて、織田信長の要求で自害させられた。妻である徳姫が家老の酒井忠次に託した信長への手紙の内容を忠次も否定しなかったのであり、讒言《ざんげん》でもなかった。織田との同盟の結果、両親の関口夫妻が自害に追い込まれた恨みもあって、築山殿が武田の工作に興味を示し、信康もそれをあえて止めなかったのだろう。

信康の粗暴さは、榊原康政《さかきばらやすまさ》に矢を放とうとしたという事件でも明らかなように、老臣たちも身の危険を感じていた。一方で、ケチで慎重な家康の人気はいまひとつで、たとえ少々粗暴であっても人間味あふれる信康に乗っ取られる可能性もゼロではなかった。戦国とはそういう時代であった。

いずれにせよ、信康事件の三年前に、家康の叔父である水野《みずの》信元《のぶもと》が信長の命令で除かれるという事件があったのに、家康も信康も慎重さを欠いていたのである。だか

徳川（将軍 紀州 田安 一橋）

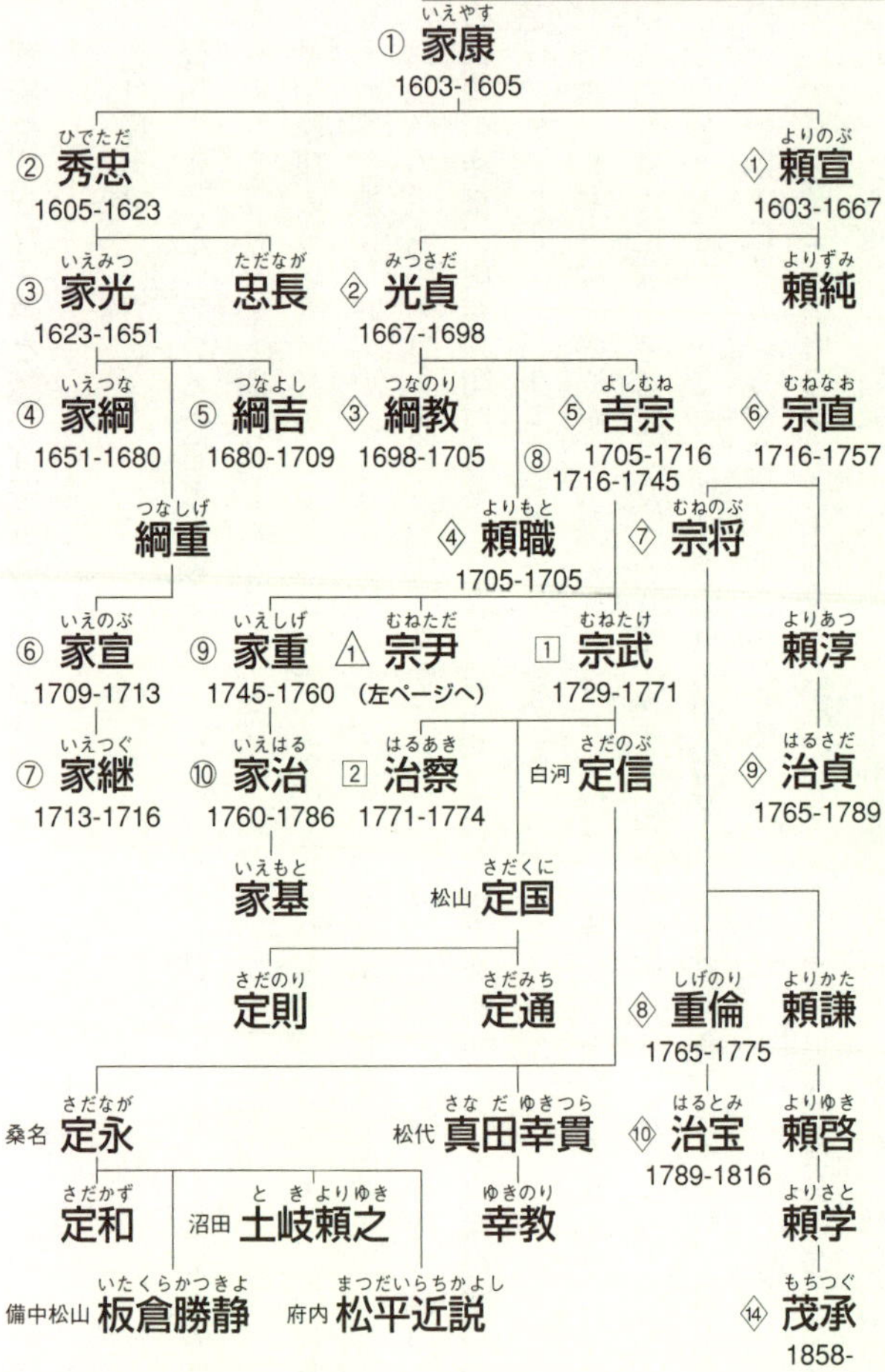

15代将軍慶喜・一橋家10代目茂栄・清水家6代目昭武は
水戸徳川家系図（187ページ）参照

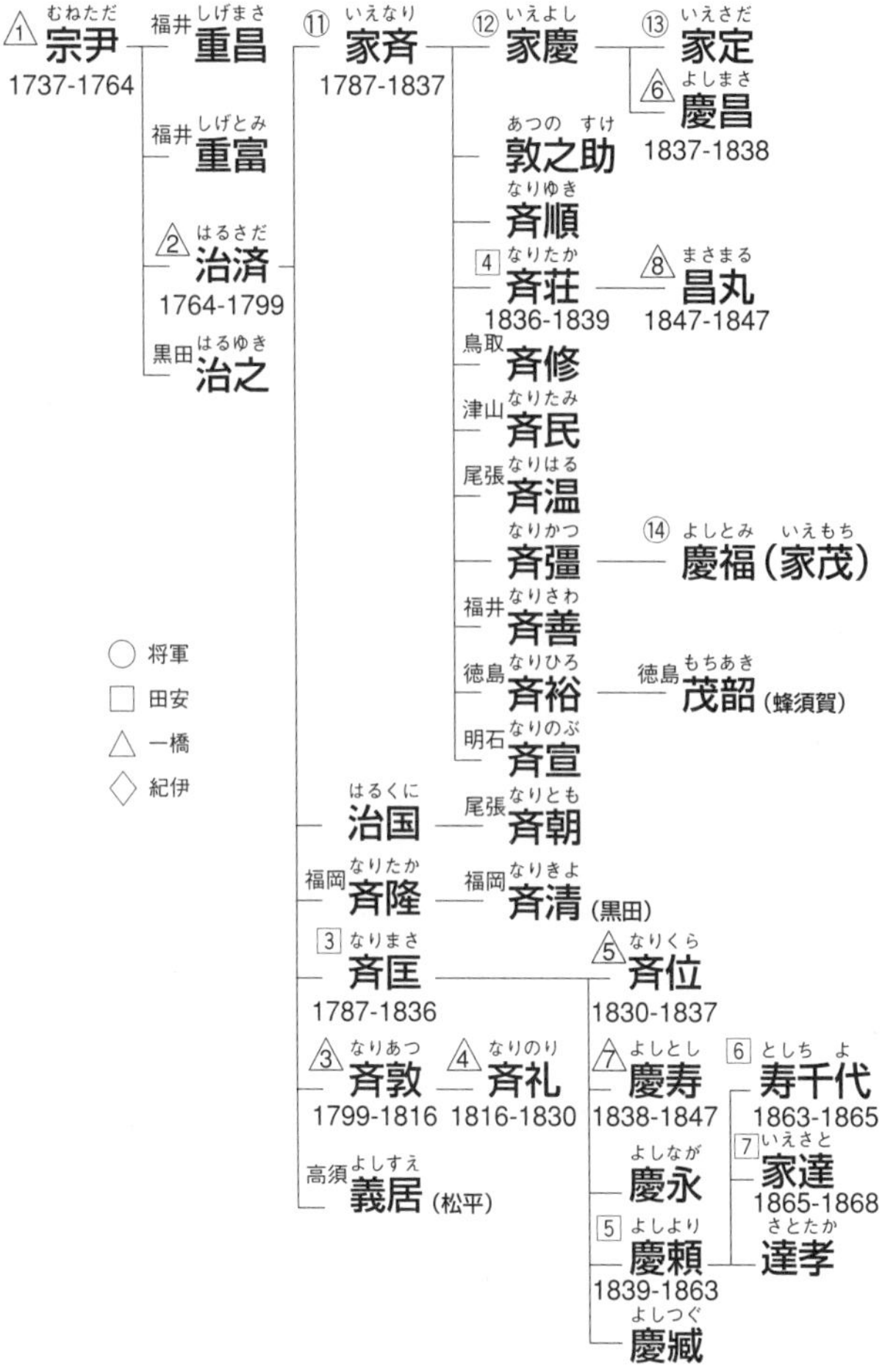

1 宗尹《むねただ》 1737-1764
福井 重昌《しげまさ》
福井 重富《しげとみ》
2 治済《はるさだ》 1764-1799
黒田 治之《はるゆき》
11 家斉《いえなり》 1787-1837
12 家慶《いえよし》
13 家定《いえさだ》
6 慶昌《よしまさ》 1837-1838
敦之助《あつのすけ》
斉順《なりゆき》
4 斉荘《なりたか》 1836-1839
8 昌丸《まさまる》 1847-1847
鳥取 斉修
津山 斉民《なりたみ》
尾張 斉温《なりはる》
斉彊《なりかつ》
14 慶福《よしとみ》（家茂《いえもち》）
福井 斉善《なりさわ》
徳島 斉裕《なりひろ》
徳島 茂韶《もちあき》（蜂須賀）
明石 斉宣《なりのぶ》
治国《はるくに》
尾張 斉朝《なりとも》
福岡 斉隆《なりたか》
福岡 斉清《なりきよ》（黒田）
3 斉匡《なりまさ》 1787-1836
5 斉位《なりくら》 1830-1837
3 斉敦《なりあつ》 1799-1816
4 斉礼《なりのり》 1816-1830
7 慶寿《よしとし》 1838-1847
6 寿千代《としちよ》 1863-1865
7 家達《いえさと》 1865-1868
達孝《さとたか》
慶永《よしなが》
5 慶頼《よしより》 1839-1863
慶臧《よしつぐ》
高須 義居《よしすえ》（松平）
○ 将軍
□ 田安
△ 一橋
◇ 紀伊

ら、のちの家康も信康事件を残念に思ってはいても、決断を後悔するとか、かわいそうなことをしたといったように考えていたという形跡はまったくないのである。

その後は、秀忠《ひでただ》が一貫して後継者候補だったが、関ヶ原の戦いに遅参したときは、家康も秀康など別の選択肢も少しは考えたのかもしれない。それは思いとどまったが、最後まで実権をいささかも与えなかった。

秀忠の二人の子供のうち、両親は利発な**徳川忠長**《ただなが》を可愛がったが、家康の介入もあり、家光を選んだ。それでも秀忠は、もし家光に嗣子がない場合には、御三家でなく忠長にという気持は常に持ち、それにふさわしい駿府五五万石と大納言という官位を与えたが、かえってそれが仇となって、忠長は増長し破滅した。

家光の三人の男子のうち、長男の家綱は凡庸であったが、集団指導体制で乗り切った。その後継者には、家光の次男**徳川綱重**《つなしげ》（甲府二五万石）の子の綱豊《つなとよ》、家光の三男**徳川綱吉**《つなよし》（館林二五万石）という二つの選択があり、決め手がなかったが、幕閣の実力者酒井忠清《ただきよ》は、むしろ京都から宮将軍を迎えることを画策した。しかし、堀田正盛《まさもり》によるクーデターで綱吉に決まった。

綱吉は、実子徳松《とくまつ》が死んだあと、娘婿である紀伊綱教《つなのり》への継承を狙ったが、反対もあり、また綱教も若死にしたので、甥の綱豊（家宣《いえのぶ》）を迎えざるを得なかった。家宣は実子である家継《いえつぐ》がいたのに、尾張吉通《よしみち》に譲りたいとも考えたが、結局は家継に譲った。家継のあとは、尾張か紀伊かで意見が対立したが、家継死去の時点では、紀伊頼方《よりかた》（吉宗《よしむね》）の人物が、尾張家の継友より年齢的にも能力でも上であることが決め手となった。幕藩体制にほころびが目立ってきただけに、まともな将軍であることが求められたのである。

吉宗の長男である家重《いえしげ》は、言語不明瞭であるなど問題もあって、老中松平乗邑《のりさと》などが次男の田安宗武《たやすむねたけ》を推したが、長幼を逆転させることが諸大名に与える影響の大きさ、さらには家重の長男の家治《いえはる》がまともであったこともあって、家重に落ち着いた。しかし、家治の子の家基《いえもと》は鷹狩りの途中で急病となり急死した。順序からすれば田安家の子息たちであったが、すでに松山と白河に養子に出ており、一橋家から家斉《いえなり》を養子とした。

家斉には五五人の子があったが、かたっぱしから大名家に養子に出した。こうしたとき、有資格者である御三卿、御三家以外へ養子に出た場合は、将軍になれなくなったのである。その結果、家定《いえさだ》、家慶《いえよし》と直系が三代続いたあとは、家斉の子清水斉明《しみずなりあき》の息子である紀伊慶福《よしとみ》（家茂《いえもち》）が有資格者のなかでは、もっとも血縁が近い候補となった。このころ、水戸斉昭《なりあき》も大量の男子をもうけ養子に出していった。そのなかで、正室である有栖川《ありすがわ》家の姫を母に持つ慶喜《よしのぶ》が一橋家を嗣ぎ、血縁はともかくも御三卿当主ということであったから、幕末の万事多難のなかでは適任者ではないかという声が出てきた。吉宗の場合とよく似たケースだったが、水戸斉昭に対する反感もあって実現しなかった。

そして家茂の死後は、血縁からいえば家斉の弟で田安家を嗣いだ斉匡《なりまさ》の孫である亀之助《かめのすけ》（家達《いえさと》）だったが、さすがに幼児であったので慶喜《よしのぶ》が嗣いだ。慶喜のあとは、当然のように家達に大政奉還されて、徳川宗家として現代にまで続いているということである。ちなみに当主の恒孝《つねたか》は、会津藩松平家の出身で、母親が家達の孫であることから祖父の養子になったものなので、徳川時代の継承原則からいえば将軍になる資格はなさそうである。

紀伊徳川（和歌山）

国性爺合戦《こくせんやかっせん》でおなじみの鄭成功《ていせいこう》が清朝に対抗するために援助を求めてきたときに、総大将として浪人数十万を率いて大陸へ遠征しようとしたのが、紀州の**徳川頼宣**《よりのぶ》である。あるいは、大坂の陣のときに先陣を申しつけられなかったので戦闘に参加できずに嘆いたのを、「またの機会も」と慰められたところ、「私の一四歳は二度とない」と口惜しがって諸将を感心させたというエピソードも有名で、戦国の世に生まれなかったことが何より残念という野心満々の貴公子であった。

この健気《けなげ》な少年を家康はよほど気に入ったらしい。生まれた翌年には水戸で二〇万石を与えられたが、一六〇九年からは家康自身の居城である駿府で五〇万石を与えた。秀忠にとっては面白いはずもなく、家康が死ぬと一六一九年には和歌山に移された。五万五千石を加増されたとはいえ左遷である。

しかし、これは頼宣にとっては幸運だったかもしれない。なにしろ後任の忠長は死に追いやられたのだが、その原因の一つは、諸大名が参勤交代の途上に駿府の忠長に挨拶に立ち寄るのが家光の気に食わなかったということもあったようだ。天下人の城などにいれば、頼宣のことだから、どんなに増長したかわからない。

しかし、それでも頼宣は、福島正則の遺臣など勇猛で知られる家来を多数召し抱えるなど、幕府の心配することばかりしたので、江戸に閉じ込められて国元には帰れなくなってしまった。孫の吉宗のとき、幸運から将軍位を紀州家が占めることになるが、この選択には本人の資質がものをいったところもあり、やはり、さすが頼宣の孫といったところである。しかし、このときに優秀な家来を大量に江戸に連れていってしまったことや、藩主の人事が将軍家や御三卿家と一体化して継続性がなくなり求心力を失ったことも、その後、紀州藩がやや精彩を欠くことにつながった。幕末には家《いえ》茂《もち》を出したものの、あまりいい目にはあえず、政治力はあるが軍事力はお粗末という評価も出てきた。

紀州藩領は和歌山県だけでなく、今は紀伊国内だが、現在は三重県になっている尾《お》鷲《わせ》など南紀地方、さらに松坂にまで及んでいた。したがって、松坂に住んだ本居宣長《もとおりのりなが》は紀州藩の人ということになる。

紀州藩の分家に、地理的にはずいぶん離れているが伊予西条藩があった。頼宣の次男である**松平頼純**《よりずみ》が一六七〇年に三万石をもらって設立された。吉宗の将軍就任で、宗直《むねなお》が和歌山藩主に昇進したが、西条藩は引き続き残った。また、紀州藩最後の藩主茂承《もちつぐ》は、結局、西条藩祖頼純の系統から出ている。

このほか、五代将軍綱吉から、吉宗の兄**松平頼職**《よりもと》に越前高森三万石、**松平頼方**《よりかた》（**吉宗**）に丹生《にう》郡三万石がそれぞれ与えられたが、いずれも紀州藩主を継承する際に廃藩となった。

田安・一橋・清水

八代将軍吉宗には三人の男子があったが、これの処遇はたいへん難しい決断であった。前例に従えば、家光の子の綱重や綱吉のように新たに藩を創設するということになるが、大名の取り潰しはあまりやらない方針だったし、幕府財政も苦しく現実的でなかった。しかも紀伊藩は従兄弟の宗直に譲っていたので、それを取り戻すこともできなかった。トラブル続きの尾張家あたりに養子に入れるという案もあったが、さすがに強硬策にすぎた。とはいえ一般の大名家に養子に出すと、将軍継承権を失う可能性が強かった。

そこで田安宗武《たやすむねたけ》、宗尹《むねただ》の二人を将軍の家族として、独自の領地も家来もいない家を創設したのである。これに家重の子から出た清水《しみず》家を加えて御三卿という。妙案であり、このおかげでその後の将軍承継を吉宗の子孫で安定的に占めることができた。

田安宗武は教養人として育てられ、素晴らしい万葉風の歌詠みとなった。もっとも、柔軟性に乏しく政治的センスがあったようには思えないので、彼が将軍になったら幕府は安泰だったかどうかは別だ。定国は伊予松山藩、定信は白河藩に養子に出たために、二代目治察《はるあき》の死後はいったん断絶した。

一橋宗尹《ひとつばしむねただ》の子のうち長男重昌《しげまさ》と次男重富《しげとみ》は相次いで越前松平を嗣ぎ、治之《はるゆき》は福岡藩黒田家を嗣いだ。このため、四男の治済《はるさだ》が一橋家を嗣いだ。清水家は一七五八年に家重の子の**清水重好**《しげよし》が創設したが、子がなく、他家の子で行き先がない者の待機ポストになってしまった。
こうしてその後は、幕末は別にすると、御三卿はすべて一橋治済の子孫が占めることになった。しかし御三家を嗣ぐなどの理由で当主が去ることも多く、常設ではなかった。そんななかで有名人を追ってみると、田安家では五代目の慶頼《よしより》は家茂の後見役となり、その子の家達は徳川家一六代目となった。一橋家は九代目として水戸斉昭の子慶喜を迎えた。慶喜は家茂の時代に将軍後見職として活躍し、一時は大坂を本拠に数十万石の領地を与えて、独立大名としてはという案も出た。

尾張徳川（名古屋・高須）

関ヶ原の戦いに秀忠が遅参したことで、家康があらためて後継者を家臣たちに問うたとき、秀忠と秀康のほかにもう一人候補があった。秀忠の同母弟の**松平忠吉**《ただよし》である。井伊直政の娘婿であり、関ヶ原では直政とともに勇敢に戦って、徳川直参《じきさん》では最大級の功をあげた。聡明で勇敢だったというが、さすがに同母兄の秀忠をさしおいてというわけにはいかなかった。忠吉は東条松平家を嗣ぎ、関東移封ののち忍一〇万石。関ヶ原の恩賞で清洲に五一万石の太守となった。しかし一六〇七年に江戸で罹病《りびょう》し、帰路の芝浦で没した。

徳川（尾張）

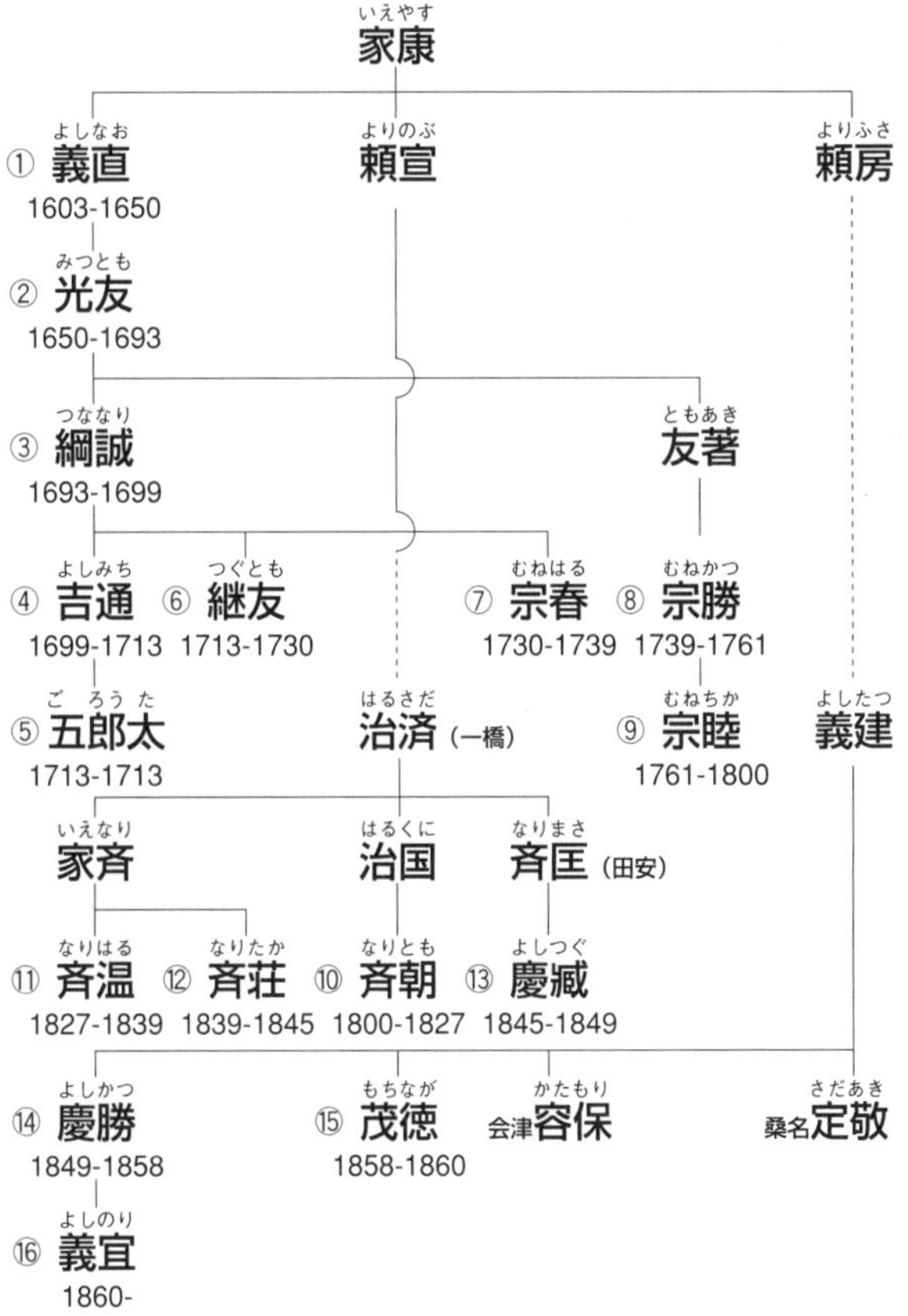
家康《いえやす》
① 義直《よしなお》
1603-1650
頼宣《よりのぶ》
頼房《よりふさ》
② 光友《みつとも》
1650-1693
③ 綱誠《つななり》
1693-1699
友著《ともあき》
④ 吉通《よしみち》
1699-1713
⑥ 継友《つぐとも》
1713-1730
⑦ 宗春《むねはる》
1730-1739
⑧ 宗勝《むねかつ》
1739-1761
⑤ 五郎太《ごろうた》
1713-1713
治済《はるさだ》（一橋）
⑨ 宗睦《むねちか》
1761-1800
義建《よしたつ》
家斉《いえなり》
治国《はるくに》
斉匡《なりまさ》（田安）
⑪ 斉温《なりはる》
1827-1839
⑫ 斉荘《なりたか》
1839-1845
⑩ 斉朝《なりとも》
1800-1827
⑬ 慶臧《よしつぐ》
1845-1849
⑭ 慶勝《よしかつ》
1849-1858
⑮ 茂徳《もちなが》
1858-1860
会津容保《かたもり》
桑名定敬《さだあき》
⑯ 義宜《よしのり》
1860-

その忠吉に代わって尾張を与えられたのが、家康の九男で甲府にあった**徳川義直《よしなお》**である。はじめ清洲に入ったが、一六一五年に天下普請で築いた名古屋城に移った。母のお亀《かめ》の方《かた》は、石清水《いわしみず》八幡宮の社人の娘で、家康の側室となる前に子をもうけ、それが付家老で今尾藩の竹腰正信《たけのこしまさのぶ》である。

忠長が排斥されたのちは、しばらく義直が将軍後継第一候補だった時期もあり、家光が病気と聞いて急いで江戸に向かい、かえって家光の不信を買ったりした。非常に尊王家であったこともよく知られているとおりである。二代目の光友《みつとも》の正室は家光の娘であった。

後継者難が続いた将軍家だったが、綱吉は娘の嫁ぎ先である紀伊綱教を後継将軍に考え、家宣は実子があるにもかかわらず、尾張家四代吉通《よしみち》に将軍を譲ろうとしたこともある。しかし、吉通とその子の五郎太《ごろうた》が相次いで逝去し、肝心のタイミングで紀伊吉宗に持っていかれてしまった。

七代目宗春《むねはる》は、吉宗の緊縮策に真っ向から挑戦して人気を博したが、産業育成策などに欠けたために財政難に見舞われ、隠居謹慎させられた。功罪いろいろであるが、名古屋の繁栄のきっかけをつくったことは評価されるべきであろう。

その後、九代宗睦《むねちか》で義直の血統は絶え、一橋家から斉朝《なりとも》を養子とした。しかし、この措置への反発は強く、いわば民族派が擁立したのが、高須藩からの養子である慶勝《よしかつ》である。血筋としては水戸系だが、支藩の生まれであり、落下傘よりましということだったのだろう。幕末には、松平春嶽《しゅんがく》とともに朝廷と幕府の間に立って幕引きを演出し、東海地方の諸大名の向背にも決定的な影響を与えた。

高須藩は、光友の次男である**松平義行**《よしゆき》が一六八一年に信濃高取三万石を与えられたことに始まる。一七〇〇年、美濃高須に移り、尾張藩主を四度も出しているが、とくに一〇代藩主義建《よしたつ》の子には、尾張慶勝、同じく茂徳《もちなが》（のちに一橋茂栄《もちはる》）、松平容保《かたもり》（会津）、松平定敬《さだあき》（桑名）の兄弟が出た。

光友の子の**松平義昌**《よしまさ》は、天和三年に陸奥梁川《やながわ》三万石を与えられる。いったん三代で断絶したが、尾張藩三代綱誠《つななり》の子宗春《むねはる》が嗣ぐ。しかし一七三〇年に尾張藩主となったので廃藩。

水戸徳川（水戸・高松・常陸府中・宍戸・陸奥守山）

戦前の華族制度では、徳川御三家でも尾張と紀州は侯爵だったが、水戸は一段上の公爵だった。最初は同じ侯爵だったのだが、昭和になって『大日本史』編纂の功績により陞爵《しょうしゃく》したのである。「大日本史」というものを通じて尊王思想を定着させたことの重さは、たしかにそれに値するほど重いものだというのは正しいと思う。ただし、南朝正統論など、徳川氏が新田一族を称していることと関係ないかなどと冷やかしたい気持ちもあるのだが、それは横に置いておこう。

関ヶ原の戦いのあと、水戸は家康の五男である**武田信吉**《たけだのぶよし》に与えられた。しかし早世したので、紀州藩祖頼宣、ついで頼宣の同母弟で下妻にあった**徳川頼房**《よりふさ》に与えられた。最初は二五万石だが、加増や石高直しで三代目綱条《つなえだ》の一七〇一年には三五万石で確定した。

藩主は江戸に定府して参勤交代せず、将軍を出すこともなかった。藩邸は現在の後楽園であるが、これは、江戸の都市開発が進むにつれて、御三家と前田家の屋敷を郊外移転した結果で、尾張が市谷の防衛庁、紀州が赤坂御所と迎賓館、加賀が東京大学である。いずれも豪壮なもので、水戸藩の正門など偉観をもって名物になっていたという。

頼房の母は、安房の三浦一族正木城主の子である。母が蔭山氏広《かげやまうじひろ》（伊豆河津城主）に再嫁し、その養女となる。家康の側室となってからは蔭山殿と称し、伏見で頼宣と頼房を産んだ。二代目は光圀だが、彼が水戸黄門として人気者になったのは、幕末の斉昭に招かれた講釈師桃林亭東玉《とうりんていとうぎょく》らの光圀顕彰と、当時流行した旅行記ブームのなか

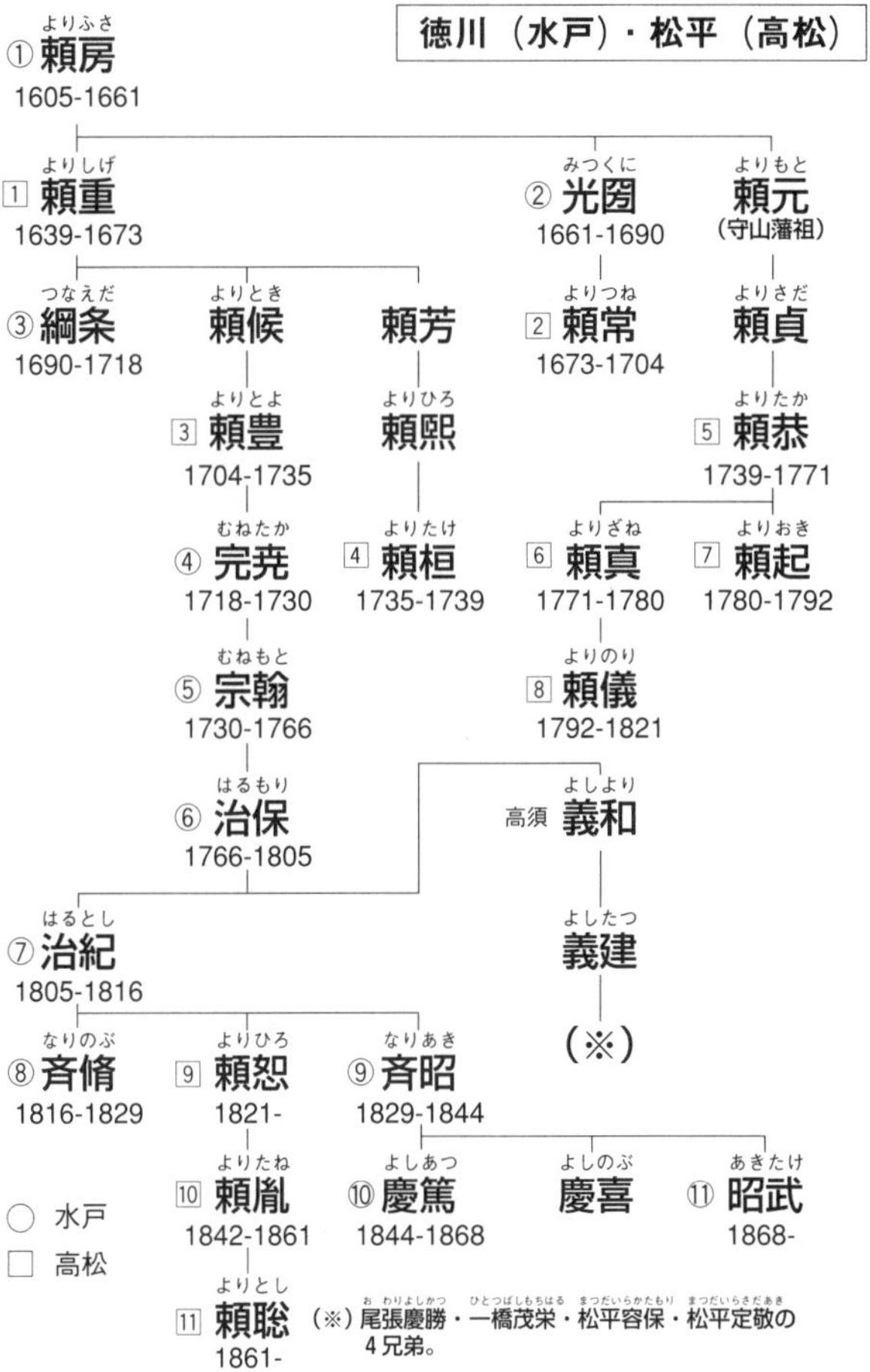
徳川（水戸）・松平（高松）
①頼房《よりふさ》 1605-1661
1 頼重《よりしげ》 1639-1673
②光圀《みつくに》 1661-1690
頼元《よりもと》（守山藩祖）
③綱条《つなえだ》 1690-1718
頼候《よりとき》
頼芳
2 頼常《よりつね》 1673-1704
頼貞《よりさだ》
3 頼豊《よりとよ》 1704-1735
頼煕《よりひろ》
5 頼恭《よりたか》 1739-1771
④宗堯《むねたか》 1718-1730
4 頼桓《よりたけ》 1735-1739
6 頼真《よりざね》 1771-1780
7 頼起《よりおき》 1780-1792
⑤宗翰《むねもと》 1730-1766
8 頼儀《よりのり》 1792-1821
⑥治保《はるもり》 1766-1805
高須 義和《よしより》
⑦治紀《はるとし》 1805-1816
義建《よしたつ》
（※）
⑧斉脩《なりのぶ》 1816-1829
9 頼恕《よりひろ》 1821-
⑨斉昭《なりあき》 1829-1844
10 頼胤《よりたね》 1842-1861
⑩慶篤《よしあつ》 1844-1868
慶喜《よしのぶ》
⑪昭武《あきたけ》 1868-
○ 水戸
□ 高松
11 頼聡《よりとし》 1861-
（※）尾張慶勝《おわりよしかつ》・一橋茂栄《ひとつばしもちはる》・松平容保《まつだいらかたもり》・松平定敬《まつだいらさだあき》の4兄弟。

で全国行脚伝説《あんぎゃ》が生まれ、さらに明治になって助さん格さんの二人の従者を連れた水戸黄門の活躍が歌舞伎や立川文庫などでも大きく取り上げられたものであって、根も葉もない大ウソである。

ただ気骨ある人物で、池田光政《みつまさ》とか保科正之《ほしなまさゆき》とともども戦国大名から数えて第三世代あたりの「仁政路線」の代表的名君の一人であることは間違いない。事情があって、兄の**松平頼重**《よりしげ》でなく自分が藩主となったことを、『史記』の伯夷《はくい》伝を読んで申し訳なく思い、自分の息子を兄の高松藩一二万石の後継者に、兄の子の綱条《つなえだ》を水戸藩三代目とした。

幕末の斉昭は、藩政改革に乗り出すために、口実として「攘夷のためには海防が大事で、そのためには行政改革」と言い出した。子の徳川慶喜によれば、まったく派閥形成のための方便であったとにべもないが、幸か不幸かこれが大当たりしてしまった。「尊王攘夷思想」の誕生である。

もともと光圀以来、理屈っぽく権力闘争好きの藩風をあおりたて、果てしない藩内闘争、テロが続き、維新が成就するころには、人材も払底するという有り様だった。

また、幕政もひっかきまわして幕府崩壊の主因の一つとなった。正室は有栖川宮の娘。輿入れ前に江戸城に滞在したとき、美貌で聡明だというので将軍家慶の正室にとの声もあがったが、斉昭の猛抗議で撤回された。徳川慶喜の母である。

頼房《よりふさ》の四男**松平頼元**《よりもと》が常陸額田で二万石を分与され、二代目の頼貞《よりさだ》が陸奥守山に移った。

常陸府中二万石の藩祖**松平頼隆**《よりたか》は、頼房の五男である。田沼時代に先立ち老中首座をつとめた館林藩主松平武元《たけもと》は、この藩出身。

宍戸藩九代目の頼徳《よりのり》は、天狗党筑波山挙兵の鎮圧に向かったが、ミイラ取りがミイラになり、天狗党に同情的な立場を取ったので切腹させられた。頼房の七男**松平頼雄**《よりお》が一万石を与えられて創立した。

彦根城博物館には、井伊直弼の娘が高松藩主松平頼聴《よりさと》に輿入れしたときに持っていった雛道具が残っている。直弼の暗殺後に一度は離縁され持ち帰ったのだが、明治になって復縁したときにそのままになったものである。高松藩は水戸藩と兄弟関係にあるが、それだけにライバル意識もあった。だから高松藩主頼胤《よりたね》は、水戸斉昭に対抗するために積極的に井伊大老を支援したのである。もしかすると、自分が水戸藩主になるという夢もあったのかもしれない。

歴代藩主は、水戸藩やその支藩と頻繁な養子縁組をした。幕末は、高松藩自身も、ここから養子が出た小田原藩や松山藩も佐幕的な立場をとったところが多かった。

越智松平（浜田）

二代将軍秀忠の男系子孫で最後まで残っていたのは、館林藩主**松平清元**《きよもと》だった。六代将軍家宣の弟だが、その誕生が父の綱重へ二条家の姫が輿入れする時期と重なったので、家臣の越智家に出された。その後、家宣が世子になったのちの一七〇七年になって松平姓を許され、二万四千石で館林藩主となった。のちに五万四千石まで加増されたが、将軍の弟としては冷遇された。八代将軍選びの際の後継候補の一人でもあったが、高齢で臣下に降ったというので外された。

子がなかったので尾張系の高須藩から武雅《たけまさ》が入り、ついで水戸系の府中藩から清元が養子となった。吉宗からは冷遇され、陸奥棚倉に左遷、のちに館林に戻った。武元《たけちか》は、一七六九年から三〇年も老中をつとめて重きをなし、六万一千石まで加増された。一八三五年に浜田に転封。そのあと、高松、高須、水戸から相次いで養子をとったが、第二次長州戦争で大村益次郎によって落城させられ、飛び地の美作鶴田で幕末を迎えた。

越前松平（津山・福井・糸魚川・松江・広瀬・母里・前橋・明石）

三男の秀忠が兄の秀康を押しのけて家康の後継者となった事情についての記録はな

いが、秀忠の母が、いってみれば正式の側室だったのに対して、**松平（結城《ゆうき》）秀康《ひでやす》**のほうは、たまたま手がついただけで、家康としても本当に自分の子かどうかすら確信が持てなかったのであろう。そんなこともあって、早くから秀忠のほうが跡継だと見られていたし、秀康は豊臣秀吉、ついで関東の名族結城氏のもとへ養子に出された。

関ヶ原の戦後処理で越前六七万石を与えられたが、「自分は秀吉の養子であり、秀頼の兄である」ということが、弟に惣領の地位を奪われた秀康にとってプライドのよりどころとなっていたことは間違いなく、その意味で一六〇七年の秀康の死は、徳川政権にとっては好都合なものであった。

秀康の嫡子である忠直の正室は、秀忠の娘勝姫《かつひめ》で、大坂夏の陣では、真田《さなだ》幸村《ゆきむら》を討ち取るなど大功をあげて恩賞が約束されたが、茶器などしか与えられず、忠直は荒れていく。参勤交代を途中から引き返すなど奇行も目立ち、家光将軍就任直後の一六二三年に豊後萩原に流された。

このあとの秀康家の本家はどこかということは、江戸時代から論争の種である。というのは、福井藩は姉崎、松代、高田と移されていた弟の忠昌に引き継がれたのだが、忠直と勝姫の子である光長も、越後高田二六万石で生き残ったので、これを本家と見ることもできる。ここでは、最後は津山藩となった光長の家を本家として扱う。

松平（越前）

▽1 直基《なおもと》 1607-1648

直良《なおよし》（明石藩）

▽2 直矩《なおのり》 1648-1695

広瀬 近栄《ちかよし》

▽3 基知《もとちか》 1695-1729

④ 宣富《のぶとみ》 1697-1721

知清《ちかきよ》

近時《ちかとき》

近朝《ちかとも》

⑤ 浅五郎《あさごろう》 1721-1726

⑦ 長孝《ながたか》 1735-1762

▽4 義知《よしちか》 1729-1748

8 宗矩《むねのり》 1724-1749

⑥ 長煕《ながひろ》 1726-1735

⑧ 康哉《やすちか》 1762-1794

▽5 朝矩《とものり》 1748-1768

⑨ 斉人《やすはる》 1794-1805

⑩ 斉孝《なりたか》 1805-1831

▽6 直恒《なおつね》 1768-1810

▽9 直侯《なおよし》（水戸） 1854-1861

⑫ 慶倫《よしとも》 1855-

△10 定安《さだやす》 1853-

▽7 直温《なおのぶ》 1810-1816

▽8 斉典《なりつね》 1816-1854

▽10 直克《なおかつ》 1861-1869（久留米有馬より）

▽11 直方《なおかた》 1869-（富山前田より）

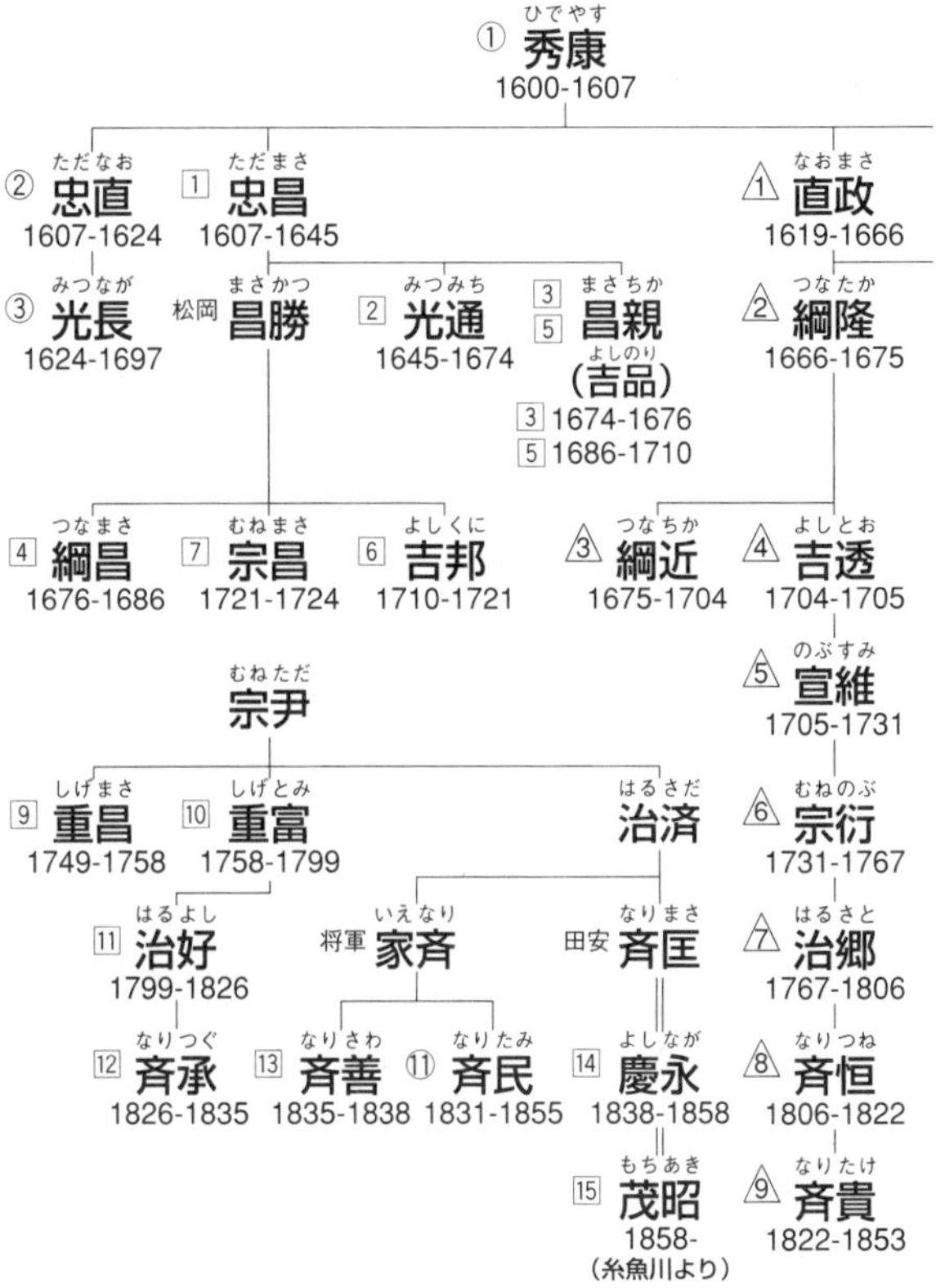
① 秀康《ひでやす》 1600-1607
② 忠直《ただなお》 1607-1624
1 忠昌《ただまさ》 1607-1645
△1 直政《なおまさ》 1619-1666
③ 光長《みつなが》 1624-1697
松岡 昌勝《まさかつ》
2 光通《みつみち》 1645-1674
3 5 昌親《まさちか》 (吉品《よしのり》) 3 1674-1676 5 1686-1710
△2 綱隆《つなたか》 1666-1675
4 綱昌《つなまさ》 1676-1686
7 宗昌《むねまさ》 1721-1724
6 吉邦《よしくに》 1710-1721
△3 綱近《つなちか》 1675-1704
△4 吉透《よしとお》 1704-1705
宗尹《むねただ》
△5 宣維《のぶすみ》 1705-1731
9 重昌《しげまさ》 1749-1758
10 重富《しげとみ》 1758-1799
治済《はるさだ》
△6 宗衍《むねのぶ》 1731-1767
11 治好《はるよし》 1799-1826
将軍 家斉《いえなり》
田安 斉匡《なりまさ》
△7 治郷《はるさと》 1767-1806
12 斉承《なりつぐ》 1826-1835
13 斉善《なりさわ》 1835-1838
⑪ 斉民《なりたみ》 1831-1855
14 慶永《よしなが》 1838-1858
△8 斉恒《なりつね》 1806-1822
15 茂昭《もちあき》 1858- (糸魚川より)
△9 斉貴《なりたけ》 1822-1853

○ 津山 □ 福井 △ 松江 ▽ 前橋

このほか、越前系の藩は途中で消滅したものも含めて数多いが、とりあえずは、秀康の子供たちから出た五家を幕末の居城によって、津山松平、福井松平、松江松平、前橋松平、明石松平と呼びながら、複雑な関係を解き明かしていく。

（津山松平）光長は秀康と秀忠両方の孫として、それなりに重きをなしていたが、嫡子が早世したことから、忠直が豊後でもうけた二人の子のうち、永見長頼の息子綱国を後継者とすることになった。そこへ、藩内の最大実力者である小栗美作《おぐりみまさか》に反対するグループが、小栗が実子を嗣子にしようとしているといったことも含めて騒ぎ出し、長頼の弟である永見大蔵を擁立しようとして、藩内で武力衝突まで始まった。これが「越後騒動」である。

家綱政権の最大実力者であった酒井忠清は、美作派に軍配を揚げたのだが、将軍に就任した綱吉は、この問題を江戸城大広間で親裁し、喧嘩両成敗だが、小栗派に、より厳しい判決を下した。結局、光長は伊予松山に流され、綱国は廃嫡。一六八一年のことである。数年後になって、光長は赦免され、忠直の弟長矩の子の宣富《のぶとみ》に津山一〇万石が与えられて名跡を嗣いだ。しかし、これも子の浅五郎《あさごろう》が早世したので、白河新田藩（前橋系）から長熙《ながひろ》を迎え五万石に。その後、あちこちから養子を迎えたが、幕末の斉民《なりたみ》は将軍家斉の一四男で、そのおかげで一〇万石に復帰し、また、家斉の子のなかではまともな一人として評価もされ、慶応四年には徳川家達の後見役に選ばれた。

（福井松平）福井藩のほうは、**松平忠昌**《ただまさ》のときに五〇万石に減らされ、北ノ庄を福井に改めた。二代目光通《みつみち》が自殺し、三代目吉品《よしのり》のとき二五万石に、四代目綱昌《つなまさ》は乱心、三代目吉品が復帰して五代目となったが二五万石に半減、七代目には松岡藩主の宗昌《むねまさ》が入って合体したので三〇万石、九代目からは秀康の子孫から吉宗の血筋に移ったが、一四代の斉承《なりつぐ》が家斉の娘浅姫と結婚して三二万石となった。幕末の慶永《よしなが》（春嶽）は田安家からの養子だが、四賢侯の一人として活躍した。

（糸魚川松平）福井の支流としては、忠昌の子**松平昌勝**《まさかつ》から松岡藩五万石、**松平昌親**《まさちか》から吉江藩二万五千石が出たが、松岡藩は宗藩を嗣いで吸収、吉江藩は一代で終わった。糸魚川《いといがわ》藩は、二代目光通の隠し子で父の自殺後に見出された**松平直堅**《なおかた》の養子で広瀬藩出身の直之に享保二年、糸魚川で一万石が与えられた。福井藩最後の藩主茂昭《もちあき》は、糸魚川藩からの養子である。

（松江松平）今日の松江の文化を創った人とされる風流大名が、松江藩七代目不昧公《ふまいこう》治郷《はるさと》である。秀康三男の**松平直政**《なおまさ》は大坂の陣にも参加し、越前木本一万石を始まりに、上総姉崎、大野、松本を経て、一六三八年に京極氏に代わって松江に入って一八万六千石。

（広瀬松平・母里松平）直政の次男**松平近栄**《ちかよし》は、一六三二年に広瀬藩三万石。越後騒動で親戚へ監督不行届で一時は領地を減らされたが、すぐにもとに戻った。直政の三男**松平隆政**《たかまさ》は、一六六六年に母里《もり》藩一万石。松江藩四代目の**松平吉透**《よしとお》は、一時、松江新田藩一万石を創ったが、宗藩を嗣いで廃藩。

（前橋松平）結城家を嗣いだ秀康は、関ヶ原のあと松平に復したが、四男の**松平直基**《なおもと》に結城姓を嗣がせた。ただし、一六二四年に勝山三万石となったあと、松平に改姓して結城家は消滅した。大野、山形から一六四八年に姫路一五万石。二代目の直矩《なおのり》は、村上にいったん移されたあと姫路に戻るが、越後騒動に連座して閉門とされ日田七万石、山形一〇万石から白河一五万石と引っ越しの繰り返しで、まことにご苦労なことだった。とくに城のない日田では、築城の準備までした。五代目の朝矩《とものり》は、姫路を経て、一七六七年に酒井家と交替で前橋に移ったが、利根川の氾濫で城が破損したので川越を本拠にした。八代目の斉典《なりつね》は、財政難打開のために将軍家斉の二五男紀五郎《きごろう》を養子にとり、庄内への移封を策したが、庄内藩の猛反対で撤回。その代替に二万石の加増を受けた。幕末の直克《なおかつ》は久留米藩有馬氏からの養子だが、幕府の政事総裁職をつとめ、居城を前橋に戻した。

なお、二代目の直矩の四男**松平知清**《ちかきよ》は白河新田藩一万石を創設したが、子供たちは白河（前橋松平）、福井、津山藩を嗣ぎ廃藩になった。

（明石松平）参勤交代の行列を横切ったりすると無礼討ちにされることがあるのは、生麦事件を見てもわかるとおりだが、将軍家斉の子で明石藩主となった斉宣《なりのぶ》は、尾張の東海道筋で行列の前を通ったとして幼児を殺すことを自ら命じたという。尾張藩から猛烈な抗議がきたことはいうまでもないが、伝説によれば、このバカ殿さまは、この子の父である猟師に撃ち殺されたということになっている。継母の季方《りほう》姫も自殺したという話もあり、相当に出来が悪かったのだろう。明石藩祖は、秀康の六男**松平直良**《なおよし》である。一六二四年に越前木本二万五千石に始まり、勝山、大野、明石六万石。斉宣を養子に迎えたことで二万石の加増で八万石だが、格式は一〇万石とされた。

中国・四国の藩

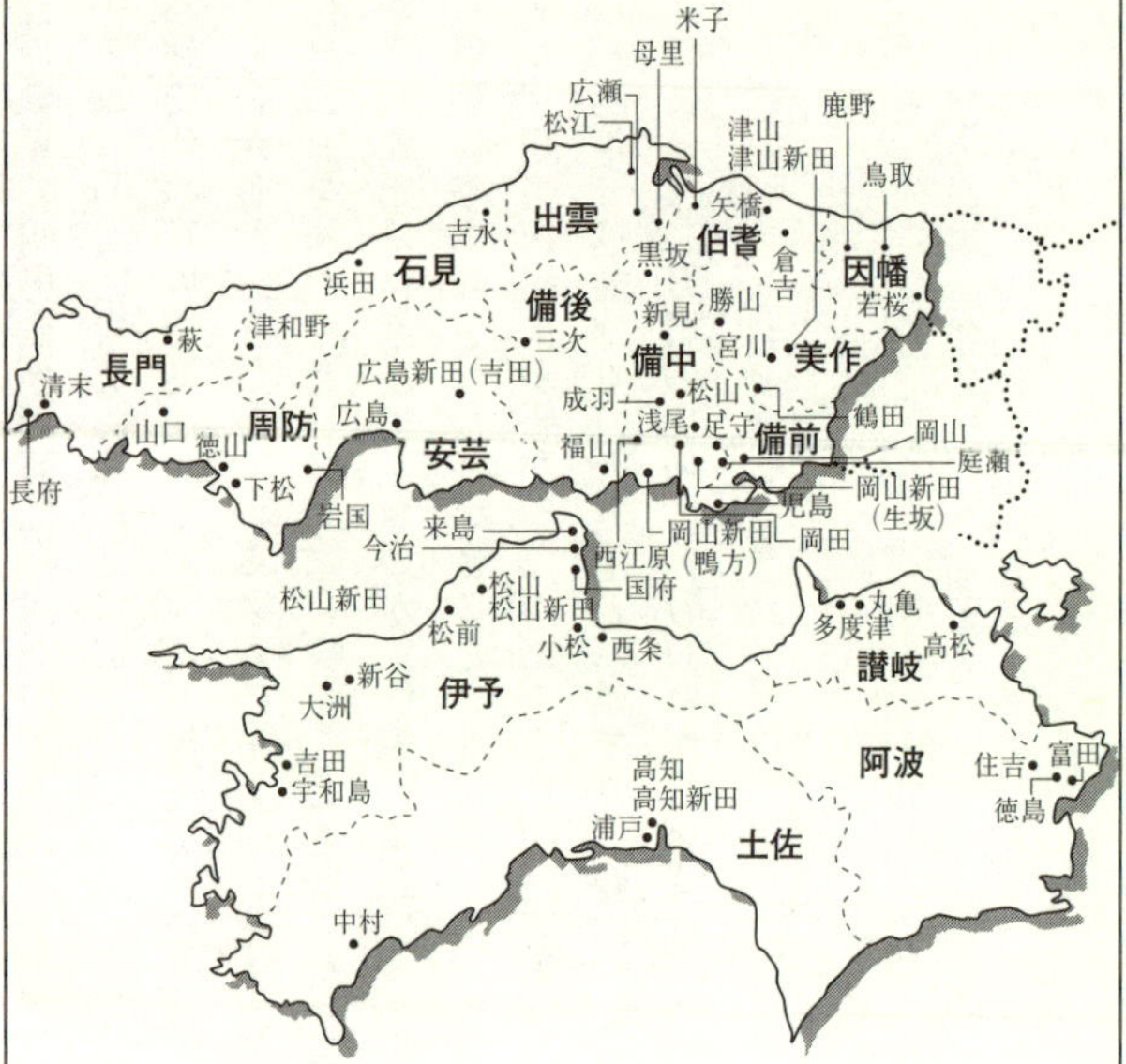

（一部省略あり）

第五章　譜代大名の忙しい転勤

——戦死者の子孫への手厚い配慮

譜代の名門・酒井と本多

酒井左衛門尉（庄内・出羽松山）

徳川譜代の筆頭といわれるのが酒井《さかい》氏で、幕末においても七つの大名家を数えたが、二つの大きな流れに分かれており、その一つが庄内藩を宗家とする左衛門尉《さえもんのじょう》家であり、もう一つが、姫路藩を本家とする雅楽頭《うたのかみ》家である。それぞれに、酢漿《ほおずき》をもって家紋とするが、前者は「丸に酢漿《かたばみ》」、後者は「剣酢漿草」である。また、庄内家は北越出羽の抑えとして強力な軍団を擁し、姫路や同族の小浜は幕閣の有力者を多く輩出したことで知られる。

その祖先は碧海郡坂井の土豪だが、松平氏の始祖である親氏が三河に流れてきたときに、まず酒井家の入り婿となって酒井清親《きよちか》をなし、ついで松平郷に移って定着したとされている。左衛門尉家と雅楽頭家は、その清親の子である氏忠と家忠から、それぞれ始まる。

家康の父と同世代に、雅楽頭家に正親《まさちか》、左衛門尉家に忠尚《ただひさ》、忠次《ただつぐ》があった。正親は、清康没後の危機に広忠を支え、桶狭間のあと家康が岡崎に帰還したのちに西尾城主となった。徳川譜代で最初の城持ちといわれる。一方、忠次の叔父とも兄ともいわれる忠尚は、松平家にともすれば反抗した。とくに、三河一向一揆の際に一揆側につき、その後、駿河に流れていったが、のちの消息は不明である。忠次は広忠の妹を妻とし、長篠の戦では、鳶《とび》の巣砦《すとりで》に奇襲をかけて落として、信長から多いに賞された。本能寺の変を間にはさんだ激動の時代に、石川数正《かずまさ》とともに家老として活躍し、吉田城主となった。

関東移封から関ヶ原にかけては、両家ともに世代交代期にあり、やや精彩を欠いた。このために、**酒井家次《いえつぐ》**は下総臼井三万石しか与えられずに、忠次は家康に抗議した。関ヶ原の戦いのあとも高崎五万石となっただけだが、大坂の陣での活躍で、ようやく一六一六年に高田一〇万石、子の忠勝《ただかつ》が松代《まつしろ》を経て一六二二年に庄内で一三万八千石となった。

領内の酒田の大富豪本間氏の協力を得た藩政改革で成果をあげ、安定した治世を行った。一八四〇年には、川越、庄内、長岡の三角トレードである「三方領知替え」に官民あげて反対運動を繰り広げた。独自の藩札などを発行するなかで、転封となると、いっときにそれを始末しなくてはならなくなり面倒だというのが大きな要因だが、猛烈な抵抗をして撤回させた。いずれにせよ反対の黒幕は本間家だった。これより一七年前の一八二三年には、松平定信が糸を引いた白河、桑名、忍のトレードがさしたる抵抗もなく成功しているのだから、この失敗は、雄藩領国への幕府の不可侵性を樹立したものとして革命的な出来事であり、倒幕のきっかけとして、ことさら重要なものとなった。庄内藩は幕末に江戸警備などに活躍し、また戊辰戦争では、朝敵として討伐対象になったのだが、じつは隠れた維新の大功労者でもあるのだ。

分家として出羽松山藩がある。忠勝の三男である**酒井忠恒**《ただつね》が二万石を分与されたことに始まる。三代目の忠休《ただよし》は若年寄に昇進したが、費用がかさみ家臣から弾劾《だんがい》される宝暦事件が起きている。このほか、忠勝の弟の**酒井直次**《なおつぐ》が出羽左沢で一万二千石、忠当《ただまさ》の弟である**酒井忠解**《ただとき》が出羽大山で一万石を与えられたが、一代で無嗣断絶となった。

酒井雅楽頭（姫路・伊勢崎・小浜・敦賀・安房勝山）

雅楽頭家の正親の子である酒井重忠《しげただ》は、関東移封のとき川越で一万石の城主となった。関ヶ原のあとは厩橋（前橋）三万三千石となったが、この家の隆盛をもたらしたのは二代目の忠世《ただよ》と四代目の忠清《ただきよ》である。

忠世は、秀忠の筆頭家老といえる存在だった。家康側近の僧金地院《こんちいん》崇伝《すうでん》は、「とり

酒井（庄内）

- 広親《ひろちか》
  - 忠尚《ただひさ》
  - 忠次《ただつぐ》
    - ① 家次《いえつぐ》 1588-1618
      - ② 忠勝《ただかつ》 1618-1647
        - ③ 忠当《ただまさ》 1647-1660
          - ④ 忠義《ただよし》 1660-1682
            - ⑤ 忠真《ただざね》 1682-1731
        - 忠恒《ただつね》（松山藩）
          - 忠予《ただやす》
            - ⑥ 忠寄《ただより》 1731-1766
              - ⑦ 忠温《ただあつ》 1766-1767
                - ⑧ 忠徳《ただあり》 1767-1805
                  - ⑨ 忠器《ただかた》 1805-1842
                    - ⑩ 忠発《ただあき》 1842-1861
                      - ⑫ 忠篤《ただずみ》 1862-1868
                      - ⑬ 忠宝《ただみち》 1868-
                    - ⑪ 忠寛《ただとも》 1861-1862
        - 忠解《ただとき》（大山藩）
      - 直次《なおつぐ》（左沢藩）

たてて武功もないが、人々の信頼は厚い」と評したが、重厚で気配りがよくできる人だったらしい。三代目の忠行《ただゆき》も老中だったが、その子の忠清は大老となり、下馬将軍といわれた。家綱のもとで専権をふるい伊達騒動などを裁決したが、有栖川宮幸仁《ゆきひと》親王を後継将軍として京都から迎えようとして失敗して失脚した。

この発想は突飛に思う人が多いだろうが、当時の人からすればそうでもなかった。戦国時代から江戸時代初期にかけて、実子がない場合に、親族に男子がいても有力者から養子を迎えることは何も珍しくなかった。一族から誰かを選ぶとなると、内紛の種になるし、それまで分家とか家臣のような扱いを受けていた同輩の中の一人が殿さまになっては、ほかの者が居心地悪いということもあった。オーナー社長に事業を継ぐべきジュニアがいないなら、親戚のなかから選ぶより、主力銀行から社長に来てもらったほうが丸く収まるといったところであるし、鎌倉幕府の前例に従うという意味もあった。徳川家康は源頼朝を崇拝し、『吾妻鏡』を愛読書としていたが、幕閣の有力者の間でも、鎌倉時代の先例は常に学ぶべきものだった。

しかも家綱の弟のうち、年長の甲府宰相綱重は早世し、その子の綱豊か、家綱の末弟に当たる綱吉か、どちらを優先させるかもややこしい選択だったたし、御三家の当主として家康の孫たちが健在だったから、彼らも候補になり得なくもなかった。それならいっそ鎌倉幕府と同じように京都から宮さまを迎えたほうが、徳川家としての団結に好都合と考えたとしても不自然ではなかった。また、もう一つには、家綱の側室丸子が懐妊中であり、もし男子が生まれたときのことを考えて、とりあえずショートリリーフとして、宮さま将軍も悪くないという考え方もあった。この酒井忠清の計画は、ほとんど実現寸前までいったのだが、土壇場で老中堀田正俊が家綱から綱吉後継の遺言を取りつけたクーデターで、どんでん返しとなった。

石高は継承以前の部屋住みのときに小禄を与えられていたりするので複雑だが、徐々に加増されて、忠行の晩年には一五万石に達した。九代目の忠恭《ただずみ》は敦賀酒井家の出身だが、一七四五年に老中首座となり、一七四九年には姫路一五万石に移った。幕末の忠績《ただしげ》は一八六五年に大老となり、その弟で忠績の養子となった忠惇《ただとし》も一八六七年に老中になった。勤王派を厳しく弾圧し、維新後は静岡に住んで徳川への忠誠を示したが、藩内は混乱し、爵位授与のときには男性の当主がおらず、大名のなかで一家だけ授爵が遅れるという不名誉なことになった。

忠行次男の**酒井忠能**《ただよし》は二万石を分与され、伊勢崎藩主となり、小諸から田中四万石にまで昇進したが、甥の前橋藩主忠挙《ただたか》が謹慎させられたとき江戸に来て出処伺いを立てることを怠ったということで、旗本に格下げされた。忠清一派への綱吉による処分の一環と見るべきだろう。

幕末まで続いた伊勢崎藩は、一六八一年に忠清の次男である**酒井忠寛**《ただひろ》が二万石で独立し、本藩が姫路に移ったあとも上州で幕末まで続いた。

忠恭の八男**酒井忠交**《ただかた》は、一七七〇年に姫路新田藩一万石を立てたが、一八一七年に三代忠全《ただやす》で無嗣断絶。

京都所司代を多くつとめ、一橋慶喜の京都での滞在先を提供した若狭小浜藩は、正親の三男**酒井忠利**《ただとし》に始まる。田中から川越三万七千石。その子の忠勝が、家光の後期から家綱の初期にかけて重きをなした。名門であり好学で人格的にもバランスがとれていたので、大老となった。もっとも贅《ぜい》を尽くしたものであったといわれる寛永の江戸城普請を指揮した。家光が死んだとき、「将軍が幼いといって謀反するものがあれば、私が相手になろう」と諸侯を恫喝《どうかつ》したのが酒井忠勝で、家綱時代初期の幕府第一の実力者であった。最初は深谷藩主となり、ついで川越藩を嗣ぎ、一六三四年に小浜に入った。幕末の忠義《ただあき》が京都所司代として、和宮降嫁などに活躍した。勝山藩、敦賀藩への分与で一〇万石。

安房勝山藩は、忠勝の長男忠朝《ただとも》は廃嫡されたが、その子の**酒井忠国**《ただくに》に一万石が与えられたことで成立。一万五千石。忠直の次男**酒井忠稠**《ただしげ》には一万石が与えられ、敦賀藩

酒井（姫路・小浜）

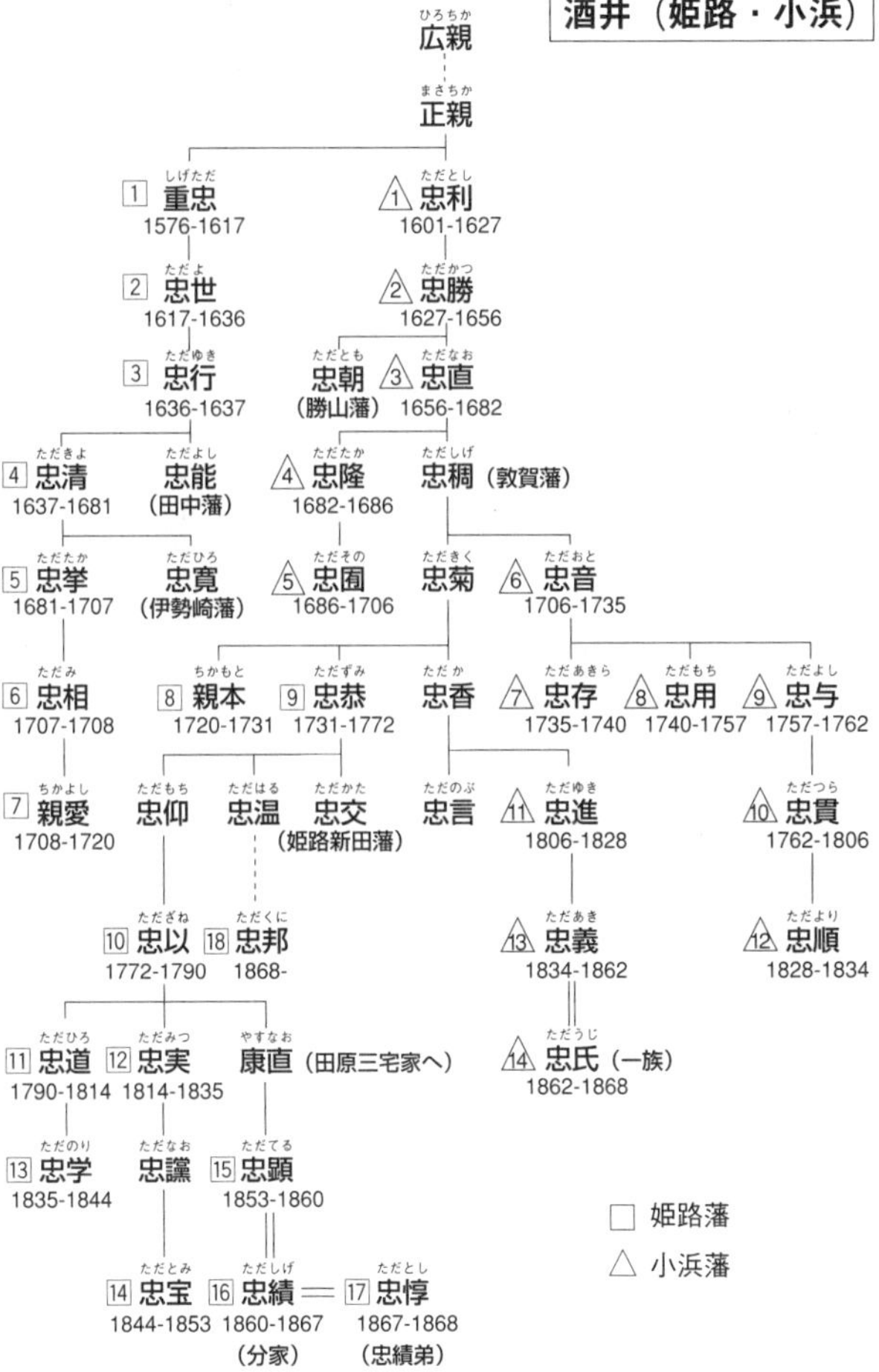

広親《ひろちか》
正親《まさちか》
1 重忠《しげただ》 1576-1617
△1 忠利《ただとし》 1601-1627
2 忠世《ただよ》 1617-1636
△2 忠勝《ただかつ》 1627-1656
3 忠行《ただゆき》 1636-1637
忠朝《ただとも》 （勝山藩）
△3 忠直《ただなお》 1656-1682
4 忠清《ただきよ》 1637-1681
忠能《ただよし》 （田中藩）
△4 忠隆《ただたか》 1682-1686
忠稠《ただしげ》 （敦賀藩）
5 忠挙《ただたか》 1681-1707
忠寛《ただひろ》 （伊勢崎藩）
△5 忠囿《ただその》 1686-1706
忠菊《ただきく》
△6 忠音《ただおと》 1706-1735
6 忠相《ただみ》 1707-1708
8 親本《ちかもと》 1720-1731
9 忠恭《ただずみ》 1731-1772
忠香《ただか》
△7 忠存《ただあきら》 1735-1740
△8 忠用《ただもち》 1740-1757
△9 忠与《ただよし》 1757-1762
7 親愛《ちかよし》 1708-1720
忠仰《ただもち》
忠温《ただはる》
忠交《ただかた》 （姫路新田藩）
忠言《ただのぶ》
△11 忠進《ただゆき》 1806-1828
△10 忠貫《ただつら》 1762-1806
10 忠以《ただざね》 1772-1790
18 忠邦《ただくに》 1868-
△13 忠義《ただあき》 1834-1862
△12 忠順《ただより》 1828-1834
11 忠道《ただひろ》 1790-1814
12 忠実《ただみつ》 1814-1835
康直《やすなお》 （田原三宅家へ）
△14 忠氏《ただうじ》 （一族） 1862-1868
13 忠学《ただのり》 1835-1844
忠讜《ただなお》
15 忠顕《ただてる》 1853-1860
14 忠宝《ただとみ》 1844-1853
16 忠績《ただしげ》 1860-1867 （分家）
17 忠惇《ただとし》 1867-1868 （忠績弟）
□ 姫路藩
△ 小浜藩

が成立した。天狗党の処刑が敦賀で行われたことが大事件であった。

本多忠勝系（岡崎・山崎・泉）

徳川譜代でも最大勢力を誇る苗字は本多である。諸侯にも八家を数えるが、旗本にも数多い。ただ、早い時代から分かれており、徳川四天王の一人**本多忠勝**《ただかつ》の系統、宗家であるともいわれる膳所《ぜぜ》藩の系統、そして家康の謀臣正信の一族というように三分するとわかりやすい。藤原兼通《ふじわらのかねみち》の子孫と称する。豊後国本多郷にあったが、足利尊氏のもとで尾張の地頭となり、子孫が三河に移ったという。松平家四代目の長親のころから仕えていたらしい。

忠勝の祖父、父、叔父のいずれもが松平家のために戦死しているが、忠勝自身は五〇回以上の出陣にもかかわらず、かすり傷すら負ったことがなかった。三方が原の戦いでの退却作戦を成功させ、「家康に過ぎたるものは唐の兜に本多忠勝」と武田側の杉右近から賞されたこともある。また、堺で本能寺の異変を聞いて家康が自害しようと言い出したのを説得したのも忠勝である。

関東平定後は上総大多喜で一〇万石を得たが、関ヶ原の戦いのあと、子の忠政《ただまさ》に家督を譲り桑名一〇万石、次男の**本多忠朝**《ただとも》は大多喜五万石となった。忠政の妻は信康の娘である熊姫で、その嫡子の忠刻《ただとき》は千姫の二度目の夫である。そして、ここから江戸中期に至るまでの相続は類を見ないほどややこしい。詳しくは三〇六ページのコラムに書いたが、系図を参照しながらおおよそを読んでいただきたい。まず、一六一七年に忠政に姫路一五万石が、忠刻に千姫の化粧料一〇万石が与えられた。

忠朝は大坂の陣で戦死したが、その養子の政朝《まさとも》は竜野に移封後、本家を嗣いで姫路藩主となった。政勝《まさかつ》のときに郡山に移封されたが、その死後に、養子政長《まさなが》と実子政信《まさのぶ》が相続を争い、結局は政長に一二万石、**本多政利**《まさとし》に明石六万石ということになった。しかし政利は治世よろしからず、陸奥大久保一万石に左遷され、さらに侍女殺害が咎《とが》められて一六九三年に除封された。

政勝の子の**本多勝行**《かつゆき》は四万石を得つつ姫路、ついで郡山に同居していたが、死去により除封。政朝の三男である**本多政信**は政勝の養子となって一万石を分与されたが、政勝の五男の忠英《ただひで》がこれを相続して一六七九年、播磨山崎に立藩し幕末まで続いた。

一方、ご本家のほうだが、政長に子がなかったので、水戸系の松平頼元《よりもと》の子である忠国《ただくに》が郡山一二万石を嗣いだ。これが三万石を加増され福島に移封され、城を大拡張しようとしていたところ、姫路に復帰させられた。しかし、子の忠孝《ただたか》は幼年を理由に村上に移される。しかも、一七〇九年に忠孝が無嗣で没したので、山崎藩から忠良《ただよし》が養子に入ったが、五万石に減らされて、本家は小大名になってしまった。その後、刈谷、古河、浜田と移り、一七六九年に岡崎でようやく定着した。養子をあちこちから迎えたが、高松藩からの養子だった忠民《ただもと》は、幕末に老中をつとめた。

忠政の三男の**本多忠義**《ただよし》も、掛川、村上、白河と移りながら昇進し、一二万石を得た。さらに宇都宮、郡山と移り、忠烈《ただつら》のとき六万石に減封されたあと無嗣断絶。

白河藩忠義の次男**本多忠利**《ただとし》は、寺社奉行などをつとめ、陸奥石川から挙母《ころも》、相良《さがら》一万石となったが、若年寄をつとめていた三代目の忠央《ただなか》は、金森騒動での不手際の責任をとらされて、改易永預けとなった。三男**本多忠以**《ただもち》は、一万石を分与されて陸奥浅川藩を創立。三河伊保、遠江相良ののち、陸奥泉に落ち着いた。同じく五男の**本多忠周**《ただちか》は、寺社奉行をつとめて天和三年に足助《あすけ》藩一万石となったが、その後減封されて、元の旗本に戻った。

それにしても、こうした本多忠勝家の不幸は、千姫を忠刻に迎えてからのことである。忠刻と千姫の間の子供が成長しないことを秀頼や淀君の呪いと恐れた千姫は、姫路の天満宮で亡夫の霊を慰めたのだが、そのかいがなかったようだ。

本多伊奈系（膳所・神戸・西端）・本多正信系（田中・飯山・旧宇都宮）

膳所藩の本多氏は、宝飯《ほい》郡伊奈にあったので「伊奈の本多」と称される。正忠は清康に属して牧野氏との戦いに活躍した。その孫の忠次も長篠の戦いなどで活躍したが、養子に酒井忠次の子である**本多康俊**《やすとし》をとった。関ヶ原の戦いに功があって西尾二万石となり、一六一七年には膳所三万石。子の俊次《としつぐ》は、西尾、亀山を経て、一六五一年に膳所七万石。家茂の上洛の際に殺害計画を藩士が練ったという疑いをかけられて、家茂の宿泊がキャンセルされるという不名誉な事件があり、勤王派一一名を処分せざるを得なくなった。だが、大政奉還以降は勤王の立場に立った。

神戸藩は、膳所藩康将《やすまさ》の孫で荻生徂徠《おぎゅうそらい》の高弟だった**本多忠統**《ただむね》が若年寄などをつとめて、一七三二年に一万五千石を得た。

西端《にしばた》藩は、康俊の子忠相《ただすけ》の子孫で旗本だった**本多忠寛**《ただひろ》が、天狗党の乱における江戸警備の功で幕末の一八六四年に三河で大名とされたものである。

この伊奈の本多に近い系統として、本多重次《しげつぐ》があった。「一筆啓上、火の用心、お仙泣かすな、馬肥やせ」の「日本一短い手紙」で名を残す殿さまである。「家康命」といった熱狂的な忠臣で「鬼作左」と呼ばれ、大政所が岡崎を訪れたときに、周囲に薪を積んで威嚇したことでも知られる。広忠のころ、高力重長《こうりきしげなが》、天野康景《あまのやすかげ》とともに岡崎三奉行と呼ばれた。子の**本多成重**《なりしげ》は、一六一三年に越前の松平忠直を補佐するために丸岡城主とされたが、のちに独立して丸岡四万六千石。四代目の重益《しげます》のときに内紛があり、また、家臣に懲罰として絶食の仕置きなどして、改易されて因幡に流された。

宇都宮吊天井事件のために、家康の懐刀ともいうべき存在であった**本多正信**《まさのぶ》の家系は、大名として生きのびられなかった。正信は家康の側近だったが、三河一向一揆に与《くみ》して三河を去り、松永久秀《まつながひさひで》を訪れたりもしている。本能寺の変の前夜に安土を訪れたときに赦され、のちに江戸で秀忠の後見役となる。軍事的な貢献がなかったこともあり、保身のためにも相模玉縄一万石以上を望まなかった。

長男の**本多正純**《まさずみ》は、晩年の家康の側近として、鐘銘事件や外堀埋立など豊臣滅亡への主導権をとり、さらに福島正則を葬り去った。慎重だった父と違い、行動は大胆で反感を買い、また、宇都宮一五万石を得たが、かえって秀忠に警戒され、横手に流された。正信の次男の政重《まさしげ》は、前田氏に仕えて二万石の家老となり、子孫は明治になって男爵となった。正信の三男の**本多忠純**《ただすみ》も下野榎本で大名となり、一六一五年には下野皆川二万八千石となったが、家臣に殺され、藩も三代で絶えた。

正信の弟の**本多正重**《まさしげ》も一向一揆に与して、のちに帰参し、一六一六年、下総相馬藩

本多（岡崎・膳所）

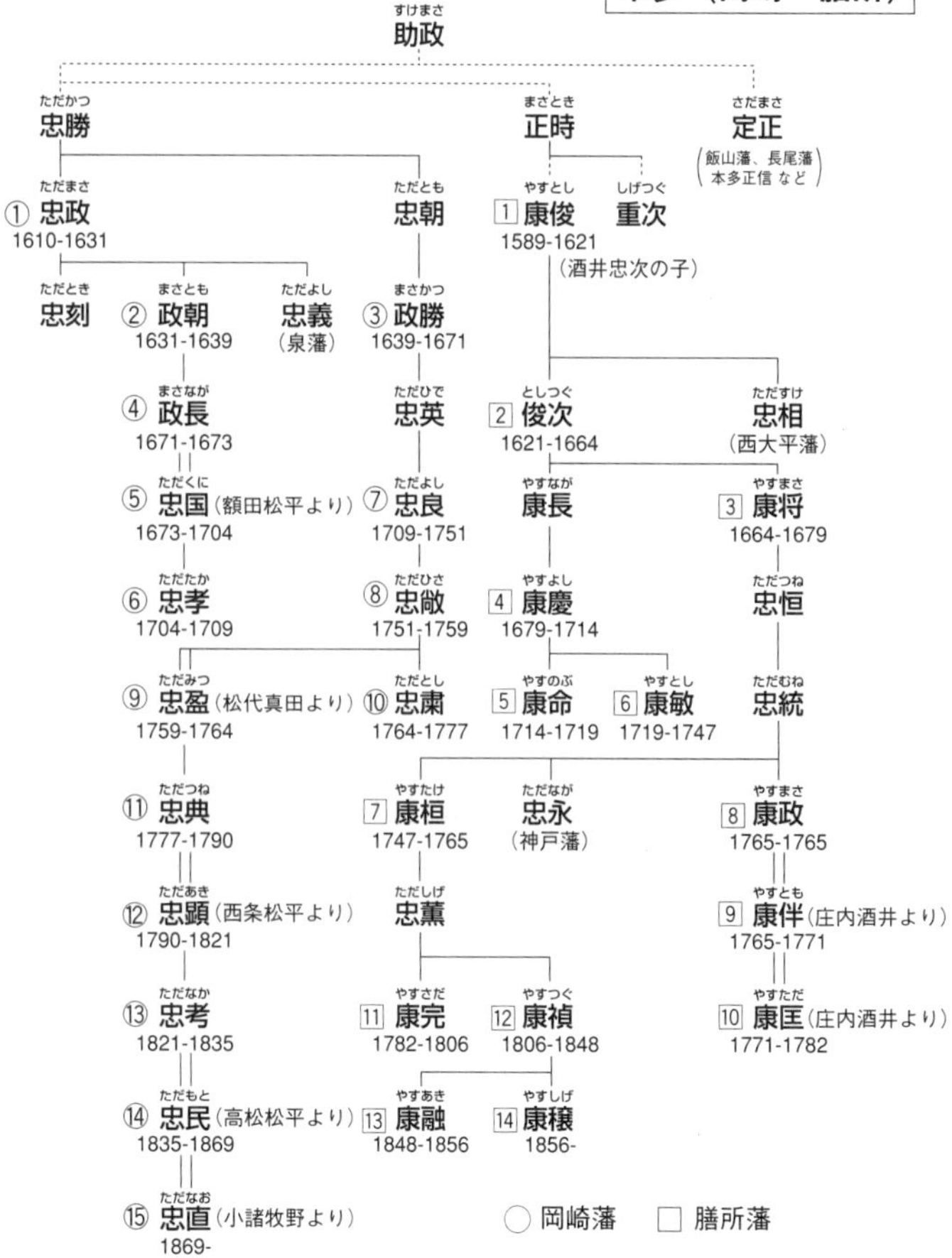
助政《すけまさ》
忠勝《ただかつ》
正時《まさとき》
定正《さだまさ》
（飯山藩、長尾藩 本多正信 など）
① 忠政《ただまさ》 1610-1631
忠朝《ただとも》
1 康俊《やすとし》 1589-1621 （酒井忠次の子）
重次《しげつぐ》
忠刻《ただとき》
② 政朝《まさとも》 1631-1639
忠義《ただよし》 （泉藩）
③ 政勝《まさかつ》 1639-1671
④ 政長《まさなが》 1671-1673
忠英《ただひで》
2 俊次《としつぐ》 1621-1664
忠相《ただすけ》 （西大平藩）
⑤ 忠国《ただくに》（額田松平より） 1673-1704
⑦ 忠良《ただよし》 1709-1751
康長《やすなが》
3 康将《やすまさ》 1664-1679
⑥ 忠孝《ただたか》 1704-1709
⑧ 忠敞《ただひさ》 1751-1759
4 康慶《やすよし》 1679-1714
忠恒《ただつね》
⑨ 忠盈《ただみつ》（松代真田より） 1759-1764
⑩ 忠粛《ただとし》 1764-1777
5 康命《やすのぶ》 1714-1719
6 康敏《やすとし》 1719-1747
忠統《ただむね》
⑪ 忠典《ただつね》 1777-1790
7 康桓《やすたけ》 1747-1765
忠永《ただなが》 （神戸藩）
8 康政《やすまさ》 1765-1765
⑫ 忠顕《ただあき》（西条松平より） 1790-1821
忠薫《ただしげ》
9 康伴《やすとも》（庄内酒井より） 1765-1771
⑬ 忠考《ただなか》 1821-1835
11 康完《やすさだ》 1782-1806
12 康禎《やすつぐ》 1806-1848
10 康匡《やすただ》（庄内酒井より） 1771-1782
⑭ 忠民《ただもと》（高松松平より） 1835-1869
13 康融《やすあき》 1848-1856
14 康穣《やすしげ》 1856-
⑮ 忠直《ただなお》（小諸牧野より） 1869-
○ 岡崎藩
□ 膳所藩

一万石となった。いったん旗本に降格されたが、三代目の正永《まさなが》が要職をつとめて下総舟戸一万石に復活。のちに沼田四万石から駿河田中に。正珍《まさよし》は老中となったが、郡上八幡の金森騒動で賄賂授受を指摘され罷免された。その後も代々幕府の要職を占めた。

飯山藩本多氏は、正信らの系統に近い。松平長親のときから仕えていたが、広孝《ひろたか》は、家康が織田方の人質になったときに信長兄の信広を捕虜として交換することに成功した。一向一揆の鎮圧に貢献し、田原城を得た。息子の**本多康重**《やすしげ》も父と行動をともにし、関東移封後には上野白井二万石の城主となり、関ヶ原のあとには、岡崎城五万石に栄進した。四代目の利長《としなが》が横須賀に移されるが、治めぶりがよくないとして領地を召し上げられた。村山一万石、糸魚川を経て飯山二万石。康重の次男**本多紀貞**《のりさだ》は、一六一八年に上野白井で一万石を与えられたが嗣子なく断絶。

安祥譜代は家の子郎党

大久保（小田原・相模荻野山中・烏山）

下野宇都宮氏の一族康藤が、新田義貞に従って戦い、義貞の死後に三河に定住した

大久保（小田原）

- 忠員《ただかず》
  - 忠世《ただよ》
    - 忠隣《ただちか》
      - ⋮
        - 忠朝《ただとも》
          - 忠増《ただます》（小田原）
          - 教寛《のりひろ》（荻野山中）
  - 忠佐《ただすけ》（旧沼津）
  - 忠為《ただため》（烏山）
  - 彦左衛門《ひこざえもん》

のが祖先と称する。信光のときから松平家に属し、宇都宮尹茂《ただしげ》は清康のもとで山中城を落として、岡崎制圧のきっかけをつくった。その子の忠俊《ただとし》・忠員《ただかず》兄弟は広忠と信定（桜井松平）の争いのときに、最初は信定に属していたが広忠の復帰に尽力し、三河一向一揆のときにも家康を守った。

　忠員の多くの子のなかでもっとも有名なのは八男の彦左衛門《ひこざえもん》である。この兄弟は、いずれも忠節に励み三男、四男、五男はいずれも戦死した。脱線だが、武士の世界では戦死したという結果が評価されるのである。元寇《げんこう》のときなど、白髪頭の武将が子孫のために敵と戦うのでなく、殺されるために前線に出て、わざと殺されたというが、彼らのほうが敵の大将を討ち取った武者より論功行賞は大きかった。そんなムードは家康の時代にあってもなお健在だったのである。

さて、長男の大久保忠世《ただよ》は三方が原の戦いで殿《しんがり》をよくつとめ、長篠の戦いでも大功をあげて二股城主となり、武田との対決の最前線で踏んばった。関東移封後に小田原で四万五千石を得た。その子**大久保忠隣**《ただちか》は秀忠側近として重きをなしたが、本多正信との権力闘争に敗れたのか、慶長一八年に所領を没収された。養女と山口重政《やまぐちしげまさ》の無断婚姻、家臣馬場八左右衛門の中傷、推挙して大久保姓を与えた長安《ながやす》の伊達政宗や松平忠輝をめぐる陰謀などの責任をとらされたといわれるが、あまりにも謎が多い。

豊臣家における武断派と文治派の争いを利用して天下を取った家康が、派閥争いを、外部勢力を利用しても有利に進めようとする危険性が大久保にあるのではないかと見て粛清した。つまり、豊臣一家における加藤清正的な危険な臭いを忠隣に見たのでないかと私は推察している。あるいは、対豊臣について本多正信がタカ派、大久保忠隣がハト派という色分けがあったのかもしれない。いずれにせよ、忠隣は京都にバテレン取り締まりに出張中、この処分を聞き、そのまま近江に送られ佐和山で晩年を送った。井伊直孝が赦免の運動をしようとしたのを、「家康が間違っていたことになる」と断ったという逸話が知られる。

忠隣の長男**大久保忠常**《ただつね》は、父とは別に武蔵私市二万石を得て、子の忠職《ただもと》がそれを嗣いでいたが、この忠職が加納五万石、明石七万石を経て、一六四九年に唐津八万三千石。その子の忠朝《ただとも》は、家光のもとで老中となり、佐倉から小田原一〇万三千石に復帰した。江戸後期の忠真《ただざね》は、一八三四年に老中首座となった。幕末の藩主忠礼《ただのり》は高松藩からの養子だが、最初は官軍に協力しながら、幕軍巻き返しという誤報によって官軍を攻撃し、三万八千石の減封となった。

忠朝の次男**大久保教寛**《のりひろ》は若年寄をつとめ、一七〇六年に駿河松長一万六千石、安永二年に相模荻野山中に移り一万三千石。忠員の次男**大久保忠佐**《ただすけ》は、関ヶ原ののちに沼津二万石を与えられたが無嗣除封。

同じく忠員の六男大久保忠為《ただため》の孫の**大久保忠高**《ただたか》が家綱、綱吉に仕えて大名となり、曾孫の常春《つねはる》が一七二五年に烏山二万石。老中などをつとめ、のちに三万石。

旗本においては、本多姓についで多くを数え、そのなかから、幕末から明治にかけて徳川家を支えた大久保一翁《いちおう》も出ている。

石川（伊勢亀山・下館）・青山（篠山・郡上八幡）

（石川）酒井忠次と並ぶ家老の一人だった石川《いしかわ》家の先祖は、八幡太郎・源義家《よしいえ》の孫である義基《よしもと》が河内国石川（明治以降は南河内）郡石川荘に拠ったことに発するという。

政康のとき一向宗の指導者として三河に入り、その子の親康が松平親忠に仕えた。その孫の清兼は、清康の代から家康の初期にかけての重臣であった。その孫である数正《かずまさ》は、若いころ、桶狭間の戦いのあと、今川の手にあった築山殿と信康を取り戻すのに活躍し、信康を抱きかかえて岡崎に凱旋した逸話はよく知られる。

家康の関東移封のあと信濃松本城主となったが、子の**石川康長**《やすなが》は大久保長安事件に連座して改易され、豊後佐伯に流された。また、弟の**石川康勝**《やすかつ》も一万五千石を得ていたが同時に失脚し、大坂の陣では豊臣方につき戦死した。

数正の父が早死にしたので、叔父である家成《いえなり》が一時は重臣としての地位を占めたこともある。その子の**石川康通**《やすみち》は上総二万石から、関ヶ原の功で大垣六万石を得た。養子の忠総《ただふさ》は大久保忠隣の次男だが、日田、佐倉、膳所、伊勢亀山、淀、備中松山を経て、伊勢亀山に一七四四年に復帰して、ようやく定着した。

三代忠総の次男である**石川総長**《ふさなが》には、一六五一年に一万石が分与され、伊勢神戸藩となる。大番頭、大坂定番などをつとめて二万石に加増。孫の総茂《ふさしげ》は、吉宗の側用人などをつとめて、一七三二年に下総下館に移った。最後の藩主総管《ふさかね》は、幕府の陸軍奉行をつとめた。

（青山）織田信長のお守り役であった平手政秀《ひらてまさひで》との葛藤があり、ついには諫言《かんげん》のため

Illust: Yoshifumi Hasegawa
Design: Suzuki Seiichi Design Office

自殺してしまうのだが、家光と青山忠俊《あおやまただとし》の関係もなかなか難儀であって、一六二三年、家光が将軍になっても人前で家光を叱責することがあり、これを嫌われて岩槻四万五千石から大多喜二万石に減封され、さらに蟄居《ちっきょ》させられるという事件があった。のちに、子の青山宗俊《むねとし》に小諸城を与えて復活させたとき、家光は若気の至りを悔いる言葉を口にした。

青山家は近江出身というが、三河に移り、少なくとも広忠の代には松平家に仕えた。**青山忠成**《ただなり》は秀忠側近で関東総奉行などをつとめ、相模で二万八千石を領した。その次男が忠俊である。三代目の宗俊は、小諸での復活後に、浜松五万石。さらに丹波亀山、一七四八年、丹波篠山六万石に移った。

忠俊の弟の**青山幸成**《よしなり》も老中をつとめ、一六三三年に掛川、一六三五年に尼崎五万石を得た。飯山、宮津から一七五八年に郡上八幡に移り定着した。東京青山の語源であり、とくに青山墓地は郡上八幡藩中屋敷の跡である。

植村（高取・上総勝浦）・平岩（旧犬山）

（植村）「守山崩れ」で松平清康が阿部弥七郎に暗殺されたとき、弥七郎を討ち取ったのが植村氏明《うえむらうじあき》である。土岐氏の一族が遠江上村に移って、植村氏を名乗ったという。松平長親に仕えて碧海郡東本にあった。家康が三河に戻った直後には、家存《いえさだ》が重臣として活躍したが、家次《いえつぐ》は信康に仕えて、その死後、徳川家を離れた。その子の**植村家政**《いえまさ》が秀忠に近侍して、大坂の陣で功があり、大番頭などをつとめ、大和高取二万五千石。九代目家長《いえなが》は文政八年に老中格に就任。詩に長じていた。幕末には天誅組《てんちゅうぐみ》の鎮圧にあたった。

氏明《うじあき》の甥である泰忠《やすただ》と嫡子泰勝《やすかつ》は本多忠勝のもとで活躍し、上総勝浦にあったが、**植村忠朝**《ただとも》に至り、一六八二年に一万一千石の藩主となった。三代目の恒朝《つねとも》が親族間の殺傷事件につき虚偽の申告をしたとして、一七二九年に除封。

（平岩）駿河で家康が人質生活を送っていたとき、一歳年上の**平岩親吉**《ひらいわちかよし》が連れ添った。温厚な人柄が買われ、信康の守り役となる。信康への処断の撤回を求めて自らの首と引き換えに信長に許しを請うことを家康に嘆願したが、聞き入れられなかった。甲斐国の目代をつとめ、関東移封後は、厩橋三万二千石を領した。一六〇三年に義直が甲府城主となったとき、後見役となり、さらに尾張に移ったのち、犬山一二万三千石。名古屋城二ノ丸にあって、実質的に尾張藩政を仕切った。一時、家康の八男仙千代を養子としたが、その死後は養子をとらずに家は断絶した。

阿部（福山・佐貫・棚倉）

ペリー来航時の老中首座だった阿部正弘《あべまさひろ》を出した備後福山の阿部家の祖は、家康にともなって駿府で人質生活を送った阿部正勝《まさかつ》である。祖先はよくわからず、松平家の重臣というわけではなかったようだ。関東移封後に鳩谷に領地を得て、関ヶ原ののち、**阿部正次《まさつぐ》**に一万石が与えられた。正次は第二代目の大坂城代として、二一年間もその職にあり、大多喜三万石、小田原五万石、岩槻八万六千石と栄進した。重次《しげつぐ》は家光のもとで老中として活躍し、壮烈な殉死をした。正次が一六三八年に隠居したものの、隠居料が設定されたりして石高はややこしいが、重次が死んだときには、九万九千石だった。宮津、宇都宮、福山とめまぐるしく西へ東へと引っ越しを繰り返したが、一七一〇年に備後福山に落ち着いた。その後、正右《まさすけ》、正倫《まさとも》、正精《まさきよ》、正弘と老中を次々と出して宮廷政治家として重きをなしたが、出費も多く、藩は財政難に悩まされた。正弘は気がよく回りバランス感覚もよかったが、問題の先送りと中途半端な糊塗策に終始し、危機にあたっての決断力に欠け、幕府の崩壊のきっかけをつくった。とくに、制御など無理な水戸斉昭を表舞台に出して暴れ回らせたことは、何よりの失策だった。

重次の次男である**阿部正春《まさはる》**は、一万六千石を分与されて大多喜新田藩を創設したが、兄の子の正邦《まさくに》が幼少だったため、いったん岩槻藩主となり、のちに正邦に封を戻して、自らは大多喜を経て刈谷一万六千石に移った。その子の正鎮《まさたね》が宝永七年に上総佐貫に移り定着した。

　幕閣で活躍した阿部家には、もう一系統ある。正次の甥で、家光の小姓から老中になった**阿部忠秋**《ただあき》の子孫である。剛直で才気走る松平信綱や、権勢を誇った酒井忠勝にもしばしば意見し、七四歳まで生きて長老として尊敬された。一六二六年に上野で一万石を得たあと、壬生を経て忍《おし》で八万石となった。それを嗣いだのは、重次の甥の**阿部正能**《まさよし》で、正次から一万石を分与されて、一六三八年に大多喜藩主となったが、忍藩の養子となり、老中もつとめた。正武《まさたけ》も綱吉のもとで老中をつとめ一〇万石となった。正喬《まさたか》、正允《まさちか》も老中をつとめたが、その後は、紀州藩などから次々と養子を迎えた。一八〇六年に正権《まさのり》が、松平定信が仕掛けた白河、桑名、忍の三角トレードで白河に移封。幕末には、同族の旗本で江戸町奉行、神奈川奉行、外国奉行などを歴任した阿部正外《まさと》が藩主となり、老中もつとめたが、兵庫開港を強く主張したことから解任蟄居させられ、子の正静《まさきよ》は棚倉に左遷された。

岡崎譜代は戦国大名初期の採用

鳥居（壬生）

三河武士の忠臣ぶりは刮目《かつもく》すべきものがあるが、鳥居《とりい》家はその鏡ともいうべき家柄である。三河の渡（岡崎市）にあって、清康のころから松平家に仕えた。忠吉は、家康が駿府にあるころ、今川支配下の岡崎で総奉行をつとめていたが、家康が初めて帰国を赦されたとき、ひそかに蓄えておいた米や銭を家康に見せて奮起を促した逸話で知られる。また、元忠は関東移封後に下総矢作《やはぎ》四万石の城主となったが、会津攻めのとき、伏見城の留守を守り、西軍の開城勧告を退けて激戦の末に討ち死にした。

遺領を嗣いだ**鳥居忠政《ただまさ》**は、平一〇万石を経て、一六二二年に山形二四万石となった。忠臣の遺族を大事にする家康らしい人事である。しかし二代目の忠恒《ただつね》に子がなかったので、弟の忠春《ただはる》に高遠で三万石が与えられた。だが、これも江戸馬場先門を警備していた家臣の不手際が原因で忠則《ただのり》が自刃。いったん断絶したが、能登下村（七尾市）、水口を経て、下野壬生三万石に少し回復して幕末まで続いた。

忠政の弟の**鳥居成次《なりつぐ》**は、駿河大納言忠長のお守り役となり、甲《か》斐《い》谷《や》村《むら》で三万五千石を与えられたが、忠長のわがままを抑えられなかった。幸か不幸か、最終的な失脚の寸前に世を去り、子の忠房《ただふさ》は主君に連座して改易された。

榊原（高田）・大須賀（旧横須賀）

（榊原）吉原の花魁《おいらん》高尾を身請けした大名がいた。八代将軍吉宗のころのことで、姫路藩主榊原政岑《さかきばらまさみね》であった。この破天荒な不行跡に対する罰則は、越後高田への転封だった。石高は同じ一五万石だが、実収入は大幅減であった。

江戸時代も中期以降になると、できるだけ石高は変えないでおくというのが幕府の方針だった。そのかわりに、同じ石高でも実収の少ない多いがあり、それが賞罰の内容となった。高田も姫路より実収は半分だったといわれるが、明治になって爵位が実収（現高）を基準にして与えられたので、一五万石という、当然に伯爵になれるはずの石高でありながら、榊原の殿さまは子爵にしかなれずに大恥をかいた。先祖の放蕩《ほうとう》が、一四〇年後の子孫に災難となって降りかかったのである。

榊原氏の先祖は足利氏庶流の仁木氏で、三河国額田郡仁木を発祥の地とする。その一族が伊勢の一志郡榊原にあって、地名を姓とした。清長のときに三河に移り、親忠に仕え、孫の**榊原康政《やすまさ》**は家康に近侍した。とくに姉川の戦いで勇名をあげ、三方が原では総崩れになった徳川軍のなかで、かろうじて奮戦した。

榊原（高田）

- ① 康政《やすまさ》 1590-1606
  - 忠政《ただまさ》
    - ③ 忠次《ただつぐ》 1615-1665
      - ④ 政房《まさふさ》 1665-1667
        - ⑤ 政倫《まさとも》 1667-1683
  - ② 康勝《やすかつ》 1606-1615
    - 勝政《かつまさ》
      - 勝直《かつなお》
        - ⑥ 政邦《まさくに》 1683-1726
          - ⑦ 政祐《まさすけ》 1726-1732
      - 政喬《まさたか》
        - 勝治《かつはる》
          - ⑧ 政岑《まさみね》 1732-1741
            - ⑨ 政永《まさなが》 1741-1789
              - ⑩ 政敦《まさあつ》 1789-1810
                - ⑪ 政令《まさのり》 1810-1827
                  - ⑫ 政養《まさきよ》 1827-1839
                  - 政賢《まさたか》
                    - ⑭ 政敬《まさたか》 1861-
                  - ⑬ 政愛《まさちか》 1839-1861

関東移封後には館林一〇万石を得た。関ヶ原に先立ち、家康が石田三成らに襲撃されかかったときには、兵を率いて急ぎ上京し、その行動の素早さを称賛された。関ヶ原の戦いの折には、秀忠とともに中山道を上がったが、上田城で真田《さなだ》昌幸《まさゆき》に阻止され、戦いに間に合わなかった。このために家康から面会を断られた秀忠のために、家康に弁護した。しかし、この不手際のためか加増はなく、待遇を恨みつつ死んだといわれる。

(大須賀) 長男の大須賀《おおすが》忠政《ただまさ》は、外祖父である関東の名族大須賀氏を嗣いだ。大須賀氏は千葉氏の一族で、宗家は秀吉に滅ぼされたが、一族の一人が家康に仕えており、遠江横須賀三万石を得ていたのである。榊原家は三男の康勝《やすかつ》が嗣いでいたが、三代目の藩主には、忠政の子の忠次《ただつぐ》が嗣いで大須賀家は絶えた。

この忠次は、将軍後見役として活躍し、白河を経て一六四九年に姫路一五万石に栄転した。その後、政倫《まさとも》が幼少のために村上に移されたが、政邦《まさくに》が姫路に戻った。

内藤 (延岡・湯長谷・村上・高遠・岩村田)

東京の新宿は、その昔、甲州街道内藤新宿と呼ばれていたが、これは、このあたりに、ともに内藤《ないとう》氏を藩主とする高遠藩と岩村田藩という二つの藩の屋敷があったことによる。現在の新宿御苑がそれである。内藤氏は藤原秀郷《ふじわらのひでさと》の流れと称するが、応仁の乱のころに三河に入った。松平信忠・清康の時代に義清《よしきよ》が活躍し、孫の家長が関東移封のときに上総佐貫城主となる。関ヶ原に先立つ伏見城攻防戦では、落城し自刃している。その子の**内藤政長**《まさなが》が元和元年に平に移り、徐々に加封されて七万石。六代政樹《まさき》が延岡に移された。最後の二人の藩主は、井伊直弼《いいなおすけ》、太田資始《おおたすけもと》の子である。

政長の次男の**内藤政晴**《まさはる》は、二万石を分封されて、平藩と同じいわき市内に泉藩を創立した。綱吉の小姓をつとめた政森《まさもり》が安中、政苗《まさみつ》が挙母《ころも》に移った。幕末には三度にわたって井伊家から養子を迎えている。

政長の孫の**内藤政亮**《まさすけ》は遠山姓を名乗り、一六七〇年に湯長谷《ゆながや》藩一万石を創立。のちに内藤に復姓する。日光祭礼奉行をたびたびつとめた。

雅子妃殿下の小和田家は越後村上藩士だが、ここの内藤氏の祖である**内藤信成**《のぶなり》は、じつは松平広忠の子であるともされる。初陣は家康と同時であり、北条攻めでは韮山城攻撃に参加した。韮山一万石から、関ヶ原後には駿河府中を経て近江長浜四万石。伏見城代から初代の大坂城代となった信正は、高槻を経て大坂周辺で五万石。江戸初期には、大坂城代は自身の居城を持たずに畿内で領地を与えられ、藩士も大坂城に住んだらしい。その後、棚倉、駿河田中を経て村上に定着。幕末の信思《のぶもと》は意欲的な教育

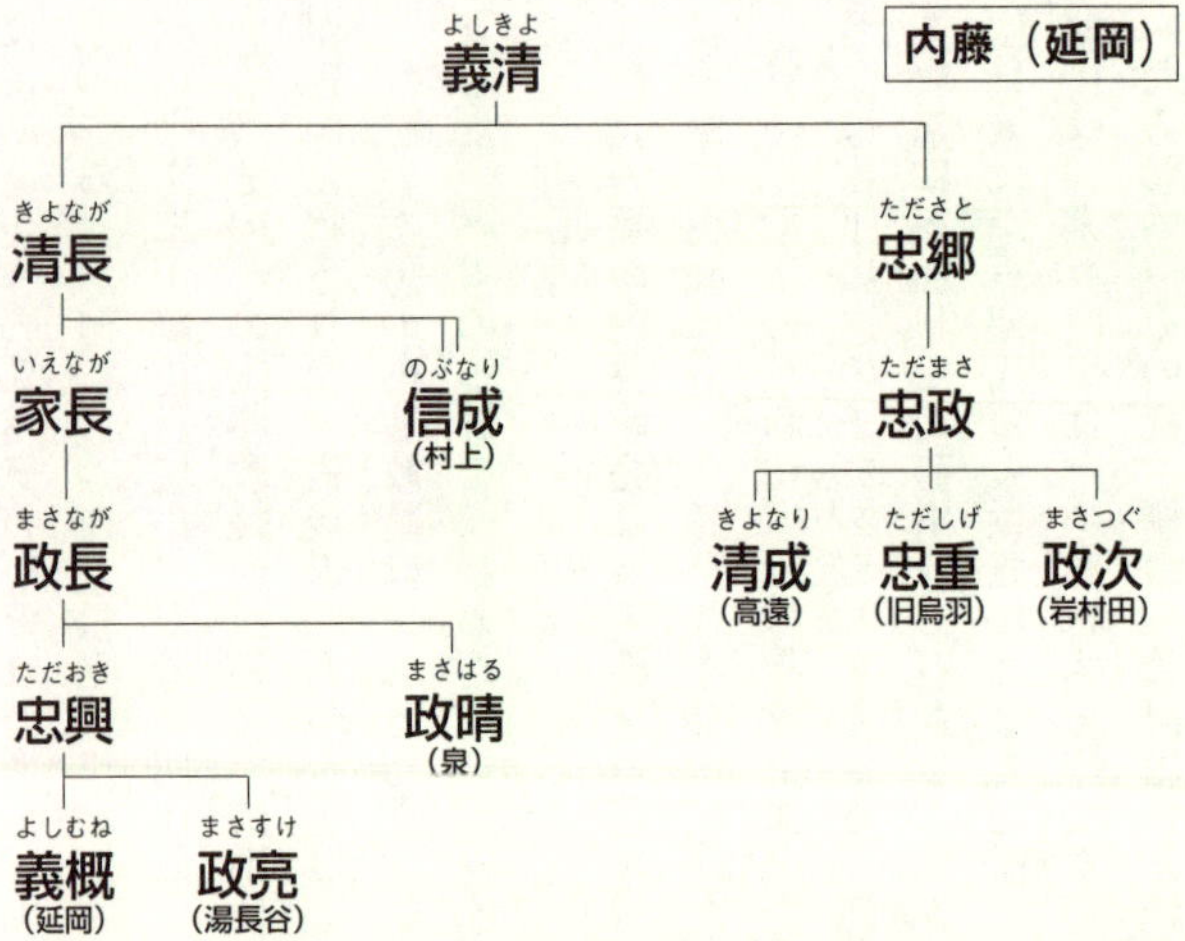

や産業振興で知られるが、その養子の信民《のぶたみ》は、戊辰戦争で藩論が分かれるなかで自殺したといわれる。

最初に紹介した新宿にゆかりの高遠藩内藤家の祖は、清長の甥である内藤忠政《ただまさ》である。養子の**内藤清成《きよなり》**が江戸町奉行や秀忠のお守り役をつとめたが失脚。居城はなかったらしいが、二万石を与えられていたらしい。その子の清次《きよつぐ》は老中をつとめた。清政《きよまさ》のとき、安房勝山藩主三万石となった。二代で廃絶したが、清成三男の正勝《まさかつ》が嗣いだ。重頼《しげより》は幼少のためいったん旗本となったが、大坂城代として三万三千石で復活。一六九一年に高遠に定着した。

忠政の子孫からは、このほかに信濃岩村田藩と鳥羽藩があった。岩村田藩は**内藤正勝**が一六九三年に赤松藩一万六千石となり、正友の一七〇四年に岩村田藩となった。忠政の子の**内藤忠重**《ただしげ》は家光の養育係で、鳥羽三万五千石を得た。しかし、三代目の忠《ただ》勝《かつ》は一六八〇年、四代将軍家綱の法事が増上寺であったとき、宮津藩主永井尚長《ひさなが》を斬り殺して切腹。お家断絶となった。

安藤（平・紀伊田辺）・久世（関宿）・井上（浜松・高岡・下妻）

（安藤）桜田門外で井伊大老が暗殺されてから、坂下門外で自身が傷害されるまでの期間、事実上の宰相であった安藤信正《あんどうのぶまさ》は磐城平藩主だが、本家筋にあたるのは、紀伊藩付家老田辺城主の安藤氏である。

古代豪族の安倍氏の子孫とか、清和源氏だとか諸説あるが、家康の父である広忠に家重《いえしげ》が仕え、その子の基能《もとよし》は三方が原の武田信玄との戦いで戦死した。**安藤直次**《なおつぐ》は家康の近臣であり老中だったが、頼宣の守り役として紀州藩付家老となった。頼宣が駿府にあったときは掛川城主で、紀伊に移ってからは田辺三万八千八百石を与えられた。ただし、諸侯として認められたのは、一八六八年になってからである。

直次の弟の**安藤重信**《しげのぶ》は、秀忠の側近として老中となり一六一二年、下総小見川、ついで一六一九年に高崎五万六千石の藩主となった。忠長を預かり切腹させたのは二代目で養子の重長《しげなが》の代である。福島正則ら取り潰された大名の城受け取りなどに手腕を発揮した。一六九五年に三代目の重博《しげひろ》が備中松山に、老中をつとめ俳句でも知られた信友が加納藩主となった。平五万石に移ったのは、六代目の信成《のぶなり》の寛保のときであった。

（久世）安藤信政とともに、井伊大老暗殺後の難しい時期に筆頭老中として事態の収拾につとめたのが、関宿藩主の久世《くぜ》広周《ひろちか》である。井伊政権下で老中をつとめながら安政の大獄の処置を厳しすぎるとして抗議して辞職していたので、事態収拾には好都合と見られたのである。

先祖は村上源氏の流れをくむと称し、三河国額田郡にあって小野を名乗っていたが、松平清康らに仕えた広長《ひろなが》のときに母方の姓である久世を称した。三河一向一揆に与したために出世が遅れ、旗本として将軍家に仕えていた。**久世広之**《ひろゆき》が家光、家綱のもとで昇進して老中までつとめたが、一六五一年に一万石、一六六九年には関宿五万石を与えられた。子の重之も老中となり、備中庭瀬、丹波亀山、三河吉田を経て、関宿に復帰し六万石となった。広周は旗本大草高好《おおくさたかよし》の子である。公武合体などに尽力したが、「文久二年の政変」の結果、在職中に咎《とが》があったとして四万三千石に減封された。

（井上）江戸城内の刃傷沙汰といえば、忠臣蔵で知られる浅野内匠頭の事件が有名だが、ほかにも四件ある。その最初のものが、一六二八年、西の丸殿中で、江戸近辺の土着の名門で旗本だった豊島明重《としまあけしげ》が、老中井上正就《いのうえまさなり》を殺したものである。井上の子息と大坂町奉行の女との縁談を井上が破談にしたのを、仲人をつとめるはずだった豊島が怒ってのことだという。

井上氏は信濃源氏を祖とするというが、子の弥七郎が松平清康を誤って斬ったことから自ら家を断絶させた阿部定吉《あべさだよし》が、自身の子を孕《はら》んだ女を井上清秀のもとに嫁がせて生まれた子が正就であるとされる。**井上正就**は将軍秀忠の乳兄弟で、官僚として優れて主計頭をつとめ、一六一五年に一万石を得たのちに、遠江横須賀で五万二千石を得た。正利《まさとし》は儒学に通じ、寺社奉行などをつとめ、子孫は寺社奉行をつとめることが多かった。移封が頻繁で、笠間、郡上八幡、丹波亀山、下館、笠間、磐城平から、大坂城代をつとめていた関係で畿内（藩庁不明）、浜松、棚倉、館林、浜松と、幕末に至るまで引っ越しを続けなくてはいけなかった。幕末の正直《まさなお》は老中になった。

分家が二つあって、一つは正就の弟で、秀忠、家光のもとで宗門改役としてキリシタン弾圧に辣腕《らつわん》をふるった**井上政重**《まさしげ》に始まる下総高岡藩一万石である。もう一つは、正岑《まさみね》の弟**井上正長**《まさなが》が甲府藩主だった綱豊（のちの将軍家宣）に仕えて、のちに西の丸側衆となり、一七一二年に下総下妻藩一万石となったものである。

高力（旧島原）・天野（旧興国寺）・板倉（備中松山・安中・福島・庭瀬）

（高力）三河国八名郡に足利尊氏から地頭とされたことに始まる。高力重長《こうりきしげなが》は今川氏に属し松平清康と争ったが、のちに忠節を誓った。重長、その長男安長《やすなが》、次男重忠と、いずれもが松平のために戦死した。安長の子の清長《きよなが》は、家康が三河を統一したときの三奉行の一人で「仏高力」と呼ばれた。**高力忠房**《ただふさ》は岩槻二万石、浜松三万石、一六三八年には島原の乱のあとの島原藩主四万石となったが、子の高長《たかなが》の一六六八年に領内統治への批判から除封された。

（天野）天領の住人は、公方《くぼう》さまの領民であることを誇りにして、諸侯の領地の民や、場合によっては、武士までもバカにすることが多かった。駿河興国寺藩の領地に隣接する天領の農民が勝手に侵入して柴などを伐採することがあり、これに抗議する領民を助けて、藩士が天領農民を殺傷した。これを天領側の農民は家康のもとに訴え出た。本多正純は、道理が興国寺側にあることを承知だったが、我慢するように藩主**天野**《あまの》**康景**《やすかげ》を説得したが、康景はいずこともなく逐電《ちくでん》した。一六〇七年のことである。

康景は、家康が尾張、駿河にあったときも行動をともにした。三河三奉行の一人として、また、江戸町奉行として民政に腕をふるったが、古参であるだけに偉くなりすぎた家康に違和感を覚えたのだろう。

（板倉）関ヶ原の戦いで徳川家康が天下第一の実力者になったといっても、京都市民は豊臣家を慕いつづけた。戦国の争乱を終わらせ、京都の町を今日見るような近代都市として再建したのは、ほとんど秀吉の天才によるといっても言いすぎではないのである。そんなこともあって、一六〇四年の豊国七年祭は空前の盛り上がりを見せた。そんな京都にあって、なんとか徳川の天下を認めさせるにあたって、京都所司代板倉《いたくら》勝重《かつしげ》の功績は大変なもので、とくに公正な裁きには定評があった。

板倉家は、足利泰氏《あしかがやすうじ》の子の渋川義顕《しぶかわよしあき》が下野足利郡板倉郷にあったことに始まる。深溝松平氏に仕えた好重の家が、弟の定重が高天神城で戦死して断絶したのを家康が惜しんで、禅寺にあった**板倉勝重**を還俗《げんぞく》させたものである。僧であった経歴を生かしてか、武将としてより文官として手腕を発揮し、駿府、江戸の奉行から一六〇三年に京都所司代となり、一万六千石を得た。三方一両損の元祖である。子の重宗《しげむね》も所司代を継承し、紫衣《しえ》事件の処断をした。関宿、伊勢亀山、重治、鳥羽、伊勢亀山を経て、一七四四年になって七代勝澄《かつずみ》が備中松山に定着した。

幕末の藩主である勝静《かつきよ》は、桑名藩松平氏からの養子で松平定信の孫だったが、老中をつとめ、とくに、大政奉還から鳥羽伏見の戦いに至るまで、実質的には宰相の座にあった。また、この時期の家老であった山田《やまだ》方谷《ほうこく》は、天下の名家老として名声が高かった。

重宗の次男である**板倉重形**《しげかた》は、安中一万五千石。二代目の重同《しげあつ》は陸奥泉。三代目の勝清《かつきよ》は老中をつとめ、相良を経て安中に三万石で戻った。勝重の次男である**板倉重昌**《しげまさ》は、深溝で一万五千石を得たが、島原の乱の原城攻撃に手間取り、実質的な司令官として松平信綱が赴任すると聞いて、あせって総攻撃をかけたが失敗して討ち死に。戦死した最後の殿さまとなった。二代目の重矩《しげのり》は老中となり三河中島、烏山から信濃坂木五万石。四代目重寛《しげひろ》は天和三年、二万石を従兄弟の重宣《しげのぶ》に分与して福島三万石となった。重矩の孫の**板倉重宣**は上総高滝《たかたき》二万石、二代目重高《しげたか》が一六九九年に備中庭瀬に移る。

三宅（田原）・伊奈（旧小室）・成瀬（犬山）・稲垣（鳥羽・山上）・米津（長瀞）・渡辺（伯太）・三枝（旧安房国内）

（三宅）渡辺崋山《わたなべかざん》が家老だった田原藩の三宅氏は、児島高徳《こじまたかのり》の子孫で三河加茂郡に流れてきた者の末と称し、政貞《まささだ》の代に家康に仕えた。三宅康貞《みやけやすさだ》は、武蔵瓶尻《みかじり》から一六〇四年に挙母一万五千石に転じて諸侯となった。関ヶ原でも大坂の陣でも後方の守りにあった。亀山、挙母、一六六四年に渥美半島の田原に入り、以後は定着した。友信《とものぶ》は渡辺崋山の尽力で高野長英らも招いて蘭学を振興し、康貞、康保《やすよし》は軍の近代化につとめた。

（伊奈）信康、家康に仕えた**伊奈忠次**《いなただつぐ》は、関東郡代として水利や農業開発に貢献し、武蔵小室一万石。一六一九年からは旗本とされたが、子孫は寛政年間まで関東郡代を世襲した。

（成瀬）犬山城を長らく個人所有で保持していたのが、尾張藩付家老の成瀬《なるせ》家である。維新のときに功労があったので、付家老は男爵にしかなれないところ、子爵に陞《しょう》爵《しゃく》している。二条家の流れを引くと称し、三河国東加茂郡足助荘成瀬郷にあったのが、松平親氏に仕えたという。一六一七年に**成瀬正成**《まさなり》が尾張犬山で三万五千石を与えられた。正成の次男**成瀬之成**《ゆきなり》は父の旧領下総栗原一万五千石を引き継いだが、一六三八年に三代之虎《ゆきとら》を最後に断絶した。

（稲垣）ミキモト・パールの本拠地である鳥羽三万石の殿さまである稲垣《いながき》氏は、清和源氏の末と称し、伊勢にあったが、文明年間に三河牛窪に移った。藩祖**稲垣長茂**《ながしげ》は、はじめ牧野《まきの》康成《やすなり》に属したが、一五九〇年から家康に仕え、関ヶ原の戦いのあと伊勢崎城主一万石となり、越後藤井、三条、三河刈谷、大多喜、烏山を経て、一七二五年に鳥羽に入った。

また、稲垣長茂の三男である重太《しげもと》は、家光に近侍し、その子の**稲垣重定《しげさだ》**が一六九八年に近江山上に一万石を得た。代々大坂在番などをつとめ、最後の藩主で岡崎藩本多家から養子に入った太清《もときよ》は海軍奉行をつとめた。

（米津）米津家は「よねきつ」と読むのであって、大名家でも難読氏姓の一つである。三河にあって、清康のときにすでに仕えていた。田政《たまさ》は秀忠に属して上田城攻めに活躍し、江戸町奉行になった。その子の**米津田盛《たもり》**は一六六六年、大坂定番となって摂津・河内などを中心に一万五千石。武蔵久喜を経て、一七九八年に出羽長瀞に落ち着いたが、明治になって上総大網、ついで常陸竜ヶ崎に移った。

（渡辺）**渡辺吉綱《わたなべよしつな》**は秀忠のもとで大坂定番となり、畿内で一万石を与えられ、のちに武蔵野本に移った。一六九八年、基綱が和泉大庭寺藩とし、さらに一七二七年に伯太《はくた》藩となった。坂田金時、碓井《うすい》貞光《さだみつ》、卜部《うらべ》季武《すえたけ》とともに、源頼光の四天王の一人として、大江山の酒呑童子《しゅてんどうじ》退治をした渡辺綱《つな》の子孫と名乗る。早くから松平家に属していたというが、三河一向一揆に与して家康と戦った。守綱《もりつな》は槍の半蔵として武名を轟かせ、尾張義直の付家老となった。

（三枝）秀忠の小姓をつとめ、忠長に属した三枝守昌《さえぐさもりまさ》は甲斐で一万五千石だった。忠長失脚後は謹慎ののち、安房国内で一万石を与えられた。領地分割により旗本となった。

家康の母の実家水野家はゴシップの宝庫

水野（結城・沼津・鶴牧・山形・新宮）

刈谷は三河国でもっとも尾張との国境に近い町である。桶狭間の古戦場からもすぐのところにある。ここの領主だった水野《みずの》氏は、源満仲の弟満政の後裔《こうえい》と称し、平安時代末期に知多郡小河（東浦町）に住んで小河氏としていたが、春日井郡水野（瀬戸市）に移って水野を名乗った。さらに、三河国碧海郡刈谷に進出して、松平氏との縁組みを強化し、水野忠政《ただまさ》の妹が松平信忠の夫人となり、忠政の前夫人が松平清康の後妻となり、忠政の娘於大《おだい》が広忠の夫人になるという複雑な関係を結んだ。この於大が、家康の母伝通院である。

だが、於大の兄信元は織田方に寝返ったので離婚し、於大は久松氏と再婚した。桶狭間で今川義元が討たれたあと、織田・松平連合の仲介をしたといわれるが、のちに、信元は武田と通じていると佐久間信盛から通報され、信長の要求で家康は信元を切腹させざるを得なくなった。

このあと刈谷の城は、忠政九男の忠重《ただしげ》に与えられたので、この家系が宗家とみなされている。忠重は本能寺の変ののち家康と行動をともにしたが、石川数正らとともに秀吉のもとに降った。関ヶ原では東軍に属そうとしたのだが、それに先立ち、浜松城主堀尾《ほりお》吉晴《よしはる》とともに領内の池鯉鮒《ちりゅう》（知立）で会食中に加々見秀盛と口論となり、忠重は刺殺され、吉晴も重傷を負った。

忠重には**水野勝成**《かつなり》という嫡男がいたが、凶暴な性格で、蔵から所望のものを持ち出そうとしたところ、納戸係がいうことを聞かぬと成敗したことから出奔せざるを得なくなった。虚無僧をしたり各大名家で小禄をもらったりしていたが、刃傷沙汰が絶えなかった。しかし秀吉の死後に、家康が三成から命を狙われたときに馳せ参じてから家康に仕え、忠重の死後、家督を嗣いだ。大坂の陣でも勇猛ぶりを発揮し、明石掃部助を討ち取るなど功をあげ、大和郡山六万石、ついで備後で一〇万石を与えられて福山に新しい城を築城した。福島正則除封ののちに浅野氏を広島に入れたが、外様大名の多い中国地方の抑えとして、ここに勇猛な勝成を持ってきたのだろう。元和偃武《げんなえんぶ》のあとに新しい居城を築いたのだから、異例中の異例である。島原の乱でも松平信綱を助けて軍の統率に力があった。晩年は、若いころの粗暴さは影をひそめ、人情のわかる殿さまとして慕われたらしい。一六九八年、五代目の勝岑《かつみね》で無嗣断絶したが、一門の勝長《かつなが》が能登西谷で復活し、一七〇四年に結城一万八千石で定着した。

勝成の弟**水野忠胤《ただたね》**も、関ヶ原の功で三河に一万石を与えられたが、松平（桜井）忠頼を招いた酒席での刃傷沙汰で切腹改易（一七一ページ参照）。

忠重の四男である**水野忠清《ただきよ》**は、秀忠の側近で大坂の陣に旗本先備として活躍し、小幡多一万石、刈谷二万石、吉田四万石を経て、一六四二年に松本九万石となった。ところが六代目の忠恒《ただつね》が、一七二五年に松の廊下で長府藩主毛利師就《もろなり》に刃傷に及び除封された。叔父の忠穀《ただよし》が家名を嗣ぎ旗本となったが、その子の**水野忠友《ただとも》**が家治の小姓となり、三河大浜を経て沼津三万石で復活し、老中にもなった。田沼意次《たぬまおきつぐ》の子を養子にしたが、意次の失脚によりこれを解消し、家斉の小姓だった忠成を新たに養子とした。忠成は一一代将軍家斉親政時代の実質的な宰相であり、貨幣改鋳《かいちゅう》による財政難乗り切り、江戸の治安維持、家斉の子供たちの縁組みなどに辣腕《らつわん》を発揮し、長期的なビジョンは欠如していたにせよ、さしあたっての政権運営を円滑に行うことに成功し、禄高も五万石になった。幕末の忠寛《ただひろ》、忠誠《ただのぶ》も老中をつとめた。

忠清の孫である**水野忠位**《ただたか》も大坂定番となったときに大名となり、安房北条から上総鶴牧一万五千石。

このほか、忠重の兄弟からいくつかの大名家が出ている。忠守の子である**水野忠元**《ただもと》も秀忠の側近で、一六二〇年に下総山川で大名となり、その子の忠善が田中、吉田を経て岡崎五万石となる。五代忠之《ただゆき》は、吉宗のもとで老中となり財政を担ったが、米価政策への不評の責任をとらされ、トカゲの尻尾切りで失脚した。吉宗は側近にたいへん冷たく、報いることの少ない主君であった。

その孫の忠辰《ただとき》は、人事改革に重臣たちから抵抗を受け、最後は座敷牢に押し込まれ、養子の忠任《ただとう》は唐津に転封になった。一〇代目の忠邦《ただくに》については、今さらいうまでもないが、幕閣での栄達を望んで、あえて実収入の少ない浜松へ転封を希望して、念願の老中に就任した。天保の改革の経済政策は失敗だったが、国際情勢に明るく、海防のためには大胆な幕政改革が必要だという認識においてはまことに立派で、日本のビスマルクになり得る逸材だった。失脚により子の忠精《ただきよ》は山形五万石に移されたが、幕末に老中として活躍した。明治になって近江朝日山に転封されたが、すぐに廃藩置県になった。

さらに、やはり忠重の兄弟である忠分《ただちか》の長男である**水野分長**《わけなが》は、家康側近として長久手や小田原で功があり、一六〇六年に新城で一万石を得て、二代目の元綱も大坂の陣での活躍で安中二万石に栄進したが、一六六四年に妻女を殺傷して除封された。

忠分の次男の**水野重仲**《しげなか》は、紀伊頼宣の守り役となり、付家老として新宮三万五千石。幕末の忠央《ただなか》は、紀伊慶福《よしとみ》（家茂）将軍擁立の最大功労者であり、独立して大大名に栄転させてもらえてもよさそうなものだったが報いられなかった。井伊直弼に野心家ぶりが警戒されたのだろうか。

土井（古河・勝山）・三浦（美作勝山）・高木（丹南）

（土井）**土井利勝**《どいとしかつ》は、その容貌が家康に酷似していたといわれる。隠し子だともいわれるが、信長の命令で家康に殺された水野信元の遺児だという説の信憑性《しんぴょうせい》が高そうだ。

秀忠の側近として活躍し、一六〇二年に小見川で一万石を得て、佐倉から、古河一六万石。一六一〇年に老中、一六三八年に大老になった。大名取り潰しや参勤交代の強化を進め、家康の遺言でもなかったものまで、それと称しつつ安定的に幕府が動くような体制をつくりあげた。

一族での分与や、無嗣で石高を七万石まで減らされ、鳥羽、唐津を経て古河に戻った。第一〇代の利厚《としあつ》は、一八〇二年から二一年も老中をつとめて、一万石を加増された。一一代の利位《としつら》は、雪の結晶の研究でも知られるが、大塩平八郎の乱のときの大坂城代水野忠邦の次席をつとめ、失脚後には老中首座として阿部正弘政権への橋渡しをした。

利勝の三男の**土井利長**《としなが》は、一六四四年に一万石を分与され西尾藩主となり、四代目の利信《としのぶ》が刈谷二万三千石に移る。利勝の四男**土井利房**《としふさ》は、一六四四年に下野足利郡に一万石を与えられたが、のちに老中となり、一六七四年に大野四万石。幕末の利忠《としただ》は、特産品の販路拡大などにつとめたことで知られる。利勝の五男の**土井利直**《としなお》も下総大輪一万石の大名になったが、養子届けの手続きにミスがあり旗本とされた。

（三浦）家光の時代に六人衆といわれた側近が、松平信綱、阿部《あべ》忠秋《ただあき》、堀田《ほった》正盛《まさもり》、太田《おおた》資宗《すけむね》、阿部重次《しげつぐ》、それに**三浦正次**《みうらまさつぐ》である。正次の母は、土井利勝の妹であるとされている。最初は土井を名乗っていたが、家光の命により三浦に復する。一六三〇年に一万石を与えられ、壬生、延岡、刈谷、西尾から一七六四年に美作勝山二万三千石で定着した。鎌倉時代以来の名族三浦氏の流れと称する。

このほか、家康の小姓に**三浦重成**《しげなり》があり、下総で一万石を与えられたが、二代重勝

水野・土井

- 忠政《ただまさ》
  - 信元《のぶもと》
    - 土井利勝《どいとしかつ》
      - 利隆《としたか》（古河）
      - 利長《としなが》（刈谷）
      - 利房《としふさ》（大野）
      - 利直《としなお》（旧大輪）
  - 忠守《ただもり》
    - 忠元《ただもと》（山形）
  - 伝通院《でんつういん》
    - 家康《いえやす》（徳川家）
    - 定勝《さだかつ》（久松家）
  - 忠分《ただちか》
    - 分長《わけなが》（旧安中）
    - 重仲《しげなか》（新宮）
  - 忠重《ただしげ》
    - 勝成《かつなり》（福山）
    - 忠清《ただきよ》
      - 忠職《ただもと》（沼津）
      - 忠増《ただます》（旧北条）

※土井利勝は水野信元の子といわれる。

で無嗣断絶。

（高木）河内国の丹南藩などといってもまったく無名で、近鉄電車の阿倍野線松原駅の近くに陣屋があったが、その跡も定かでないというほどだが、唯一、世で知られているのは、三笠宮妃殿下が、ここの殿さま一家の出身だということである。もともと水野信元に仕えていたが、一時は佐久間信盛のもとにあったこともあるらしい。信元が殺される原因となったのが、この信盛の讒言《ざんげん》だから、何があったのだろうか。のちに家康に属することとなり、相模鱶野《ふかの》で九千石。**高木正次**《たかぎまさつぐ》が大坂の陣の功で丹南一万石となった。

久松（多古・松山・桑名・今治）

伊予松山の殿さまとして知られる久松《ひさまつ》氏は、菅原道真《すがわらみちざね》の末と称し、尾張で斯波《しば》氏に仕えていた。家康の母伝通院が松平広忠から離縁されたあと、久松俊勝《としかつ》と再婚し、多くの子をなした。俊勝は、岡崎に戻った直後の時期に大いに家康に尽くしたが、水野信元を見殺しにしたことを不満として隠遁《いんとん》した。子孫は松平を名乗ったが、一部は明治になって久松に復姓した。

長男の**松平康元**《まつだいらやすもと》は関宿四万石を与えられ、その後、大垣を経て小諸五万石になったが、三代目に嗣子がなく一万石で那須、長島と移る。しかし五代目の忠充《ただみつ》が発狂し、家老たちを切腹させるなどして一六九九年に改易。三男の康俊《やすとし》は信康《のぶやす》らと交換に今川家に人質に出され、さらに武田氏に拘束され脱走したが、凍傷で足の指を失った。五代目にして**松平勝以**《かつゆき》が下総多古一万二千石を与えられた。

こうしたなかで実質本流となったのは、四男の松平定勝《さだかつ》の系統である。定勝は秀吉に養子に出されそうになったが、母の伝通院が強硬に反対して取りやめになった。順調に軍功をあげ、一六〇一年に掛川、伏見城代を経て、大坂の陣のあと桑名一一万石。子の定行《さだゆき》が一六三五年に松山に入って一五万石。俳句を盛んにしたのは五代目で四七年も藩主だった定直《さだなお》である。

定勝の六男**松平定綱**《さだつな》は、下総山川、下妻、掛川、淀、大垣を経て桑名一一万石。一七一〇年に越後高田。一七四一年に白河。九代目に田安家から定信《さだのぶ》が養子に入って、老中として活躍した。隠居して、定永の代になると、房総沿岸警備の出費による財政難に苦しみ、定信が政治力を駆使して実収の多い桑名への移封に成功した。忍や白河に移る藩にとっては迷惑このうえない話で、聖人君子らしくない利己的な行いであった。幕末には、高須藩から会津藩主松平容保の弟の定敬を養子に迎え、一時は、京都で「一会桑」と並び称されたが、戊辰戦争で大きな痛手をこうむった。

久松（松山・桑名）

俊勝《としかつ》 ＝ 伝通院《でんつういん》（家康の母）

小諸 康元《やすもと》

康俊《やすとし》（多古藩祖）

桑名 ① 定勝《さだかつ》 1590-1624

松山 ② 定行《さだゆき》 1624-1658

③ 定頼《さだより》 1658-1662

④ 定長《さだなが》 1662-1674

3 高田 定重《さだしげ》 1657-1712

4 定逵《さだみち》 1712-1718

5 定輝《さだてる》 1718-1725

6 定儀《さだのり》 1725-1727

7 白河 定賢《さだよし》 1727-1770

8 定邦《さだくに》 1770-1783

9 定信《さだのぶ》 1783-1812

10 桑名 定永《さだなが》 1812-1838

11 定和《さだかず》 1838-1841

12 猷《みち》 1841-1859

13 定敬《さだあき》 1859-1868

14 定教《さだのり》 1868-

桑名 1 定綱《さだつな》 1604-1652

2 定良《さだよし》 1652-1657

今治 定房《さだふさ》

定時《さだとき》

⑤ 定直《さだなお》 1674-1720

⑥ 定英《さだひで》 1720-1732

⑦ 定喬《さだたか》 1732-1763

⑧ 定功《さだなり》 1763-1765

6 定章《さだあきら》

⑨ 定静《さだきよ》 1765-17795

⑩ 定国《さだくに》 1779-1804

⑬ 定則《さだのり》 1804-1809

⑫ 定通《さだみち》 1809-1835

⑬ 勝善《かつよし》 1835-1856

⑭ 勝成《かつしげ》 1856-1867

⑮ 定昭《さだあき》 1867-1868

⑯ 勝成《かつしげ》 1868-

○ 松山

□ 桑名

定勝の五男の**松平定房《さだふさ》**は今治《いまばり》四万石を与えられた。定勝の六男**松平定政《さだまさ》**は、刈谷二万石の藩主だったが、家光死後の混乱期に、旗本などの困窮への対策を訴えて所領を返上した。

松平家のライバルだった三河の豪族たち

西尾（横須賀）・永井（櫛羅・加納・高槻）

（西尾）吉良上野介《きらこうずけのすけ》を生んだ吉良家の庶流に西尾《にしお》氏という大名家がある。足利義氏が三河国守護をつとめたあと、本家は北条泰時《ほうじょうやすとき》の娘を母とする泰氏《やすうじ》に嗣がれ、長男の長氏《ながうじ》は幡豆《はず》郡吉良荘に地頭として残った。これが吉良氏で、今川《いまがわ》氏はその分家である。吉良氏は三河に本拠を置きつつ、京都では足利幕府の要職を占めていたが、西条、東条の二系統に分かれ弱体化し、今川、松平、織田などと連携しながら生きのびていた。それでも松平家としては、伝統勢力とのパイプとして無視できない存在だった。ところが、嫡流の西条家は三河一向一揆の主将となって滅亡。東条家の持広の養子となっていた西条家の義安《よしやす》が、家康に宗家として認められ、孫で今川氏真《うじざね》の娘を母とする義弥《よしみつ》が高家《こうけ》として江戸幕府に仕えることになった。上野介義央《よしなか》はその孫である。

一方、持広の実子であった**西尾吉次**《よしつぐ》は、西尾姓を名乗り織田信長に仕えたが、本能寺の変の際にいち早く家康に情報を伝えるなど功績があったので、家康のもとに仕えることになり、一六〇二年に武蔵原市で一万二千石を得た。子の忠永《ただなが》が大坂の陣の功で土浦二万石。のちに駿河田中、小諸を経て、一六八二年に遠江横須賀に落ち着いた。さらに、忠尚《ただなお》が老中をつとめて三万五千石となった。

このほか、**西尾光教**《みつのり》が氏家卜全《うじいえぼくぜん》、秀吉に仕えて美濃曾根二万石を領し、関ヶ原の功で美濃揖斐《いび》三万石に昇進したが、二代で無嗣断絶となった。

（永井）平治の乱ののち、東国へ落ちようとする源義朝をだまし討ちにしたのが三河の長田《おさだ》忠致《ただむね》である。その一族の直勝は、はじめは信康に臣従し、ついで家康直々の家来となった。家康は、長田姓が源氏にとって不吉であることから、永井《ながい》に改姓させた。

永井直勝《なおかつ》の最大の功労は、長久手の戦いで池田恒興を討ち取ったことである。関ヶ原ののち、小幡、常陸を経て、下総古河七万二千石を得た。尚政《なおまさ》は秀忠の近臣で、山城淀一〇万石に栄進して、家光時代初期における畿内統治の中心になった。ところが、宮津に移ったあとの尚長《なおなが》が、増上寺の法事で鳥羽藩主内藤忠勝に斬り殺されて、いったん除封となった。しかし、弟の直円《なおみつ》に大和新庄一万石が与えられ、のちに櫛羅《くじら》に陣屋を移したものの幕末まで続いた。

尚征《なおゆき》の弟である**永井尚庸**《なおつね》は、京都所司代として二万石を分与されたが、烏山、赤穂、飯山、岩槻を経て、一七三九年に加納藩主となった。直勝次男の**永井直清**《なおきよ》は秀忠に仕えて、山城長岡藩から高槻三万六千石に昇進し、そのまま幕末まで続いた。旗本の永井玄番頭《げんばのかみ》家も一門で、幕末の若年寄で慶喜の側近だった永井尚志《なおむね》を出した。三島由紀夫の祖母の実家である。

戸田（松本・宇都宮・足利・高徳・大垣・畑村）

一五四七年、人質として駿府に送られることになった松平竹千代は、岡崎から風光《ふうこう》明媚《めいび》な蒲郡まで陸路をとり、そこから三河湾を横切って田原へ渡った。ここの領主は戸田《とだ》康光《やすみつ》だった。その娘である真貴姫《まきひめ》は、広忠の後添えとして竹千代の義母になっていたから、康光は義理の祖父の立場にあった。一行は康光が用意してくれた遠州灘を乗り切れる大船で駿河をめざしたが、船旅の経験がない岡崎衆を乗せた船は、なんと織田領の熱田に着いて、竹千代は織田信秀に永楽銭千貫文で売り渡されてしまった。

その孫で二連木城主だった重貞《しげさだ》は、今川義元の死後に家康につき、その甥の**戸田康長**《やすなが》は、家康の異父妹を妻として松平姓を名乗った。関東移封後に武蔵東方一万石、上野白井、下総古河、常陸笠間、上野高崎を経て、一六一七年に松本。明石、加納、淀、鳥羽を経て、一七二五年に再び松本で六万石となって落ち着いた。明治になって戸田姓に復した。

康光の甥の忠次は、三河一向一揆に加わったが、途中で家康側に寝返る。関ヶ原ののち、子の**戸田尊次**《たかつぐ》が、伊豆下田から父祖の地である田原一万石に移る。綱吉のころから吉宗にかけて、ともに老中をつとめた忠昌《ただまさ》・忠真《ただざね》父子は、まず忠昌が肥後富岡、常陸下館、大坂城代、武蔵岩槻、下総佐倉と移り七万千石となった。そして忠真が、越後高田から宇都宮に移った。さらに忠盈《ただみつ》が島原へ、そして京都所司代などを歴任した忠寛《ただとお》が宇都宮に再び入った。

分家が二つあり、第一は忠昌の弟で、将軍家宣が甲府藩主時代から仕えた**戸田忠利**《ただとし》が足利一万一千石。第二には、幕末になって山陵修理に功があった**戸田忠至**《ただゆき》が七千石と新田三千石を分与されて独立した高徳《たかとく》（曾我野）藩である。このために、宇都宮藩は七万石になった。

さらに、康長の娘婿で戸田を名乗ることになった大垣藩戸田家がある。**戸田一西**《かずあき》は

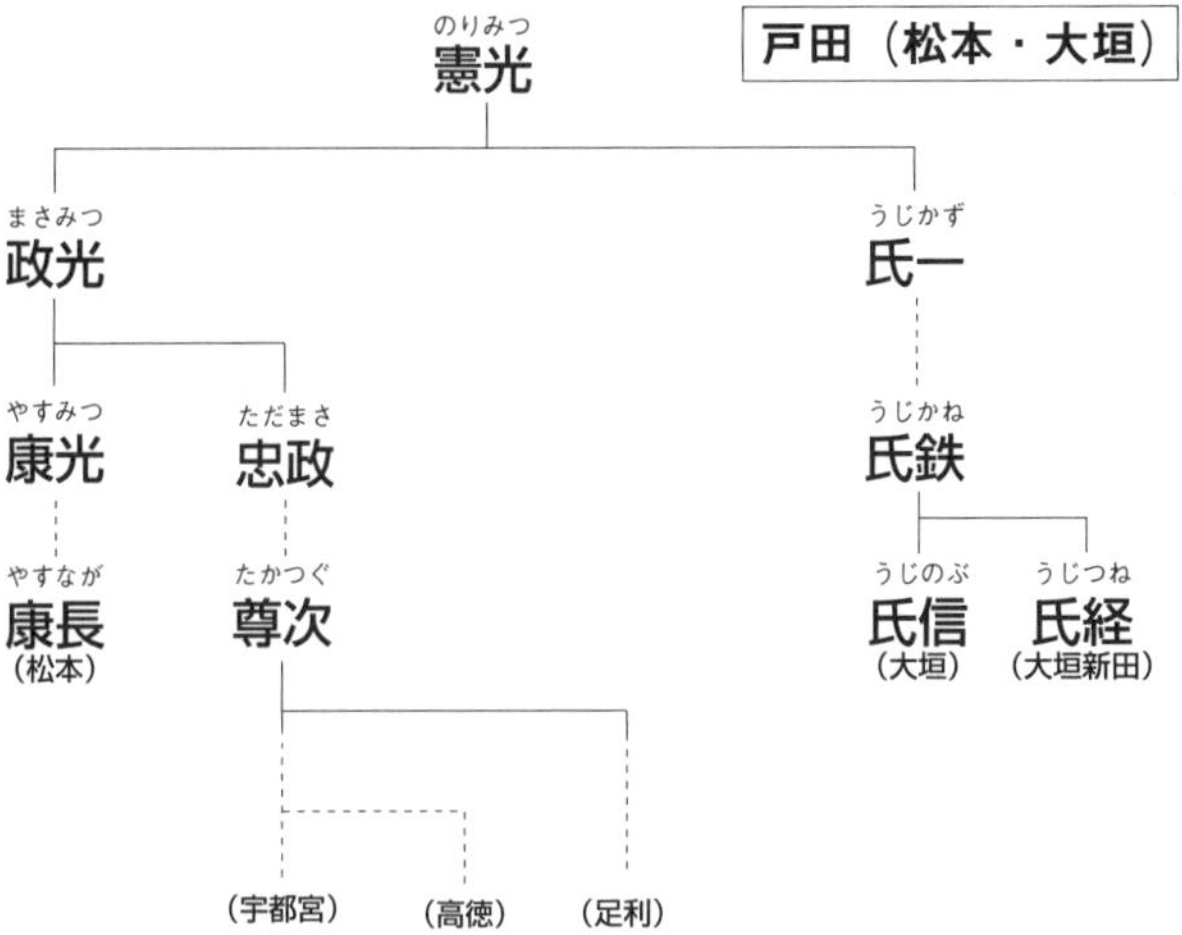

関ヶ原の戦いののちに、大津城に替えて膳所《ぜぜ》城を築いて三万石を与えられた。これは、関ヶ原後に徳川氏が築いた最初の城である。二代氏鉄《うじかね》は、摂津尼崎を経て大垣一〇万石を得た。島原の乱で活躍した。幕末の大垣藩は、名家老小原鉄心《おはらてっしん》のもとで軍備を整え、戊辰戦争でも最強部隊の一つとして活躍した。また、氏西《うじあき》の次男**戸田氏成《うじしげ》**が一六八八年に大垣新田藩一万石を創立。渥美半島の畑村に陣屋を置いた。

奥平（中津・忍・小幡）

長篠の戦いで勝利をもたらした主役が織田信長の鉄砲隊であることは間違いないが、武田の大軍を、籠城してしっかりと引きつけていた長篠城の頑張りも忘れてはなるまい。その城主こそ、福沢諭吉を生んだ豊前中津藩の祖である奥平信昌《おくだいらのぶまさ》である。

奥平氏が三河に至ったのは室町時代はじめのことで、村上源氏の末が上野国甘楽《かんら》（多野）郡奥平郷にあったのが、設楽《しだら》郡作手《つくで》に移住したとされている。戦国時代の貞《さだ》能《よし》・信昌《のぶまさ》父子は今川、武田、徳川の間を逡巡したあげく、武田信玄の死を察知し、徳川に寝返ることにした。このとき、信昌は妻と弟を人質にしていたが、これを見捨てたのである。

この決断に報いるために、家康は長女の亀姫を与えることにしたが、これに、兄の信康は猛反対した。可愛い妹の夫としては、いかにも信用できそうもなかったのは当然である。結局は、信康も同意したのだが、この争いが信康事件の引き金の一つになった。信昌はのちに上野小幡を経て、関ヶ原のあとには加納一〇万石を得た。しかし、嫡出の長女の婿にしてはもう一つの扱いで、信康の娘婿である小笠原秀政や本多忠政への扱いも含めて、家康の築山殿、信康、亀姫への愛情がどれほどのものかと疑問を持つ。亀姫は兄に似てかなり気性の激しい女性だったらしく、家康としても煙たかったのだろうか。

嫡男**奥平家昌**《いえまさ》は宇都宮で一〇万石。そして、その子の忠昌《ただまさ》は、いったん下総古河に転封されて本多正純が入ったが、吊天井事件の疑惑を受けて失脚し、奥平氏が復帰した。しかし昌能《まさよし》は、家臣が幕府の殉死禁止令に反して殉死したことから、山形九万石に左遷。昌章《まさあきら》が宇都宮に戻り、昌成《まさしげ》が宮津を経て、一七一七年に中津一〇万石で定着した。島津重豪《しげひで》の子である昌高《まさたか》が、一七八六年に藩主となる。最後の藩主である昌邁《まさゆき》は、伊達宗城《むねなり》の子である。

関ヶ原の直後には、すでに書いたように父子で加納と宇都宮に別々の領地を得たが、加納は三男の**菅沼忠政**《すがぬまただまさ》に六万石で引き継がれた。はじめは菅沼家の養子になり、のちに松平を名乗ったが、二代で無嗣断絶。

信昌三男の**松平忠明**《ただあきら》は、早くから家康の養子となり松平を名乗る。関ヶ原ののち、三河作手、伊勢亀山城主となり、大坂冬の陣のあとの堀埋立を指揮。豊臣方が滅びたあと、大坂城主として入り戦後処理にあたった。大和郡山を経て、一六三九年に姫路に一八万石で移る。子の忠弘《ただひろ》は山形、宇都宮、白河と移るが、内紛の責任をとらされて山形一〇万石に減封される。さらに備後福山を経て、一七一〇年に伊勢桑名に移る。その後、紀伊藩、与板藩から養子を迎えたが、忠堯《ただたか》の一八二一年に松平定信がお隠然たる影響力を駆使して、豊かでしかもかつて領地だったこともある桑名への転封を画策し、白河、桑名、忍の三角トレードを策し成功する。このために、桑名藩は

奥平（中津・忍）

信昌《のぶまさ》

- ① 家昌《いえまさ》 1581-1614
  - ② 忠昌《ただまさ》 1614-1668
    - ③ 昌能《まさよし》 1668-1672
    - ＝ ④ 昌章《まさあきら》（福江五島より） 1672-1695
      - ⑤ 昌成《まさしげ》 1695-1746
        - ⑥ 昌敦《まさあつ》 1746-1758
          - ⑦ 昌鹿《まさか》 1758-1780
            - ⑧ 昌男《まさお》 1780-1786
              - ⑨ 昌高《まさたか》（薩摩島津より） 1786-1825
                - ⑩ 昌暢《まさのぶ》 1825-1833
                  - ⑪ 昌服《まさもと》 1842-
                    - ⑫ 昌邁《まさゆき》 1868-
                - ⑪ 昌猷《まさみち》 1833-1842
- 忠政《ただまさ》（菅沼氏へ）
  - 2 忠弘《ただひろ》 1644-1692
    - 清照《きよてる》
      - 3 忠雅《ただまさ》 1692-1746
        - 4 忠刻《ただとき》 1746-1771
          - 5 忠啓《ただひら》 1771-1787
          - ＝ 6 忠功《ただかつ》（紀伊徳川より） 1787-1793
          - ＝ 7 忠和《ただとも》（紀伊徳川より） 1793-1802
          - ＝ 8 忠翼《ただすけ》（与板井伊より） 1802-1821
            - 9 忠尭《ただたか》 1821-1836
            - 10 忠彦《たださと》 1836-
            - 11 忠国《ただくに》 1841-1864
              - ＝ 12 忠誠《ただざね》（烏山大久保より） 1864-1869
              - ＝ 13 忠敬《ただのり》（米沢上杉より） 1869-
    - ＝ 忠尚《ただなお》（館林松平より）（小幡藩）
  - 清道《きよみち》
- 1 忠明《ただあきら》 1602-1644

○ 中津藩
□ 忍藩

実収の少ない忍に泣く泣く左遷された。

この忠明の流れから二つの藩が出ている。二代目の忠弘は館林藩主だった松平（大給）乗久《のりひさ》の子の**松平忠尚**《ただなお》を婿養子にしたが、のちに嗣子を外され桑折二万石で独立させられた。実家の甥である忠暁《ただあきら》に引き継ぎ、さらにその子の忠恒《ただつね》のとき、上野篠塚、上里見を経て、一七六七年に小幡に落ち着いた。代々、寺社奉行や奏者番などを歴任した。忠明の次男**松平清道**《きよみち》は、一六四四年に三万石で姫路新田藩を創設したが、一代で廃絶。

牧野（長岡・小諸・三根山・笠間・丹後田辺）・菅沼（旧吉井・旧丹波亀山）

（牧野）いなり寿司の本場といえば三河の豊川である。宝飯郡牧野村の土豪であった牧野《まきの》氏は、吉良や今川に属していたが、一五六五年ころ家康に従った。**牧野康成**《やすなり》は長篠の戦いなどで活躍し、関東移封に際しては、上野大胡《おおご》で二万石を得た。関ヶ原では、子の忠成《ただなり》が軍令違反で先駆けしたとして本多正信と対立して逐電する事件があり、加封が遅れたが、大坂の陣での功があり、越後長嶺を経て一六一八年に長岡藩主となる。加増があり、六年後に七万石となる。

歴代新田開発につとめたが、忠精《ただきよ》は松平定信に推されて老中をつとめたのを皮切りに、忠雅《ただまさ》が黒船来航時、西尾藩松平乗寛《のりひろ》を実父とする忠恭《ただゆき》が文久年間に、それぞれ老中をつとめた。忠恭の時代から、隠居後の忠訓《ただくに》のときに活躍したのが河井継之助だが、藩の負担が大きいといって、忠恭の要職就任にかたくなに反対した。戊辰戦争にあっては、武装中立の旗印の下に地方軍閥としての独立性を主張したが、外圧のもとで、少なくとも軍事的には統一国家を形成することが急務であるなかでは見当はずれな主張であり、無意味な戦いに終始した。しかもこの戦いの途中で、藩主親子は早々に会津に逃亡して、戦闘に参加しない無責任ぶりだった。

忠成の次男である**牧野康成**《やすなり》は、一六三四年に一万石を分与されて越後与板藩主となった。三代目康重《やすしげ》は、桂昌院の弟である本庄宗資《ほんじょうむねすけ》の実子で、そのおかげで一六八九年に小諸一万二千石に栄転した。幕末の康哉《やすとし》は笠間藩からの養子だが、種痘《しゅとう》の普及などを進めたことで知られる。

越後三根山藩は、忠成の子である定成《さだなり》の子孫**牧野忠泰**《ただひろ》が幕末の一八六三年に一万一千石で諸侯となった。

忠成の甥の**牧野成貞**《なりさだ》は、綱吉が藩主時代の館林藩家老となり、一六八〇年に綱吉の将軍就任とともに大名となった。側用人として活躍し、関宿七万三千石を得た。吉田、延岡を経て、京都所司代などをつとめた貞通《さだみち》のときに笠間に移り八万石。その子の貞長《さだなが》は天明年間に老中をつとめた。

丹後田辺藩の牧野氏は、これらと別系統で、三河で今川氏真《うじざね》のもとにあったが、家康に仕え、一六三三年に**牧野信成**《のぶしげ》が武蔵石戸《いしど》藩主となり、その子の親成《ちかしげ》が京都所司代などをつとめて、一六六八年に田辺三万五千石となった。

（菅沼）三河東部の山間にある設楽郡あたりで奥平氏などとともに勢力を張っていた菅沼《すがぬま》氏は、いくつかの流れに分かれ、今川、武田、徳川の間でさまざまな動きをしたが、徳川方についた何家かが生き残った。田峯菅沼家の**菅沼定利**《さだとし》は、上野吉井二万石を得た。のちに、奥平信昌の三男忠政《ただまさ》を養子に迎えたが、松平姓を名乗り、その子の忠隆《ただたか》の代で断絶した（奥平家参照）。

野田菅沼家の菅沼定盈《さだみつ》は、武田信玄がその居城を攻撃中に病に倒れたことで知られる。城内からの笛の音に聞き惚れているところを狙撃されたという伝説を生んだ。関東移封後、**菅沼定仍**《さだより》は阿保《あぼ》城一万石となり、関ヶ原のあとは伊勢長島二万石。定芳《さだよし》のときに膳所、ついで丹波亀山に移るが、子の定昭《さだあきら》で無嗣断絶。旗本として残る。

井伊家をはじめ旧今川家家臣団も合流

井伊（彦根・与板）

彦根藩の井伊家は、秀吉から羽柴姓を与えられるのも、家康から松平姓を名乗らせられるのも断った。遠江の豪族で浜松の北のほうにある井伊谷の出身であり、井伊家は三河出身ではないのだ。藤原冬嗣《ふゆつぐ》の子孫と名乗る誇り高き名門で、南北朝時代に南朝方で活躍したあと今川氏に仕え、井伊直盛《なおもり》は桶狭間の戦いで今川義元とともに討死にしている。ところが、その従兄弟《いとこ》直親《なおちか》は、今川氏真《うじざね》によって暗殺されてしまった。

幼児だった**井伊直政**《なおまさ》は、禅寺に難を逃れたが、一五歳のときに家康に見出された。家康はこの少年を気に入って、トントン拍子の出世をすることになる。この井伊直政が本多忠勝、榊原康政、酒井忠次など松平家代々の重臣たちと肩を並べ、徳川四天王などと称されるようになり、あるいはそのなかでも一頭地を抜く存在になったのは、豊臣秀吉との出会いによるところが大きい。小牧長久手の戦いのあと、家康が大坂に向かったのと入れ替わりに人質同様に大政所が岡崎に滞在したとき、母に接するように温かく面倒を見たのが直政で、大政所は帰坂するときに、直政が随行して送り届けてくれることを望んだ。秀吉も、何より大事な大政所から直政のことを聞き感謝して、後陽成《ごようぜい》天皇が聚楽第《じゅらくだい》に行幸《ぎょうこう》したとき、諸侯と並んで従四位の官位を与えている。

この秀吉とのパイプのおかげもあって、直政は家康が関東に移されたとき、上野箕《みの》輪《わ》城（のちに高崎）一二万石の城主となって、一〇万石の本多忠勝や榊原康政より格上の扱いを受け、直政の娘は家康の四男忠吉に正室として嫁いだ。家臣に今川や武田の旧臣が多いのは、誇り高い彼らを御《ぎょ》すには、名門出身の直政でなければということだったのだろう。とくに、赤い甲冑《かっちゅう》で固めた武田伝来の「赤備え」軍団は、井伊軍団のシンボルとなった。

関ヶ原の戦いで直政は、忠吉とともに奮戦し、戦後、家康は佐和山で一八万石を与えた。

しかし、二代目の直継《なおつぐ》は病弱であったので、弟で安中藩主だった直孝《なおたか》が大坂冬の陣にも代理出陣し、家康の命で藩主交替となった。一説には、直継が酩酊《めいてい》して、正室の鳥居元忠《とりいもとただ》の娘を傷つけたのが原因ともいわれる。夏の陣では、直孝軍が木村重成《きむらしげなり》を討ち取り、淀君・秀頼母子の最終処分も担当した。直孝は、戦場での実戦で手柄をあげた武将として、最後の世代を代表する存在であり、彼より少し若い初代御三家も抑えられる存在として重宝され、初代の大老的存在となった。鄭成功にそそのかされて大陸派兵を主張した紀伊頼宣を思いとどまらせたのは直孝であり、足利幕府の基礎を築いた細川頼之に匹敵する存在とまでいわれた。直孝の功績で三五万石にまで加増された。

井伊家は、直孝、直興《なおおき》、直幸《なおひで》、直亮《なおあき》、直弼《なおすけ》と何人もの大老を出したが、普通に「井伊大老」といえば、幕末の井伊直弼である。黒船来航時の老中首座阿部正弘や水戸斉昭の雄藩連合路線に対抗して、幕府による中央集権の強化をめざし、紀伊慶福（家茂）の将軍就任、日米修好通商条約の無断調印、安政の大獄を断行したが、水戸浪士などに暗殺された。

あとを嗣いだ直憲《なおのり》は、責任をとらされて一〇万石の減封などの処分を受けたこともあり、勤王路線への転換を図り、王政復古から戊辰戦争にかけて、官軍の先頭に立つ活躍をして、大久保利通や岩倉具視に「世の中わからないもの」と感激された。近藤勇の正体を見破り、逮捕させたのも彦根藩士渡辺九郎左右衛門である。

なお、彦根新田藩は彦根藩主直興の一四男**井伊直定《なおさだ》**が一七一四年に創立したが、宗藩を嗣ぐことになったので一七三二年に廃された。

藩祖**井伊直継《なおつぐ》**（**直勝《なおかつ》**）は彦根藩祖井伊直政の嫡男で、宗家の二代目藩主となったが、病弱だったことから、弟の直孝に交替させられた。ただし、直継にも安中で三万

井伊（彦根）

- ① 直政《なおまさ》 1600-1602
  - ② 直継《なおつぐ》（直勝《なおかつ》） 1602-1615
  - ③ 直孝《なおたか》 1615-1659
    - 直滋《なおしげ》
    - ④ 直澄《なおずみ》 1659-1676
    - 直時《なおとき》
      - 直興《なおおき》 ⑤ 1676-1701 ⑧ 1710-1714（直該《なおもり》）
        - ⑥ 直通《なおみち》 1701-1710
        - ⑦ 直恒《なおつね》 1710-1710
        - ⑨ 直惟《なおのぶ》 1714-1735
          - ⑪ 直禔《なおよし》 1754-1754
        - 直定《なおさだ》 ⑩ 1735-1754 ⑫ 1754-1755
          - ⑬ 直幸《なおひで》 1755-1789
            - ⑭ 直中《なおなか》 1789-1812
              - ⑮ 直亮《なおあき》 1812-1850
              - ⑯ 直弼《なおすけ》 1850-1860
                - ⑰ 直憲《なおのり》 1860-

石が与えられた。五代目直朝《なおとも》は、神経を病み廃されたが、彦根藩から直矩《なおのり》が養子に入って、かつて直江《なおえ》兼続《かねつぐ》の城下町であった与板への減封転封で、かろうじて存続した。最後の藩主直安《なおやす》も、井伊直弼の実子である。

岡部（岸和田）・安倍（岡部）・伊丹（旧徳見）

（岡部）穴山梅雪《あなやまばいせつ》が本能寺の変ののちの混乱のなかで死んだあと、家康はその領地を獲得するために、駿河の土豪で、今川、武田、徳川とめまぐるしく主人を変えていた岡部《おかべ》正綱《まさつな》を使った。工藤為憲が駿河に下って子孫を残したなかに、志太郡岡部郷に住みついた者がいて、その子孫と称していた。その彼が、巨摩郡あたりの甲州武士たちのもとをめぐって根回しをしたのである。こうして巨摩郡、そして信長から封じられていた川尻秀隆《かわじりひでたか》が殺されたあとの甲斐の国全体は、家康のものになった。正綱の子の**岡部長盛**《ながもり》は、関東移封後に下総山崎で一万二千石を獲得し、一六〇九年には丹波亀山、福知山を経て大垣五万石となった。のちに竜野、高槻のあと岸和田で六万石となり、幕末まで続いた。ただし四代目の行隆《ゆきたか》のときに弟たちに分封したので、五万三千石となった。

（安倍）今川氏真は武田信玄の圧迫を受けたとき、駿府を捨てて掛川に移った。そのあと駿府の城を守ったのが、岡部正綱と安倍元真《あべもとざね》である。やがて持ちこたえられず安倍郡の本領に下り、さらに遠江に退去して家康に仕えて、武田軍と戦いをつづけた。孫の**安倍信盛**《のぶもり》が大坂定番に就任したときに、武蔵岡部一万九千石となる。その子の信《のぶ》之《ゆき》のとき二万二千石に。一八六八年、戊辰戦争の騒乱を避けて、三河半原に藩庁を移転した。信濃諏訪氏の一族を称していた。

（伊丹）摂津の名族に伊丹氏があるが、その一族だったかもしれない。康直は、今川、武田両家に水軍を統率して仕え、また徳川家に仕え、「御船奉行」となった。**伊丹康勝**《やすかつ》は、財政担当者として頭角を現し、一六三三年に甲斐徳見一万二千石の大名となった。一六九八年に四代目の勝守が発狂して自殺し断絶した。

柳生（柳生）・内田（小見川）・近藤（旧井伊谷）・加々爪（旧高塚）・森川（旧生見）

（柳生）**柳生宗矩**《やぎゆうむねのり》が死んだとき、将軍家光は従四位を奏上した。数十万石の大名並みの位階である。まことに異例中の異例であった。柳生家は菅原道真の末といわれ、藤原頼通が春日大社に寄進した柳生の荘園の管理を任された。松永久秀に属したが、豊臣秀長に所領を奪われた。宗矩は家康に仕え、とくに家光に気に入られた。沢庵和尚とも親交が深く、家光にも剣の極意は禅にありとして感銘を与え、家光の精神面の向上に貢献したといわれる。一六三六年に一万石を与えられ、子の十兵衛のとき、兄弟への分与で旗本になったが、三代目の宗冬《むねふゆ》が一万石に復帰した。大名でありながら剣術師範の道場を経営するというユニークな殿さまであった。

（内田）三代将軍家光が死んだときに殉死したなかに、下野鹿沼藩一万五千石の内田《うちだ》正信《まさのぶ》があった。今川旧臣で勝間田を名乗っていたが、小笠郡内田郷に移って内田氏と改姓した。正世《まさよ》が家康に仕え、子の正信が小姓として異例の出世をし、一六四九年に大名となった。三代目の正偏《まさゆき》が乱心して妻を傷害し、下総小見川一万石となった。

（近藤）小田原の陣で城内に攻め入り功をあげた近藤秀用《こんどうひでもち》は、一六一四年に大名となり、一六一九年には遠江井伊谷に移ったが、まもなく封を分割して旗本に戻った。

（加々爪）町奴《まちやっこ》幡随院長兵衛《ばんずいいんちょうべえ》とライバル関係だった旗本奴が加々爪直澄《かがづめなおずみ》である。上杉氏の流れだが、遠江山名郡にあって今川氏に仕えた。家康に属した政豊《まさとよ》は、惜しくも伏見大地震で圧死したが、孫の加々爪直澄が寺社奉行となり、一六四一年に遠江高塚で一万石を領した。子の直清《なおきよ》が天領との境界争いの不手際で、一六八一年に除封された。

（森川）秀忠の同母弟で尾張清洲城主だった松平忠吉が死んだとき、その寵臣《ちょうしん》だった森川若狭《もりかわわかさ》は殉死することを嫌って、上方をめざして逐電した。これを恥と考えた森川

重俊《しげとし》は、箱根まで追ったが捕まえられず、ついに諦めたという。若狭は町人となり笹屋宗介と名乗って長生きしたというのだが、江戸初期というのはそういう時代なのだった。森川氏はもともと近江源氏の末で、今川氏に属していたというが、氏俊《うじとし》が家康に仕え、その子の重俊が秀忠の近臣だった。大久保忠隣《おおくぼただちか》の事件に連座して失脚したが、一六二七年に下総生実《おゆみ》一万石の領主となり、老中にもなった。その子孫も多くが幕閣で重要ポストについた。

元祖玉の輿・綱吉の母の実家も大名に

堀田（宮川・佐倉・佐野）・間部（鯖江）・坂本

（堀田）春日の局の縁者ということで出世したのは、実子の稲葉家だけではない。堀《ほっ》田《た》正吉《まさよし》の妻は、春日局の夫だった稲葉正成と先妻の娘だった。武内宿禰《たけのうちのすくね》の末と称して、尾張の津島にあり、稲葉正成とともに小早川秀秋の家中にあったが、家光側近として登用された。子の**堀田正盛**《まさもり》は老中をつとめ、一六三五年に川越藩主、松本を経て一六四二年には佐倉一一万石となった。しかし、あまりの出世に正吉は子の足手まといになるのではと心配し、自害した。また、正盛は家光に殉死した。

正盛の長男である正信《まさのぶ》は、伊豆守信綱と対立し、旗本御家人の窮状をしたためた意見書を提出、無断で佐倉に帰国して除封され、阿波で家綱に殉死した。ただし、子の正休《まさやす》に上野矢田、ついで近江宮川で一万石が与えられた。最後の藩主正養《まさやす》は亀田藩岩城家からの養子だが、明治になって西園寺《さいおんじ》内閣の逓信《ていしん》大臣をつとめた。

この正信の系統に替わって堀田家の主流となったのが、正盛の三男**堀田正俊**《まさとし》の流れである。正俊は春日局の養子となって家綱に仕えて老中となり、京都から宮将軍を迎えようとする酒井忠清に対抗して、綱吉を後継将軍に据えるという家綱の遺言を引き出した。この功で並ぶ者なき実力者となったが、親戚の稲葉正休に殿中で刺殺された。古河一三万石だったが、正仲《まさなか》のとき山形、福島、正虎《まさとら》が山形と移され、老中をつとめた正亮《まさすけ》の一七四六年に佐倉一〇万石、のちに一万石を加増されて一一万石となった。幕末の正睦《まさよし》は、阿部正弘政権を継いで条約交渉にあたったが勅許《ちょっきょ》を得られずに蟄居させられた。

正俊の三男**堀田正高**《まさたか》は、一万石を分与されて佐野藩主となり、のちに近江堅田に移る。一七八七年に藩主となった正敦《まさあつ》は仙台藩伊達家からの養子だが、若年寄となり『寛政重修諸家譜』の編集責任者をつとめた。一八一二年に佐野一万六千石に戻っ

堀田（佐倉）

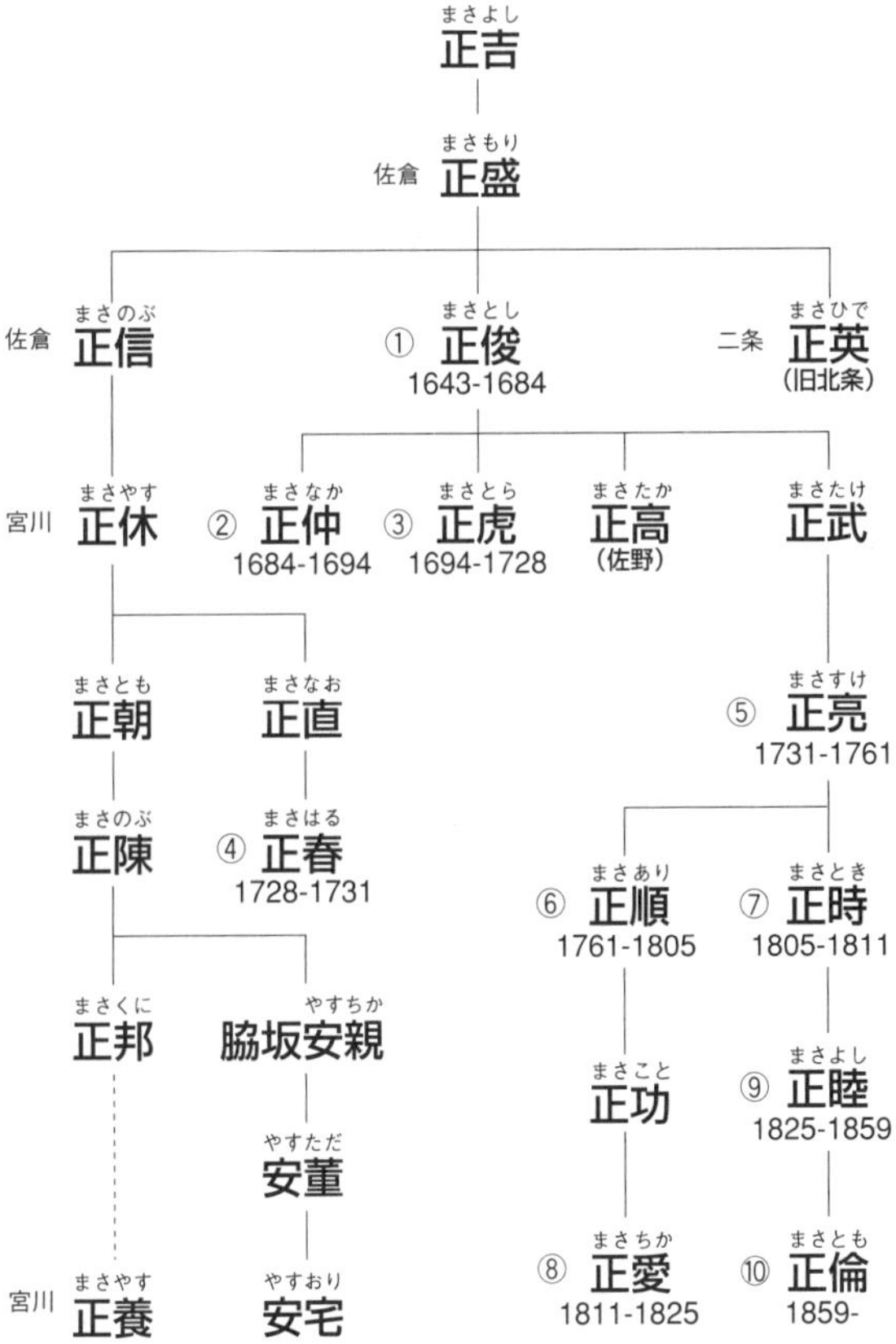

正吉《まさよし》
佐倉 正盛《まさもり》
佐倉 正信《まさのぶ》
① 正俊《まさとし》 1643-1684
二条 正英《まさひで》 （旧北条）
宮川 正休《まさやす》
② 正仲《まさなか》 1684-1694
③ 正虎《まさとら》 1694-1728
正高《まさたか》 （佐野）
正武《まさたけ》
正朝《まさとも》
正直《まさなお》
⑤ 正亮《まさすけ》 1731-1761
正陳《まさのぶ》
④ 正春《まさはる》 1728-1731
⑥ 正順《まさあり》 1761-1805
⑦ 正時《まさとき》 1805-1811
正邦《まさくに》
脇坂安親《やすちか》
正功《まさこと》
⑨ 正睦《まさよし》 1825-1859
安董《やすただ》
宮川 正養《まさやす》
安宅《やすおり》
⑧ 正愛《まさちか》 1811-1825
⑩ 正倫《まさとも》 1859-

た。

このほか正盛の四男の**堀田正英**《まさひで》が、一六八一年に常陸北条一万三千石で一代限りの旗本となり、正俊の次男の**堀田正虎**が下野大宮二万石を得たが、宗家を嗣いだので廃藩となった。

(間部) 六代将軍家宣の近臣で側用人をつとめた**間部詮房**《まなべあきふさ》の先祖に塩川信氏《のぶうじ》があって、松平清康に仕えていたという。その子の詮光《あきみつ》は、母方の姓の真鍋を名乗り家康に仕えたが、本能寺の変の際に京都にあって、二条城で織田信忠とともに討ち死にした。その曾孫の清貞《きよさだ》が、西田を名乗って甲府藩に中楽師《さるがくし》として仕えた。その子が詮房である。苗字も復姓したが、鍋の字を嫌ったとか、家宣の意向ともいわれるが、間部という字とした。家宣が西の丸にあった一七〇六年に一万石を与えられ、家宣の将軍就任後には老中格側用人となり、一七一〇年には高崎五万石となった。一七一六年の吉宗将軍就任で解任されて、翌年には村上に移封された。さらに、弟の詮言《あきとき》が鯖江《さばえ》に移った。

幕末の詮勝《あきかつ》は、水野忠邦のもとと井伊大老のもとで老中をつとめ、とくに京都に出張して安政の大獄の指揮にあたったことで知られるが、安政の大獄などの責任をとらされて四万石に。なお、真鍋氏は和泉の住人であったという。

（坂本）家綱・綱吉両将軍に仕えて寺社奉行をつとめた**坂本重治**《さかもとしげはる》は、一六八二年に一万石となったが、一六八九年に勤務不良で旗本に戻された。

増山（長島）・本庄（高富・宮津）・鷹司松平（吉井）・西郷（旧下野上田）・竹腰（今尾）

（増山）「蛍大名」という言葉がある。女性のおかげで殿さまになれた家柄を指すのだが、江戸中期以降では本庄家と増山家がその代表である。ただし、のちになるとせいぜい旗本として加増されるくらいになって、大名にはなれなくなった。

家綱の母であるお楽《らく》は、美貌に目をつけた春日局の引きで側室となった。父親は青《あお》木利長《きとしなが》というが、いまひとつ由来がはっきりしない。お楽の方の弟である正利《まさとし》が母方の増山《ましやま》家を名乗っているところを見ると、何か不都合があったのかもしれない。**増山正利**は一六四七年に相模国高座郡一万石で大名となり、一六五九年に西尾で二万石。甥の正弥《まさみつ》が二代目となり長島に移った。正利の弟の資弥《すけみつ》は、名門那須家の養子となっていたが、正弥はその子である。

（本庄）京都堀川の八百屋の娘であった「お玉《たま》」（桂昌院《けいしょういん》）が将軍綱吉の母となり、従一位まで上ったのであるから、羨望《せんぼう》の的でありつづけたことはいうまでもない。

「玉の輿」の語源という説もあり、京都では「玉の輿」行列などというお祭りもあるが、「生類憐みの令」を綱吉につくらせた張本人などという悪評もたいへんなものである。ただし、各地、とくに関西の寺社仏閣への寄進は相当なもので、奈良の大仏から紅葉の名所として知られる洛西善峯寺《よしみねでら》など、多くの建築が彼女のおかげで再建されており、豊臣秀頼と並んで現在の京都や奈良の景観を創り出した大恩人である。

その桂昌院の母は、再婚して二条家に仕える本庄宗正《ほんじょうむねまさ》に再婚した。そこの先妻の子だった本庄道芳《みちか》と、桂昌院の母が生んだ本庄宗資《むねすけ》が、それぞれ大名家の藩祖となるのである。道芳は館林藩時代の綱吉の家老をつとめたが、孫の**本庄道章**《みちあきら》が一七〇九年、美濃高富藩一万石の藩主となった。

本庄宗資は一六九二年に常陸笠間で四万石、のちに一万石を加増された。さらに子の資俊《すけとし》は浜松七万石、しかも松平姓を与えられた。資訓《すけのり》のとき、いったん吉田に移ったが浜松に復帰。資昌《すけまさ》の一七五八年に宮津に入った。幕末の藩主であった宗秀《むねひで》は、老中をつとめたが、第二次征長に際して独断で休戦を進めて免職された。

（鷹司松平）蛍大名というには高貴にすぎるが、家光正室本理院の弟である鷹司信平《たかつかさのぶひら》は、幕臣として東下し、徳川頼宣の娘婿となった。その孫の**松平信清**《のぶきよ》は大名となって、吉井一万石として幕末まで続いた。

（西郷）家康の側室で秀忠の母西郷局《さいごうのつぼね》の甥である**西郷正員《まさかず》**は、一六二〇年に安房東条一万石で諸侯となった。三代目の寿員《ひさかず》は、下野上田に移り綱吉の近臣だったが、勤務態度不良を理由に旗本に落とされた。

（竹腰）尾張義直の母の実家は、石清水八幡宮の社人であった清水家だが、はじめは近江源氏の流れをくみ、美濃にあった竹腰正時《たけのこしまさとき》と結婚して正信《まさのぶ》を生んだ。**竹腰正信**は異父弟である義直の家老となり、美濃今尾で三万石を領した。

加納（上総一宮）・大岡（大平・岩槻）・田沼（相良）

（加納）大河ドラマ「八代将軍吉宗」で小林稔侍《こばやしねんじ》が演じた吉宗のお守り役**加納久通《かのうひさみち》**はなかなかの存在感だったが、もともとは、松平一族（泰親の子久親の子孫）である。家康に仕えるとき、松平の姓では恐縮だというので居所の加茂郡加納村（豊田市）によって加納氏と名乗る。紀伊藩士となったが、吉宗の将軍就任とともに栄進し、御用取次、若年寄となり、一七二六年に伊勢東阿倉川《ひがしあぐらがわ》一万石の大名となった。三代目の久周《ひさのり》は大岡忠光《おおおかただみつ》の次男。五代目の久儔《ひさとも》のときに上総一宮一万三千石に移封された。

（大岡）「大岡裁き」という普通名詞を生んだ大岡家は、江戸時代も中期になって二人の有名人を出して、二つの藩を創り出した。

三河国八名郡宇利郷から出て、鎌倉時代の九条教実《のりざね》の子孫と称し、清康のころから松平氏に従った。家康に仕えた忠政以来、旗本であったが、**大岡忠相**《ただすけ》が山田奉行として気骨があるのを紀州公時代から知っていた吉宗が江戸町奉行に抜擢し、さらに寺社奉行とした。一七四八年に三河西大平藩一万石を創設したが、同じく領地があり、菩提寺もある茅ヶ崎のほうが観光にも熱心である。

同じく忠政の子孫の旗本に**大岡忠光**《ただみつ》があり、九代将軍家重の小姓となった。言語不明瞭な家重の言葉を理解できるただ一人の人物として重用され、岩槻で二万石を得た。四男の久周《ひさのり》は伊勢東阿倉川藩加納家へ養子に出たが、その子である忠固《ただかた》が再び大岡家を嗣ぎ、江戸城本丸再建工事の功で三千石の加増を受けた。

（田沼）一七八四年三月二十四日、江戸城中で旗本の佐野政言《さのまさこと》が若年寄田沼意知《たぬまおきとも》を捕まえて「覚えがあろう」と叫びながら刺し殺した。三十六歳だった。これを庶民たちは歓迎し、佐野を「世直し大明神」と呼んだ。**田沼意次**《おきつぐ》の政治に対する不満によるものだが、政言がこの事件を起こした動機は、田沼が佐野家を祖先として位置づけようとして、系図を借りて返さなかったことにある。

田沼家は紀伊藩士だったが、吉宗とともに幕府直参となり、意次が、家重の小姓から家治の時代の最高権力者となった。商業や産業、貿易を振興しようという改革の方向は正しかったのだが、浅間山の噴火に原因を発する天明の飢饉《ききん》という不運があった。また、いわれるほどでないとしても、賄賂政治も大きな原因であるが、この背景には、天下泰平で新たに登用しても禄高をあまり上げられないということも背景にあった。このために、フリンジベネフィット（役得）が求められるようになったのである。また田沼が、将軍にできるだけ政治に関心を持たせないようにしたのもまずかった。その点、柳沢吉保《やなぎさわよしやす》は、綱吉のわがままをそこそこ聞きつつ泳がして、自分の権威を将軍の陰に隠したので長持ちしたのであって、一枚上だったのである。

意次は一七五八年に遠江相良で一万石を与えられたのを皮切りに、加封を重ねて五万七千石になったが、晩年は一万石に減らされて、孫の意明《おきあき》は陸奥下村に移され、相良の城は徹底的に破壊された。しかし、意正《おきまさ》のときに再び相良に戻された。幕末の意《おき》尊《たか》は、水戸天狗党を鎮圧し、三五三人を処刑したことで知られる。

中部の藩

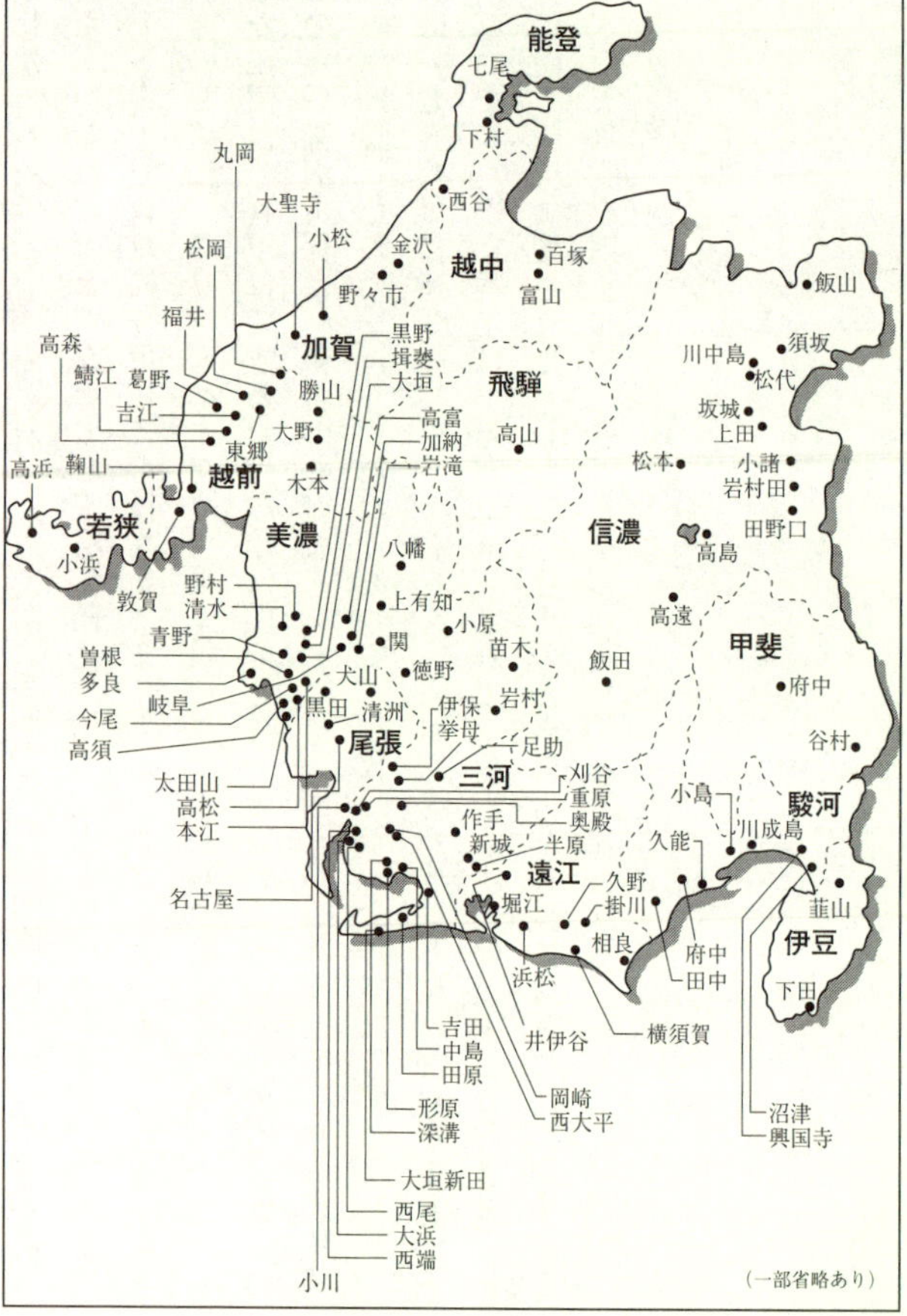

能登
七尾
下村
西谷
丸岡
大聖寺
小松
金沢
越中
百塚
富山
飯山
松岡
野々市
福井
加賀
黒野
揖斐
大垣
須坂
川中島
松代
高森
鯖江
葛野
勝山
飛驒
吉江
大野
高富
加納
岩滝
坂城
上田
高山
東郷
高浜
鞠山
越前
木本
松本
小諸
岩村田
若狭
美濃
信濃
田野口
小浜
高島
八幡
敦賀
野村
清水
上有知
高遠
小原
青野
関
苗木
甲斐
曽根
多良
犬山
徳野
飯田
府中
岐阜
黒田
清洲
伊保
挙母
岩村
今尾
高須
尾張
足助
谷村
三河
刈谷
重原
奥殿
小島
駿河
太田山
高松
本江
作手
新城
半原
久能
川成島
遠江
久野
掛川
堀江
名古屋
浜松
相良
府中
田中
韮山
伊豆
下田
吉田
中島
田原
井伊谷
横須賀
岡崎
西大平
沼津
興国寺
形原
深溝
大垣新田
西尾
大浜
西端
小川

（一部省略あり）

第六章　関東武士の残党たち

——武田武士や今川旧臣も積極活用

小笠原流の博物館が小倉にある理由

武田（旧水戸）・土屋（土浦）・米倉（金沢）・藤田（旧西方）

（武田）甲斐源氏の武田《たけだ》氏は、佐竹氏らと同じく新羅三郎義光の子孫である。武田信《のぶ》義《よし》は、富士川の戦いで大功があり、駿河国守護に任ぜられた。梶原景時《かじわらかげとき》によって信義の子有義《ありよし》が将軍候補に擬《ぎ》せられるなど、源氏の一族でも相当に有力な一族であった。戦国期の武田家は、一五八二年に天目山《てんもくざん》で滅んだが、武田一族で信玄の姉の子であり娘婿でもあった穴山梅雪は、武田滅亡を前に家康に下り、甲斐の南部郡と駿河の一部を安堵された。だが、御礼のために家康とともに安土を訪れた帰路、宇治田原で夜盗に襲われ落命した。子の勝千代が跡を嗣いだが早世したので、武田旧臣秋山虎泰《とらやす》の娘於都摩《おこま》を母とする家康の五男**武田信吉**《のぶよし》が名跡を嗣いだ。母親の死後は、信玄の娘である見性院によって育てられて、一五九〇年に下総小金三万石、佐倉一五万石から一六〇二年に水戸二五万石を与えられたが、一五歳で世を去った。

（土屋）天目山で勝頼とともに死んだ一人に土屋昌恒《つちやまさつね》があった。その遺児の**土屋忠直**《ただなお》は、武田旧臣の娘である家康の側室阿茶局の養子となり、一六〇二年に上総久留里で二万石を得た。久留里藩は、三代目の直樹《なおき》が狂気により除封されて絶えたが、忠直次男の**土屋数直**《かずなお》が家光の側近として老中に昇進し、土浦で四万五千石の大名になった。その子の政直《まさなお》も老中をつとめ、田中へ転封となったが、再度、土浦に九万五千石で戻った。幕末になって、水戸藩から二度にわたって養子をもらった。源平時代に桓武平氏の流れをくむ中村宗遠《なかむらむねとお》が相模国余綾《よろぎ》郡土屋にあって、土屋を名乗ったのが始まり。

（米倉）長篠の戦いで討ち死にした米倉重継《よねくらしげつぐ》の子の忠継《ただつぐ》は、家康に仕え、その子孫である**米倉昌尹**《まさただ》が、一六九六年に若年寄となって下野皆川藩を立藩した。のちに同じ武田旧臣である柳沢吉保の子の忠仰《ただすけ》を養子とし、一七二二年、横浜市内の金沢一万二千石に移された。甲斐国八代郡米倉出身で、武田氏の庶流に属する。

（藤田）もともと武田氏のもとで上州沼田城代だった**藤田**《ふじた》**信吉**《のぶよし》は、上杉景勝に属して佐渡制圧などに活躍した。関ヶ原では徳川方との仲介を試みたが失敗。下野西方で一万五千石を得たが、大坂の陣での失態で改易された。

保科（会津・飯野）

会津藩を保科として扱うか、松平とするか難しいところだが、あえて保科《ほしな》家に分類した。というのは、会津藩の気質がいかにも信濃人らしいからである。会津藩の家臣には、会津の葦名《あしな》家旧臣などもいたが、その中核は信州以来の重臣である。会津独特のストイックな精神構造は、まさに信州人、あるいは武田武士そのものであろう。保科家は新羅三郎義光の叔父にあたる源頼季《よりすえ》から出て、信濃国高井郡保科（長野市）にあった。一五世紀になって伊那谷に移り、やがて武田氏に属し高遠城主となった。武田氏滅亡後に家康に仕え、真田氏などと戦う。関ヶ原の戦いののちに**保科正光**《まさみつ》は、多古一万石から高遠二万五千石に栄進した。この正光が、武田信玄の娘である見性院から、秀忠の隠し子である正之《まさゆき》を預かった。

正之は山形二〇万石から、一六四三年には会津に移り二八万石となった。正之については、一部では名君で真の改革者と称揚されている。たしかに有能で清廉そうな人物ではあるのだが、あまりの誉めすぎも実像と離れすぎると思うので、ここでは思いきり辛口の批評をしておこう。

まず一般論としていえば、殿さまとしてそこそこ善政をしたのは事実だが、類例のない加増を受けての余裕のある懐《ふところ》具合で、しかも、他領の与力まで強引に活用してのものである。また、幕閣で文治主義を推進して成果をあげたというが、時代の流れがそうだったのであり、一人の功績に帰すべきものではないだろう。

身分制度の固定と差別の厳格化、女性蔑視の極限化、朱子学以外の学問の排斥、人気取りのための福祉政策や公共事業などによる放漫財政なども、正之の政策の特徴であるし、農民対策も「生かさぬよう殺さぬよう」という思想の具体化の域を出ない。米沢藩の取り潰しを回避したのも美談とされるが、親戚なので法を曲げてゴリ押しをしたのであって誉められた話ではない（上杉家参照）。山形に移封されたときには、前任で減封された鳥居家の家臣を多く抱えるようにという家光の要請を、藩内の統制が取りにくくなるとして断っており、浪人増加による社会不安解消を一般論としてはいっても、実践行動はともなっていないのである。

こうしてみれば、功罪相半ばするユニークな人物ではあるが、比類なき名君とか大人格者というような人物には思えないのである。

時代は下って、幕末の会津藩は、会津武士の名声を理由に京都守護を命じられた。容保《かたもり》は、孝明天皇の意向がやや極論であってもそれを忠実に実行しようとし、これが、討幕派だけでなく将軍家茂周辺とも激しい摩擦を呼んだ。幕府に忠実どころか、幕閣内では反主流派として独自の行動を繰り返したのだ。また、一橋慶喜とも一時的には協調したが、やがて破綻《はたん》し、とくに将軍就任と孝明天皇の死後は、鋭く対立した。アウトロー集団の新撰組を使って、荒っぽく志士たちの取締を遂行したことは、誰しもが最初から危惧《きぐ》したとおりの恨みを買った。

大政奉還以降は、新政府内での実力者として権力を保持する作戦をとっていた慶喜の戦略を妨害し、慶喜にとっては「過激派」である会津から、政治的立場と生命の安全を守ることが最大の課題になってしまった。結局、慶喜が会津から解放されるのは、鳥羽伏見の戦いのあと、容保を江戸に単身で連れ帰って藩兵と切り離し、勝海舟や稲葉正邦の助力で容保を追放してからということになった。西日本の佐幕派の各藩は、一時的な取り潰し、藩主の蟄居《ちっきょ》、家老の切腹、賠償金の支払いなど、柔軟に対処して事態を切り抜けたが、会津では容保自身も強硬姿勢を崩さず、潔い身の対処も行わず、これが戊辰戦争に東北全体を巻き込む悲劇を生んだ。

こうした、意地を張ってのヤケクソ気味の玉砕主義や、目的意識が不明確で何を実現したいのか支離滅裂な硬直的な行動を、日本人はむしろ「筋を通した」と称揚しがちである。だが、これこそが太平洋戦争時における数々の悲劇の原因にもなったものであって、私は決して誉める気がしないのである。

一方、正光の弟**保科正貞**《まささだ》は、当初、正光の養子となっていたが、正之のために家督を譲り、松平定勝のもとで仕えたのちに、上総飯野で一万七千石を得た。

柳沢（郡山・黒川・三日市）

武田旧臣といっても、**柳沢吉保**《やなぎさわよしやす》の登場はほかの大名よりははるかにあとである。しかし、この吉保が甲府藩主だったおかげで、甲斐の国はおおっぴらに武田信玄を崇《あが》め奉れるようになった。父は駿河大納言忠長の家臣を経て、館林藩主時代の綱吉に仕えた

柳沢（郡山）

① 吉保《よしやす》 1680-1709
- ② 吉里《よしさと》 1709-1745
- 経隆《つねたか》（黒川藩祖）
- 時睦《ときちか》（三日市藩祖）

② 吉里 → ③ 信鴻《のぶとき》 1745-1773 → ④ 保光《やすみつ》 1773-1811 → ⑤ 保泰《やすひろ》 1811-1838 → ⑥ 保興《やすおき》 1838-1848 → ⑦ 保申《やすのぶ》 1848-

が、吉保は綱吉の小姓から側用人という秘書官のような地位に上った。

綱吉は秀才であり、知的能力は高かったが、偏執狂である。母親や子供たちへの溺愛、学術文化宗教への莫大な支出、気まぐれな報奨や処罰、仁政への理想が暴走した「生類憐みの令」など、幕府の屋台骨を揺るがすような気まぐれの数々を実行しようとしたのだが、これらに適当に付き合い、しかし、ほどほどに軌道修正しながら二九年にも及ぶ治世を無事に乗り切らせ、家綱時代の手堅すぎる政策運営がもたらした停滞と無気力を排し、かつてない経済繁栄を実現し、絢爛《けんらん》たる文化を開花させた。

一六八八年に一万石を得たのを皮切りに、一六九四年に川越、一七〇四年には父祖の地である甲府一五万石にまで栄進した。吉保は経済政策についても、父親が勘定方であったこともあり、比較的明るく、希代の勘定奉行であった荻原重秀の献策を採用して貨幣改鋳を断行した。貨幣改鋳は毀誉褒貶《きよほうへん》さまざまだが、大筋では成功した決断であり、これを暴挙という人は経済音痴である。

二代目の吉里《よしさと》は、享保九年に郡山に転封された。甲州ブドウと郡山の金魚という二大特産物の恩人である。吉保の四男**柳沢経隆**《つねたか》は一七〇九年に甲斐で新田一万石、一七二四年に越後黒川に移る。五男**柳沢時睦**《ときちか》も同じく甲斐新田から三日市一万石となる。

真田（松代）

戊辰戦争を通じて最強の兵力を誇った藩はどこかということを考えるのは、なかなか楽しい頭の体操である。薩長土肥など雄藩を横に置くとすれば、賞典禄三万石を得た松代《まつしろ》藩と大垣藩など、まずその筆頭にあげられるのでないか。松代藩は、松平定信の息子である幸貫《ゆきつら》を養子に迎え、そのもとで、奇才佐久間象山《さくましょうざん》が蘭学を盛んにして大砲の製造など行ったし、中央の情勢にも明るかったので、いち早く官軍の側に立って動き、長岡や会津の攻撃にあたって抜群の勲功をあげた。

真田《さなだ》家は、古くからの土豪滋野《しげの》一族で、信濃国小県《ちいさがた》郡真田荘にあった。武田氏の信濃攻略に抵抗したが、やがて服属した。しかし、長篠の戦いで昌幸《まさゆき》の兄二人が戦死し、武田滅亡時には独立した動きをし、本能寺の変ののちに信濃に進出した家康にも抵抗した。上田に城を構え、上州の沼田付近を攻め取っていたのであるが、秀吉の命令で北条氏に引き渡すことになった。ところが、真田氏に残すこととなっていた名胡《なぐる》桃《み》まで北条氏が接収しようとしたことが、小田原征伐の引き金となった。

関ヶ原では、本多忠勝の娘婿である長男**真田信之**《のぶゆき》は東軍に参加したが、昌幸と次男の幸村は西軍に与《くみ》し、上田城で中山道を西上する秀忠軍を釘付けにした。戦後、昌幸と幸村は高野山に近い九度山に幽閉されたが、幸村は大坂の陣で豊臣方について、あわや家康を討ち取る寸前まで追い込んだ。

信之は上田藩主となり、沼田三万石は息子**真田信吉**《のぶよし》に渡すが、一六八一年、沼田藩は両国橋工事遅延などの責任をとらされて除封された。上田藩は、一六二二年に松代一〇万石に転封された。なお、寛永期の一時期、**真田信重**《のぶしげ》が独立して真田新田藩一万七千石を創立したことがあった。

林（請西）・屋代（旧北条）・禰津（旧豊岡）

（林）林《はやし》家は小笠原家の分家で信濃にあった。松平親氏親子をかくまって、元旦にウサギの汁を供したことがあったといわれ、正月には諸侯に先立って、林家の当主に将軍からウサギの吸い物と杯を賜ったという。一八二五年に側御用取次の**林忠英**《ただふさ》が若年寄に昇進し、一万石を得て大名となり、貝淵に、のちに請西《じょうさい》に陣屋を置いた。最後の藩主である忠崇《ただたか》は、戊辰戦争にあたって自ら脱藩して、旧幕府残存勢力の遊撃隊とともに箱根や会津で官軍と戦ったので、すべての藩のなかでただ一つ取り潰しになった。

（屋代）信濃国更級郡の屋代勝永《やしろかつなが》は武田勝頼に属していたが、滅亡ののち、家康の信濃奪取に協力した。**屋代忠正**《ただまさ》が徳川忠長に属して甲斐で一万石を領した。一六三六年に安房北条一万石となったが、年貢増徴を図ったことから大規模な一揆を引き起こし、一七一二年に改易。

（禰津）禰津《ねづ》氏は信濃の海野氏一族。武田に仕えていたが、滅亡後は家康に従った。一六〇二年に**禰津信政《のぶまさ》**は但馬豊岡一万石となる。一六二六年に無嗣断絶。

小笠原（安志・小倉・唐津・小倉新田）・諏訪（高島）・木曽（旧蘆戸）

（小笠原）小笠原《おがさわら》礼法の博物館が、なぜか九州小倉城の庭園内にある。というのは、小倉の殿さまである小笠原家が、新羅三郎義光を先祖とする信濃の豪族の出身で、鎌倉幕府や室町幕府で礼法の伝承を家業としていたからである。もともとは、甲斐国中《なか》巨摩《こま》郡小笠原村にあったのだが、貞宗《さだむね》が足利尊氏から信濃の守護とされてから信濃に定着した。南北朝時代にお家騒動があり、深志（松本）系と松尾（飯田）系に分かれているのは、それ以来である。

深志系は、信玄に圧迫されて追われ、上杉、蘆名、織田、徳川、豊臣を次々に頼った。とくに、上杉謙信が川中島で武田信玄と戦ったことの引き金になったことで知られる。万事がうまくいかなかったのだが、**小笠原秀政《ひでまさ》**が徳川信康の娘と結婚し、運をつかんだ。古河、飯田、松本と転じ順調に拡大したが、秀政と嫡子の忠脩《ただなか》は、大坂の陣で戦死。次男の忠真《ただざね》が明石で一〇万石を得た。その後、細川家の肥後移封のあとを追って、豊前方面に領地を得た。つまり、**小笠原忠真**が小倉で一五万石、忠脩の子の長次《ながつぐ》が中津、秀政の三男**小笠原忠知**《ただとも》が木付《きつき》（杵築）である。このうち、中津藩は播磨安志一万石に、杵築は吉田、岩槻、掛川、棚倉を経て、幕末に唐津六万石になった。新撰組でもおなじみの老中で慶喜の側近の一人だった小笠原長行《ながみち》は、ここの殿さまの世子という立場のまま老中になった。小倉新田藩一万石は、忠真の四男**小笠原真方**《さねかた》が一六七一年に分家した。

ほかに、秀政の従兄弟ともいわれる**小笠原吉次**《よしつぐ》は、松平忠吉の付家老として犬山にあり、のちに佐倉を経て笠間三万石となったが、一六〇九年に改易された。内紛が原因ともいうし、あるいは、忠吉と男色関係にあった息子忠重の殉死をめぐるトラブルが理由ともされる。

松尾系からは、越前勝山藩が出ている。飯田市の松尾城を本拠にした。武田勝頼、信長、家康に仕えた信嶺《のぶみね》は武蔵本庄にあったが、酒井忠次の子で養子になった**小笠原信之**《のぶゆき》は、一六一二年に古河二万石。関宿、高須を経て勝山二万七千石。

（諏訪）日本三大奇祭の一つの御柱祭《おんばしら》や諏訪湖《すわ》の御神渡《おみわたり》など諏訪は、まことに神の国というにふさわしい空気に満ちている。諏訪家は諏訪上社《かみしゃ》の大祝《おおいわい》（神主）をつとめる

小笠原（小倉）

秀政《ひでまさ》

忠脩《ただなか》（安志藩祖）

① 忠真《ただざね》 1615-1667

忠知《ただとも》（唐津藩祖）

② 忠雄《ただかつ》 1667-1725

小倉新田 真方《さねかた》

③ 忠基《ただもと》 1725-1752

小倉新田 貞通《さだみち》

安志 長逵《ながみち》

④ 忠総《ただふさ》 1752-1791

小倉新田 貞顕《さだあき》

安志 長為《ながため》

⑤ 忠苗《ただみつ》 1791-1804

小倉新田 貞温《さだあつ》

安志 長禎《ながよし》

⑥ 忠固《ただかた》 1804-1843

小倉新田 貞哲《さだとし》

安志 長武《ながたけ》

⑦ 忠徴《ただあきら》 1843-1856

⑧ 忠嘉《ただひろ》（貞嘉） 1856-1860

⑨ 忠幹《ただよし》 1860-1867

⑩ 忠忱《ただのぶ》 1867-

古代から続く家だった。戦国時代には甲斐の武田氏と張り合い、一五四二年に滅ぼされた。ただし、最後の当主頼重の娘が信玄の側室になって勝頼を産んでいる。当初は、兄たちがいたので、諏訪家を嗣ぐ予定だった。黒澤明《くろさわあきら》監督の映画「影武者」で、勝頼が諏訪姓で呼ばれていたのはそのためである。

一族の頼忠は家康に仕えて、一六〇一年に子の**諏訪頼水《よりみず》**が上野総社から高島四万石に戻った。松平忠輝や吉良義周が幽閉されたのもこの地である。忠輝は気楽な生活ぶりだったが、義周は座敷牢に入れられ、まもなく死んだ。信州が流刑地として好まれたのは、山国で逃亡が難しいと見られたからだろう。幕末の忠誠は老中をつとめた。

（木曾）木曾義仲《きそよしなか》の子孫と称する一族は、ひっそりと鎌倉時代を生き抜き、足利尊氏から領地を安堵されて、さらには戦国大名となった。**木曾義昌《よしまさ》**は武田信玄の娘婿だったが、織田方に寝返ったので勝頼が討とうとして鳥居峠で戦ったことが、武田滅亡のきっかけになった。戦後、木曾二郡だけでなく深志なども得たが、信長の死後は家康の実質支配のもとに置かれた。家康の関東平定後は下総蘆戸《あじと》一万石を与えられ、まもなく改易された。関ヶ原で西軍に通じたからとも、内紛がゆえともいわれるが、権術数のいきすぎで信用されなくなったのだろう。ただ、この木曾氏は思わぬところに名を残している。千葉県旭市はかつての蘆戸であり、その名は旭将軍義仲に由来するのである。

鎌倉鶴岡八幡宮で上杉謙信の人生最良の日

上杉（米沢・米沢新田）

上杉謙信《うえすぎけんしん》にとって生涯でもっとも誇らしげな日といえば、川中島で武田信玄の心胆を寒からしめたときでも、京都で将軍義輝に拝謁した日でもなく、一五六一年に鎌倉鶴岡八幡宮で関東管領への就任を宣言し、上杉政虎を名乗ったときであろう。どうして、小田原の北条家支配にあるはずの鎌倉に上杉謙信が出かけていって、こんな勝手なことをできたかというと、これに先立って上杉勢は小田原城を包囲し、あわや落城というところまで追いつめていたのである。惜しくも、長期戦に耐えられなくなった上杉軍は引き揚げざるを得なくなったのだが、とりあえず、形式的には関東武士の筆頭であることを、神さまの前で宣言したわけである。

足利時代にあっても、鎌倉は東国の首都でありつづけ、足利尊氏《あしかがたかうじ》の子の基氏《もとうじ》の子孫が鎌倉公方となり、尊氏の母親の実家である上杉家が、関東管領としてこれを補佐した。ところが、京都からの独立を策した鎌倉公方と反対する上杉家が対立し、基氏の子孫は古河に逃げ込んで古河公方を名乗り、一方、将軍義政《よしまさ》の弟の政知《まさとも》は、伊豆の堀越で堀越公方と呼ばれた（永享《えいきょう》の乱・享徳《きょうとく》の乱）。

上杉家も山内、扇谷《おうぎがやつ》の二系統に分かれ、長享の乱では古河公方・扇谷上杉連合軍と山内上杉が争った。しかし、駿河今川家の客分であった伊勢新九郎（北条早雲）が、堀越公方家の内紛に乗じてこれを滅ぼして伊豆を手に入れ、ついで、相模に進出する。

これを見た山内・扇谷両上杉家、古河公方ら旧勢力は大同団結して、一五四五年、北条氏康と川越夜戦を戦ったが敗れた。これで扇谷上杉氏は滅び、山内上杉の憲政《のりまさ》は、一五五七年に家来筋の越後守護代長尾景虎《かげとら》（上杉謙信）を頼って名跡を譲ることにした。

この期待に応えて、上杉謙信は関東に進出を図る。上杉家は藤原系の勧修寺重房《かんしゅうじしげふさ》が、宗尊《むねたか》親王が鎌倉に下って将軍となったとき随行した。丹波の国で上杉荘を与えられたのが名のおこりである。長尾家は桓武平氏の流れで、相模国長尾荘にあり、上杉憲顕《のりあき》が越後守護になったときに従い、越後に定住していた。

賤ヶ岳の戦いのあと、秀吉と同盟を結び、やがて**上杉景勝《かげかつ》**は五大老の一角に名を連

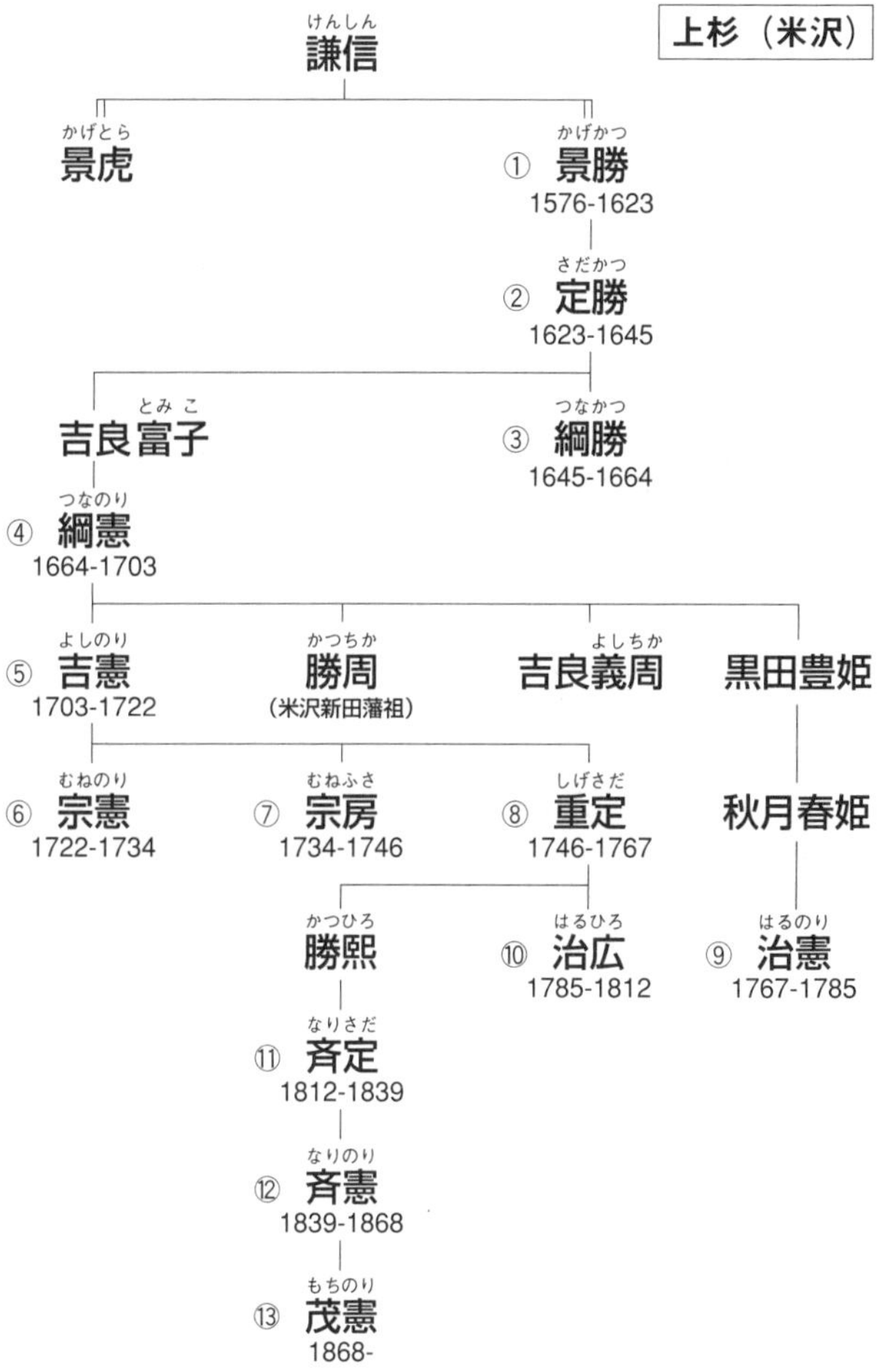
上杉（米沢）
謙信《けんしん》
景虎《かげとら》
① 景勝《かげかつ》
1576-1623
② 定勝《さだかつ》
1623-1645
吉良富子《とみこ》
③ 綱勝《つなかつ》
1645-1664
④ 綱憲《つなのり》
1664-1703
⑤ 吉憲《よしのり》
1703-1722
勝周《かつちか》
（米沢新田藩祖）
吉良義周《よしちか》
黒田豊姫
⑥ 宗憲《むねのり》
1722-1734
⑦ 宗房《むねふさ》
1734-1746
⑧ 重定《しげさだ》
1746-1767
秋月春姫
勝熙《かつひろ》
⑩ 治広《はるひろ》
1785-1812
⑨ 治憲《はるのり》
1767-1785
⑪ 斉定《なりさだ》
1812-1839
⑫ 斉憲《なりのり》
1839-1868
⑬ 茂憲《もちのり》
1868-

ね、蒲生氏郷の死後、会津一二〇万石の太守となった。上杉家は、越後の回復や、徳川家康に替わる関東の主人の地位を狙っていたと見られるが、関ヶ原の戦いの結果、かろうじて米沢三〇万石のみを維持することとなった。しかも、景勝の孫である綱勝《つなかつ》が嗣子なくして死んだときには、末期養子すら用意する余裕がなく、お家断絶の危機に見舞われたが、義父であった保科正之が、吉良上野介の子で前藩主の甥である綱憲《つなのり》を養子として迎えることの承認を、法を曲げてまで強引にとりつけ、一五万石への減封で済ませるように計らった。

それに先立ち、正之の娘だった綱勝夫人が里帰りしているときに、その実母が前田家に輿入れすることになった別の側室の娘に嫉妬から毒を盛ろうとして、誤って自分の娘である綱勝夫人を毒殺する事件があった。その埋め合わせという気持ちもあったのだろうが、正之を清廉な人格者だという人の気がしれない。とはいっても、この幕閣実力者のお手盛り的超法規的措置のおかげで上杉家は救われ、それが戊辰戦争で会津に付き合う伏線となった。

名君上杉鷹山（治憲《はるのり》）は、その母方の祖母が綱憲の娘だから、なんと吉良上野介の子孫である。鷹山の改革では、たしかに節約もしたが、産業政策に積極的に取り組んだことにこそ注目すべきだ。桑や漆《うるし》の栽培を奨励し、漆蠟や米沢織を武士の副業として発展させた。小千谷《おぢや》から技術者を高給でスカウトし、藩営工場で生産し、「御産所」で品質をチェックして、独占販売権を持った江戸の商人に送られた。ブランドイメージの確立と値崩れ防止である。倹約して質素な生活をした殿さまなどいくらでもいるから、鷹山のケチぶりに感心していては、どうしてこの人が偉いのかわからないのだ。それに、この人がたいへんな政治家だというのは、ご隠居の重定の贅沢三昧にはあえて目をつぶったことでもわかる。

なお、綱憲の四男**上杉勝周《かつちか》**に一万石が分与されて、米沢新田藩が創立された。

北条（狭山）

戦国時代といえば下剋上《げこくじょう》の時代であり、その幕開けを告げるのは、伊勢出身の流れ者である北条早雲《ほうじょうそううん》が、堀越公方を滅ぼして伊豆の国主となり、やがて関東の覇者となったことだと、子供のころに私が好きだった少年向け歴史物語には書いてあった。なるほど面白いのだが、この話にはどうしても納得できなかった。というのは、新九郎が駿河に来て伊豆国境の興国寺城を得たのは、妹の嫁ぎ先である今川家の内紛を収めるためだったとあったからである。名門今川家の殿さまの兄が流れ者であるというのは、いかにも不自然だった。

しかし、大人になって久しぶりに読んだ歴史の本には、「最近の研究では、北条早雲は、足利将軍のもとにあって側近として力をふるった伊勢氏の一族で、本人も申次衆、つまり秘書官をつとめていた伊勢新九郎その人であろうといわれるようになっている」と書いてあって、少年時代からの疑問は氷解したのである。

つまり北条早雲は、伊勢氏のなかでは主流ではないらしいが、備中に本拠を持つ、足利幕府の超エリート官僚だったのである。今川家の助けも得て、堀越公方二代目の茶々丸を滅ぼして伊豆を手中に収め独立した。北条氏を名乗ったのは、二代目の氏綱のときである。

北条氏は氏康《うじやす》、氏政《うじまさ》、氏直《うじなお》と領地を広げて、武田や上杉の攻撃を寄せつけなかった。秀吉は早く大陸遠征をしたかったので、小田原が勝手に領地を広げるなどしなければよかったのだが、「秀吉なにするものぞ」と、真田昌幸を相手に名胡桃《なぐるみ》というほんの小さな領地をめぐってトラブルを起こして墓穴を掘った。小田原攻めのあと、当主の氏直は徳川家康の娘婿だったこともあり、高野山への追放で赦され、のちに一万石を与えられた。このとき、叔父で韮山城主だった北条氏規《うじのり》も行動をともにして、氏直が死んだあとは北条家を継ぎ、子の**北条氏盛**《うじもり》から幕末まで河内狭山一万石で存続した。

ほかに一族で、小田原攻めのときに家康に寝返った**北条氏勝**《うじかつ》が大名となり、下総岩富、下野富田、遠江久能、関宿、田中を経て掛川三万石となったが、一六五八年に無嗣改易。落馬事故で死んだので、その馬を家来たちが主君の仇として刺し殺したのが悪評となって、幕府の心証を害したともいわれる。

太田（掛川）・喜多見（旧喜多見）・成田（旧烏山）・里見（旧倉吉）・中山（松岡）・黒田（久留里）

（太田）戦国時代は意外に長い。江戸城を太田《おおた》道灌《どうかん》が築いたのは一四五七年のことだから、家康の関東入国より一三三年も前のことなのである。太田道灌は、扇谷上杉氏に仕えていたのだが、子孫は北条氏に降り、のちに安房の里見氏、常陸の佐竹氏を頼ったが、水戸にあった江戸氏の娘で太田康資《やすすけ》の養女となっていたお梶《かじ》が家康の側室になった。春日局が家光のことで家康に直訴できたのは、このお梶の方の斡旋《あっせん》によるといわれている。そのおかげで家光は、お梶の方をことさら丁重に扱い、その甥の**太田資宗**《すけむね》を抜擢した。下野山川から浜松三万五千石となり、側近六人衆の一人として活躍した。二代目資次《すけつぐ》は、大坂城代として畿内で五万二千石。さらに駿河田中、棚倉、館林となり、五代目の資俊《すけとし》が掛川に入った。六代目資愛《すけよし》は寛政年間に老中。そして幕末の資始《すけもと》も、宮川藩堀田家からの養子だが、水野忠邦、井伊直弼のもとで老中となった。

（喜多見）五代将軍綱吉に仕えることは大きなチャンスになることもあったが、とんでもない災難の原因ともなった。喜多見《きたみ》氏は北条家に属していていたが、滅亡後は家康に仕えた。三代目の**喜多見重政《しげまさ》**は綱吉の側用人として、武蔵喜多見（世田谷区）二万石になった。「生類憐みの令」の推進者として知られるが、分家が起こした旗本殺害事件に連座して除封された。

（成田）小田原城が落城したとき、忍城主だった**成田《なりた》氏長《うじなが》**は秀吉に黄金九〇〇枚などを献上して、忍は没収されたが、烏山三万七千石を与えられた。一六二二年に無嗣断絶となった。

（里見）『里見八犬伝』で知られる安房の里見家は、新田義重の子である義俊が、上野碓氷郡里見郷（榛名町）にあったことで名づけられた。一四四一年の結城合戦のあと、安房白浜に逃れた。やがて安房の国主となり、上総まで勢力を伸ばし北条氏に対抗したが、**里見《さとみ》義康《よしやす》**は小田原への参陣が遅れて、安房一国のみを安堵された。館山城を築いたのもこのころで、関ヶ原の戦いの功績で三万石を加増された。しかし一六一四年、忠義《ただよし》は夫人の祖父大久保忠隣の失脚に連座して伯耆倉吉に移封されたが、死後は断絶した。忠義の叔父ともいわれる**里見義高**《よしたか》は、一五九〇年に上野板鼻で一万石を得たが、勤務態度不良を理由に一六一三年に廃絶となった。

（中山）北条家の家臣たちの多くが旗本や親藩譜代のもとに再就職したが、大名になったのが、中山《なかやま》氏とその流れの黒田氏である。中山氏は武蔵七党のうち丹治《たんじ》氏の一党で、高麗《こま》郡中山（飯能市）にあったが、家範が秀吉の北条討伐の折の八王子城攻防戦で勇猛に戦って戦死し、子の**中山信吉**《のぶよし》は水戸《みと》頼房《よりふさ》の守役となり、代々、家老として仕えた。明治になって、独立の松岡三万五千石として認められた。

（黒田）一方、同族の**黒田**《くろだ》**直邦**《なおくに》は、館林藩主としての綱吉の家老であった外祖父黒田氏の養子となった。はじめ綱吉の子徳松君に、その死後は綱吉の小姓となって老中などをつとめ、一七〇〇年、諸侯に列し、下館、沼田の城主を経て、その子の直純《なおずみ》の代に久留里三万石へ移った。

しぶとく生き残った関東武士の名門たち

喜連川（喜連川）・那須（旧福原）・大田原（大田原）・大関（大関）・佐野（旧佐

野）・皆川（旧常陸府中）
（喜連川）川越の夜合戦の敗北の結果、古河公方家の実質的な権威は保てなくなったが、形式的には、北条氏の保護下で命脈を維持した。それも、一五八三年に北条早雲の孫娘を母とする義氏が亡くなったことでいったん廃絶するが、天下を統一した豊臣秀吉は、義氏の娘である氏姫《うじひめ》を、古河公方と対立していた小弓御所系の**喜連川国朝**《きつれがわくにとも》と結婚させた。これが、江戸時代を通じて下野喜連川藩（東北自動車道矢板ＩＣ東）として残り、実質は五千石ながら一〇万石格とされた。明治になって足利に復姓した。
（那須）那須《なす》氏は、源平合戦・屋島の戦いで扇を射落とした那須与一《よいち》が名を高からしめた。**那須資景**《すけかげ》は小田原攻めへの参陣の遅れで烏山城は奪われたが、下野福原で一万四千石が認められた。無嗣断絶のあと、四代将軍家綱の生母お楽の方の弟の資弥《すけみつ》が名跡を嗣いだが、その子の代に内紛で除封され、旗本としてのみ名を残した。
（大田原・大関）大田原《おおたわら》の大田原氏は、丹治氏の流れである。下野に移って那須氏の配下に入り、最初は大俵、ついで大田原と称した。黒羽の大関氏は、大田原氏と同じく丹治系とも常陸出身ともいわれるが、一五四二年に大田原資清《すけきよ》に攻められ、子の高《たか》増《ます》を跡継ぎとして入れさせられた。両氏は、小田原、関ヶ原を機敏に生き抜き、ともに幕末まで生き残った。江戸初期の当主は**大田原晴清**《はるきよ》（一万千石）と**大関資増**《すけます》（一万八千石）である。幕末の大関増裕《ますひろ》は陸軍奉行、海軍奉行、若年寄を歴任し、藩の装備も小藩らしくない近代的なものとしたので、戊辰戦争では官軍の主力部隊として東北制圧に貢献した。

（佐野）関東の名族のうち、下野国安蘇郡佐野の佐野氏は藤原秀郷の流れと称し、一族の房綱が、秀吉の関東平定に協力して唐沢山城主として残る。富田《とみた》知信《とものぶ》の子**佐野信**《さののぶ》**吉**《よし》を養子に迎え、関ヶ原では東軍に属して佐野三万九千石を得たが、富田家の改易に連座して、一六一四年に除封された。

（皆川）北条氏に属したが、**皆川広照**《みながわひろてる》は豊臣方ともよしみを通じていたので本領を安堵された。関ヶ原後に川中島、のちに飯山七万五千石に封じられて、松平忠輝の傅役《もりやく》とされた。しかし、一六〇九年に内部対立から忠輝の乱行を幕府に訴え出て、かえって改易されたが、大坂の陣の功で常陸府中一万石を与えられた。三代目の成郷《なりさと》に子がなく、一六〇九年に断絶した。藤原秀郷の流れをくむ小山政光の曾孫が、下野国都賀郡皆川荘に拠ったのが始まりだという。

下野の豪族のうち、壬生、宇都宮両氏も秀吉の関東平定後に、いったんは存続が認められたが、壬生氏は、嗣子がなかったこと、宇都宮氏は、領地の申告と検地の結果の違いが大きすぎたことから廃絶された。

結城（旧福井）・多賀谷（旧下妻）・山川（旧山川）・水谷（旧備中松山）・秋元（館林）

（結城）藤原秀郷の子孫である小山政光《おやままさみつ》の子で、頼朝の乳母を母とする朝光《ともみつ》は、頼朝から下総結城《ゆうき》郡を与えられた。室町時代には、永享の乱で殺された関東公方足利持氏の子を助けて結城合戦を戦ったが敗れた。のちに再興して戦国大名化し、充実した分国法として名高い「結城氏新法度《はっと》」を出した。晴朝《はるとも》は、秀吉に願ってその養子になっていた家康の次男秀康《ひでやす》を、後継者として迎え結城秀康と名乗らせた（越前松平参照）。

（多賀谷）下妻には、結城氏の重臣多賀谷《たがや》氏があった。武蔵七党の野与《やよ》党有賀氏の流れで武蔵国埼玉郡多賀谷（騎西町）に拠った。**多賀谷重経《しげつね》**は下妻六万石だったが、関ヶ原の際に小山にあった家康を襲撃しようとしたが実現せず改易。佐竹家から養子に来ていた宣家は秋田藩士となった。

（山川）同じく結城氏の重臣だった**山川朝信《やまかわとものぶ》**は、秀吉から山川城二万石を与えられたが、関ヶ原の戦いのときに曖昧な態度をとって除封され、以後は、結城秀康に仕えた。

（水谷）水谷《みずのや》氏は常陸《ひたち》下館の豪族であって、結城氏に属していた。**水谷勝俊《かつとし》**は一六二三九年に備中成羽五万石、三年後には備中松山に移ったが、四代勝晴の一六九三年に無嗣断絶した。

（秋元）石田三成の挙兵を下野小山で聞いた徳川家康は、きびすを返して西上するが、上杉景勝が背後を襲わないように直江兼続との外交交渉にあたったのが**秋元長朝**《あきもとながとも》だった。宇都宮一族で、上総国周淮郡秋元（君津市）の領主で上杉氏に属していたことから、この役目を引き受けたのである。小田原に籠城して浪人したが、井伊直政を通じて家康に仕えた。関ヶ原ののち上野総社、甲斐谷村一万八千石。四代目喬知《たかとも》は、佐倉藩主だった戸田忠昌の子だが、母方の秋元氏の養子となり、綱吉のとき寺社奉行から老中となり川越六万石に栄進した。やはり老中をつとめた凉朝《すけとも》の一七六七年に出羽山形。幕末の志朝《ゆきとも》は徳山藩主毛利《もうり》広鎮《ひろしげ》の子で、一八四五年に水野忠邦の山形転封にともない館林に移る。公武斡旋につとめ、戊辰戦争では官軍寄りで動いた。

佐竹（秋田・湯沢）

新羅《しんら》三郎義光というと、朝鮮半島の新羅《しらぎ》と何か関係がありそうだが、じつは、源頼義の子で八幡太郎義家の弟が、大津園城寺の新羅善神堂で元服したことによる。この義光が常陸介や甲斐守を歴任したので、子孫が佐竹氏や武田氏となった。常陸に定住したのは、義光の孫の昌義《まさよし》で、一一三三年に久慈郡佐竹郷《さたけ》(常陸太田市)に落ち着いた。昌義は藤原清衡《きよひら》の娘と結婚したが、こののちも、佐竹家は関東とともに東北にも深い関わりを持っていくことになる。鎌倉時代には不遇だったが、足利尊氏に従い常陸守護となる。北条や伊達と対抗し、とくに義重《よししげ》は、子を蘆名《あしな》、岩城という陸奥の名門に嗣子として送り込んだ。

秀吉の小田原攻めに**佐竹義宣**《よしのぶ》が参加して五四万石を得たが、関ヶ原では、西軍寄りの日和見をしたので、戦後、秋田(久保田)二〇万石に転封された。新田開発が進み、産業開発も行ったが、家臣に制御の難しい一門各家を抱え、藩主の直轄地が少なく騒動も絶えなかった。なにしろ、佐竹東家が久保田城下に、佐竹西家(小場《おば》家)が大館《おおだて》に、角館《かくのだて》には佐竹北家、湯沢は佐竹南家(秋田新田藩)領、さらに横手に戸村家、院内に大山家などが割拠していたのである。歴代では、平賀源内を招いて蘭画を学んだ義敦《よしあつ》(曙山《しよざん》)や、藩政改革に取り組んだ義和《よしまさ》が知られている。戊辰戦争では官軍について勝利したが、新政府はむしろ敗者に寛容で、領内を荒らされたにもかかわらず、得るところは少なく強い不満が残った。

三代目藩主義処《よしずみ》の弟**佐竹義長**《よしなが》(二万石)と甥**佐竹義都**《よしくに》(一万石)によって、それぞれ久保田新田藩が設立されたが、前者は幕末まで続いて、明治になって湯沢市の岩崎

佐竹（秋田）

- 義重《よししげ》
  - ① 義宣《よしのぶ》 1602-1633
  - 義広《よしひろ》
  - 貞隆《さだたか》
    - ② 義隆《よしたか》 1633-1672
      - 義寘《よしおき》
        - 義都《よしくに》
          - 義堅《よしかた》
            - ⑥ 義真《よしまさ》 1749-1753
      - ③ 義処《よしずみ》 1672-1703
        - ④ 義格《よしただ》 1703-1715
      - 義長《よしなが》
        - ⑤ 義峯《よしみね》 1715-1749
        - 義道《よしみち》（佐竹東家）
          - ⑦ 義明《よしはる》 1753-1758
            - ⑧ 義敦《よしあつ》 1758-1785
              - ⑨ 義和《よしまさ》 1785-1815
                - ⑩ 義厚《よしひろ》 1815-1846
                  - ⑪ 義睦《よしちか》 1846-1857
                    - ⑫ 義尭《よしたか》 1857- （中村藩相馬氏）
          - 義忠《よしただ》

に陣屋を設けた。このほか、角館や横手などにも分家があったが、大名扱いはされなかった。

常陸における水戸、出羽における秋田を本格的な都市として選定整備したのは佐竹義宣《よしのぶ》であって、二つの県庁所在地の恩人である。

蘆名氏は、しばらく角館で生き続けて佐竹氏からの独立を望んだが、一六五三年に最後の幼主千鶴丸が庭の石で頭を打って死亡して断絶。家臣の多くは、新しく角館の主人となった佐竹北家に微禄で抱えられた。佐竹北家の当主は、京都の公家高倉家から養子に来ていた義隣《よしちか》で、この地が東北の小京都と呼ばれるきっかけとなった。

関東の藩

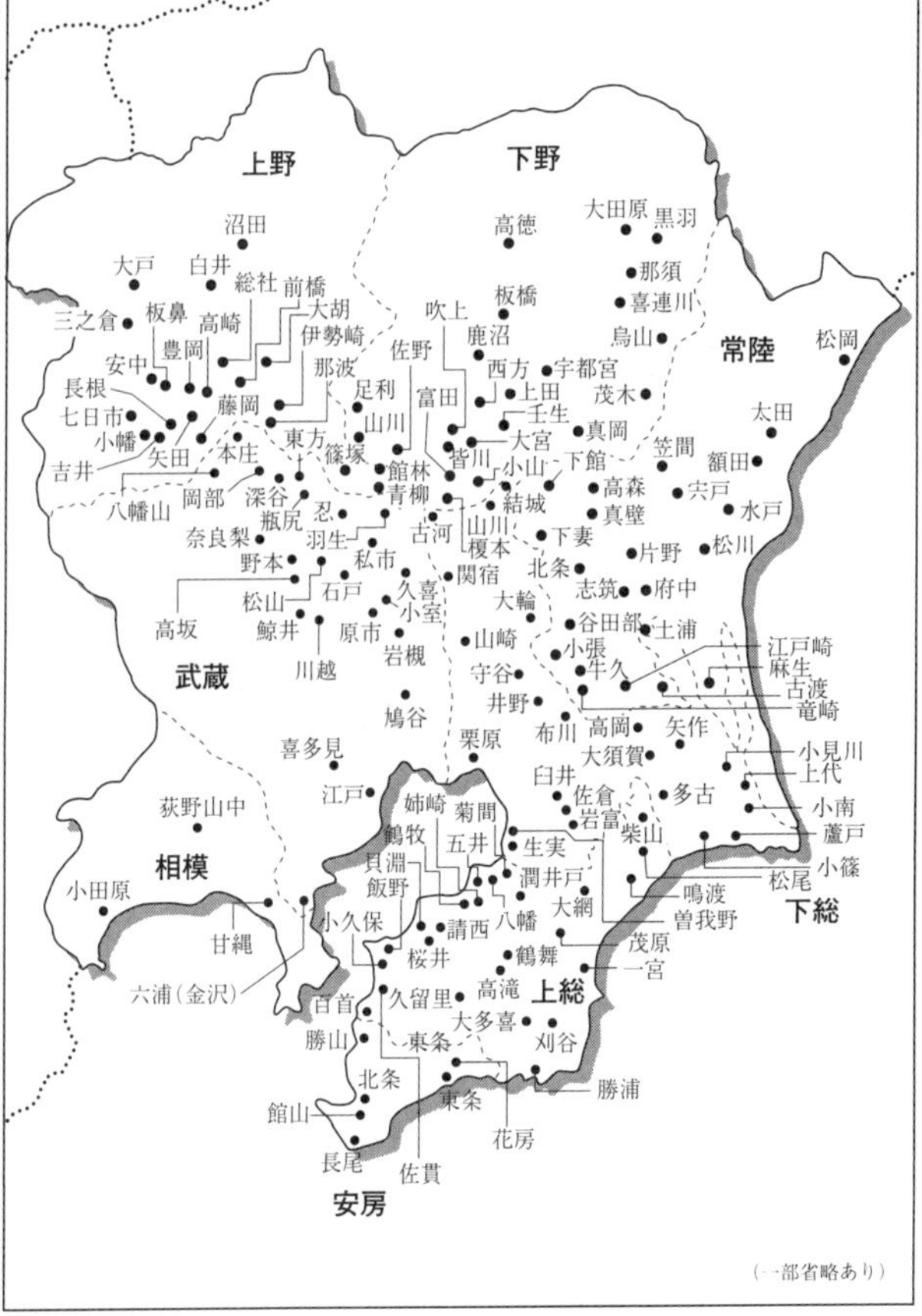

上野
下野
常陸
武蔵
相模
下総
上総
安房
沼田
大戸
白井
総社
前橋
三之倉
板鼻
高崎
大胡
伊勢崎
安中
豊岡
那波
長根
藤岡
七日市
小幡
矢田
吉井
本庄
東方
八幡山
岡部
深谷
瓶尻
忍
奈良梨
羽生
野本
私市
高坂
石戸
松山
鯨井
川越
原市
岩槻
鳩谷
喜多見
江戸
荻野山中
小田原
甘縄
六浦（金沢）
高徳
大田原
黒羽
那須
板橋
喜連川
吹上
鹿沼
烏山
佐野
西方
宇都宮
足利
上田
茂木
富田
壬生
山川
大宮
真岡
篠塚
皆川
館林
小山
下館
青柳
結城
古河
山川
榎本
関宿
下妻
北条
久喜
小室
大輪
山崎
守谷
井野
栗原
松岡
太田
笠間
額田
高森
宍戸
水戸
真壁
片野
松川
志筑
府中
谷田部
土浦
小張
牛久
江戸崎
麻生
古渡
竜崎
布川
高岡
矢作
大須賀
小見川
上代
臼井
佐倉
岩富
多古
小南
柴山
蘆戸
小篠
松尾
鳴渡
曽我野
姉崎
菊間
鶴牧
五井
生実
貝淵
飯野
潤井戸
八幡
大網
小久保
請西
桜井
茂原
鶴舞
一宮
百首
久留里
高滝
大多喜
勝山
東条
刈谷
北条
勝浦
東条
館山
花房
長尾
佐貫

（一部省略あり）

コラム　本多家歴代藩主と転封

譜代大名は、ともかく頻繁に転封された。なかには松平直矩(幕末には前橋藩)のように、一生で7回、殿さまとしても4回も引っ越しした殿さままでいる。ここで紹介するのは、本多忠勝を藩祖とする岡崎藩本多家の歩みであるが、9回の転封を経験している。もっとも江戸初期の場合には、引っ越しに慣れていたし、財政も豊かだったので、それほど苦痛ではなかったが、江戸後期になると、よほど豊かな土地への引っ越しでもない限り、つらいものとなっていた。

代	当主名	生没年	没年齢(数え年)	封地	石高	在位期間
1	忠勝	1548～1610	63歳	大多喜	10	1590～1601
				桑名	10	1601～1610
2	忠政	1575～1631	57歳	桑名	10	1610～1617
				姫路	15	1617～1631
3	政朝	1600～1638	39歳	姫路	15	1631～1638
4	政勝	1614～1671	58歳	郡山	15	1639～1671
5	政長	1633～1679	47歳	郡山	12	1671～1679
6	忠国	1666～1704	39歳	福島	15	1679～1682
				姫路	15	1682～1704
7	忠孝	1698～1709	12歳	村上	15	1704～1709
8	忠良	1690～1751	62歳	村上	5	1709～1710
				刈谷	5	1710～1712
				古河	5	1712～1751
9	忠敞	1727～1759	33歳	古河	5	1751～1759
				浜田	5	1759
10	忠盈	1732～1767	36歳	浜田	5	1759～1767
11	忠粛	1759～1777	19歳	浜田	5	1767～1769
				岡崎	5	1769～1777
12	忠典	1764～1790	27歳	岡崎	5	1777～1790
13	忠顕	1776～1838	63歳	岡崎	5	1790～1821
14	忠考	1805～1879	75歳	岡崎	5	1821～1835
15	忠民	1817～1883	67歳	岡崎	5	1835～1869
16	忠直	1844～1880	37歳	岡崎	5	1869～1871

第七章　一族重臣の扱いに悩み続けた東北の名門

――征服者たちの子孫がまた征服されて

南部と津軽は永遠のライバル

南部（南部・八戸・七戸）

東北地方の諸大名のうち、父祖伝来の地で幕末まで領主でいたのは、南部、津軽、相馬、松前の各氏のみである。ことに南部氏は、鎌倉時代から累々《るいるい》とこの地を支配していたもので、薩摩の島津氏と比肩《ひけん》すべき北の名門である。

南部氏は、佐竹氏や武田氏と同じく新羅三郎義光の子孫である。甲斐国南部郡の地頭であったが、頼朝の奥羽征服に従い陸奥国糠部《ぬかのぶ》郡（現在の青森県から岩手県北部までの広い地域）を拝領し、鎌倉由比ヶ浜から船出して八戸に上陸して地歩を築いた。南部氏は、こののちも鎌倉や甲斐国でも活躍しており、本格的にこの地に移住したのはもう少し後のようでもあるが、いずれにせよ南北朝時代には北畠顕家《きたばたけあきいえ》らと行動をともにするなど、北奥羽の雄として一目置かれている。

戦国時代には南部氏の多くの支流が現在の青森県東部に展開していたが、三戸南部氏の信直《のぶなお》が戦国大名として成長し、前田利家を通じて豊臣政権との連携を強めて宗家として認められた。とくに天下統一後における最大の地方騒乱であり秀吉を悩ませた九戸《くのへ》政実《まさざね》の乱を、豊臣秀次や蒲生氏郷の助けも得て収めて勢威を確立した。

ただ、津軽地方にあった大浦氏は、信直に機先を制する形で参陣し、秀吉から青森県西部の領有権を認められていたので、南部氏は不本意ながらも独立を認めざるを得なかった。こののち、津軽氏（大浦氏が改姓）への恨みは戊辰戦争に至るまで南部藩にとって最大の関心事になっていく。

信直は九戸を本拠地としたが、北上川と中津川の合流地点で交通の要衝である盛岡に移すことを決め築城した。関ヶ原でも**南部利直**《なんぶとしなお》が東軍について領地を安堵された。石高は一〇万石だったが、津軽藩への対抗心もあり、一八〇八年には蝦夷《えぞ》警備の功績を理由に二〇万石扱いとしてもらった。良馬と砂金の産出が藩経済を支えていたが、それも下火となり、慢性的な財政難に悩みつづけた。戊辰戦争後には、いったん減封のうえ、白石に移されたのを一七万両の献金と引き換えに旧に復してもらったが、払えるはずもなく、全国的な廃藩置県を前にして自主的に廃藩せざるを得なかった。

二代藩主である重直《しげなお》は、気性激しく参勤交代遅延で幕府から閉門謹慎を命じられたりしたが、後継者を決めることなく死去した。このために、一〇万石のうち二万石を**南部信房**《のぶふさ》に分け与え八戸藩となった。四代藩主行信《ゆきのぶ》の弟政信《まさのぶ》は、旗本（交代寄合）となったが、五代目の**南部信鄰**《のぶちか》に至り独立の大名となって南部新田藩とされ、明治にな

南部氏（盛岡）

信直《のぶなお》

① 利直《としなお》 1599-1632

② 重直《しげなお》 1632-1664

③ 重信《しげのぶ》 1664-1692

直房《なおふさ》（八戸藩祖）

④ 行信《ゆきのぶ》 1692-1702

⑤ 信恩《のぶおき》 1702-1708

⑥ 利幹《としもと》 1708-1725

⑦ 利視《としみ》 1725-1752

⑧ 利雄《としかつ》 1752-1780

⑨ 利正《としまさ》 1780-1784

信周《のぶちか》

利謹

⑩ 利敬《としたか》 1784-1820

信浄《のぶきよ》

信丞《のぶじよう》

⑫ 利済《としただ》 1825-1848

⑪ 利用《としもち》2 1821-1825

⑪ 利用《としもち》1 1820-1821

⑬ 利義《としとも》 1848-1849

⑭ 利剛《としひさ》 1849-1868

⑮ 利恭《としゆき》 1868-

※利用1が急死したので身代わりになったのが利用2。

ってから七戸藩と呼ばれるようになった。

津軽（弘前・黒石）

青森県東部にあった南部氏は、室町時代に北海道など北方文化との交流が盛んだった津軽地方にも勢力を伸ばしていったが、岩木町にあった**大浦**《おおうら》（**津軽**《つがる》）**為信**《ためのぶ》は、徐々に独立性を強め、ついに小田原への途中沼津でいち早く秀吉から朱印状を得た。

大浦氏の出自については、南部一族ではないかと見られ、もともとは久慈にあったようである。しかし、近衛家に近づき、為信の曾祖父である盛信《もりのぶ》が近衛尚通《ひさみち》の猶子《ゆうし》となったということにしてもらった。誰も信じてはいないのだが、そういう建前が公式には認められたし、現実に縁組みも行って関係を深め、戊辰戦争の際には近衛家からの勧告で官軍について、野辺地《のへじ》で宿敵南部藩と戦った。

為信のあとは三男の信枚《のぶひら》が嗣ぎ、高岡城（のちに弘前と改名）を築いた。青森港を開いたのも信枚である。江戸時代を通じて稲作の北進は進み、津軽四万七千石から一〇万石と石高直しをしたが、実質は四〇万石といわれた。とはいえ、寒冷の地であるがゆえに収穫は不安定で、天明の飢饉のときには一〇万人以上が餓死する最悪の災禍を招いている。蝦夷地警護などでふくらんだ支出の負担から食糧の備蓄をする余裕す

津軽（弘前）

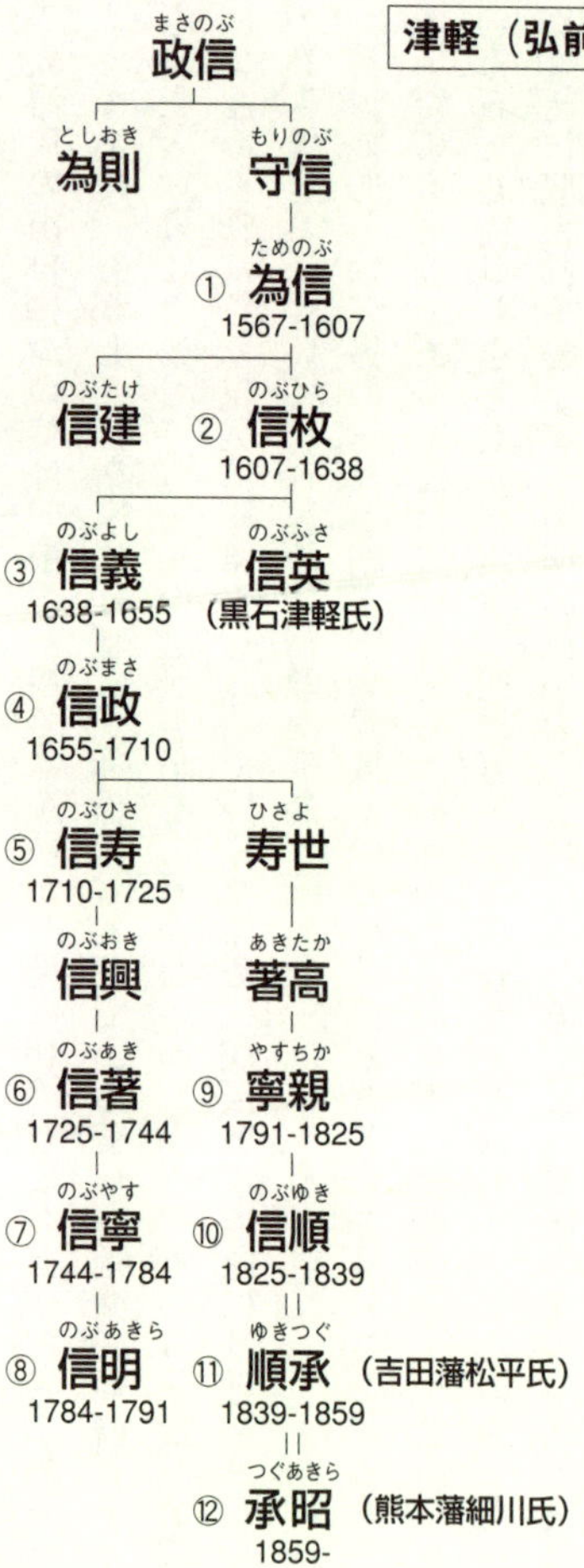

らなく、大坂で米を売り払ったことも原因だった。幕末期には、三河吉田藩、熊本藩から相次いで養子を迎えた。

支藩に黒石藩があるが、信枚の子の信英《のぶふさ》に始まる旗本黒石津軽家が一八〇九年に一万石となり、**津軽親足**《ちかたり》が諸侯に列したものである。

古代蝦夷と近世東北をつなぐ豪族

松前（松前）

中世の蝦夷地では、ようやくアイヌ文化といったものが成立しつつあった。蝦夷では弥生時代がなく、紀元前後に縄文時代から続縄文時代といわれる段階に入り、今度は、鎌倉時代になって今日、私たちがアイヌ文化と呼ぶようなものが成立した。こうした時代、蝦夷西海岸は十三湊《やまとみなと》に本拠を置く安東《あんどう》氏が、幕府からアイヌの監督を任されていた。この安東氏は、のちに戦国大名秋田氏となり、最後は三春藩主として明治まで生き残るのだが、だんだんと蝦夷地は、津軽地方からの間接支配で収まらなくなっていった。

このころ、下北半島を根城として蝦夷に進出した蠣崎《かきざき》氏という土豪があったが、若狭武田家出身の信広がここに女婿として入り、安東氏からも公認されて蝦夷の支配者となった。天下統一期の季広《すえひろ》は、アイヌとの講和に成功し、その子の**蠣崎**（**松前**《まつまえ》）**慶**《よし》**広**《ひろ》は一五九〇年に秀吉に謁見。翌年にはアイヌ兵まで率いて九戸攻めに参加して認められ、一五九三年に朱印状を与えられ、一五九九年には松前氏を名乗った。

徳川家康は一六〇四年、慶広にアイヌとの独占交易を認めて黒印状を与え、ここに幕藩体制の下での大名としての松前家が成立した。松前藩は近江商人を勧誘するなどして経済開発につとめたが、アイヌとの抗争は絶えず、一六六九年のシャクシャインの戦いはとくに激しかった。また、ラクスマンなどの来航が頻繁となるなかで一八〇七年には、いったん蝦夷地は幕府直轄となり、松前家は陸奥梁川に移封されたが、一八二一年には旧領に復帰した。幕末には、箱館など蝦夷地大半が天領化されたが、福山城の本格築城が認められ、天守閣を持つ古風な城ができあがったり、藩主崇広《たかひろ》が老中に就任したりと、日の当たる舞台へ登場した。戊辰戦争では、五稜郭にこもった榎本武揚らと戦って敗れ、いったんは陸奥に退いたが、やがて官軍とともに福山城を奪還した。米は取れないが、三万石格とされた。

秋田（三春）

樹齢千年のしだれ桜「三春滝桜」と、郷土玩具である「三春駒」とで知られる三春は、東北でももっとも郷愁を誘う山里である。しかし、それにも増してロマンチックとしかいいようがないのが、ここの殿さまである秋田《あきた》家の千数百年の歴史である。

秋田氏は、なんと七世紀に阿倍比羅夫《あべのひらふ》に下った蝦夷の族長恩荷《おんか》、前九年の役で源頼義に滅ぼされた安倍貞任《あべさだとう》、鎌倉時代に蝦夷制御の任にあたった安東氏を先祖に持つといい、その歩みは、東北の壮大なドラマそのものなのである。安倍という姓は、俘囚《ふしゅう》長《ちょう》であった彼らが大和風の名前をもらったのであろう。しかも戊辰戦争にあって、三春藩は、のちに自由民権運動で活躍する河野広中《こうのひろなか》の活躍もあり官軍に寝返り、会津攻めの引導役をつとめたのだから、ますます興味津々なのである。

安倍貞任の子である高星《たかぼし》は母親に抱かれ、ひそかに追っ手から逃れ、津軽地方に移り、その子孫は鎌倉時代に十三湊を本拠として「蝦夷管領」として北の王国を打ち建てた。だが、徐々に南部氏の勢力が津軽地方に伸びてきたために、安東家は、津軽地方から南下して秋田県北部に本拠を移した。せっかく秀吉の奥州仕置では生き残ったのだが、関ヶ原前後には、**秋田実季《さねすえ》**が漁夫の利を狙って、かねてのライバルである小野寺氏や戸沢氏を攻めて常陸宍戸《ししど》に移され、一六四五年、三春五万石に転じた。

最上（旧山形）・戸沢（新庄）・六郷（本荘）・小野寺（旧小野寺）・仁賀保（仁賀保）

（最上）山形城跡には**最上義光《もがみよしあき》**の銅像があり、幕末にこの地を通過した浪士隊の清河八郎も、現在の山形県のほぼ全域を支配したこの英傑の思い出を詩にしている。

南北朝時代にこの地に来た斯波兼頼《しばかねより》は、そのままこの地に定着し最上氏を称した。義光は伊達氏と戦い、蘆名氏と結び、いち早く秀吉にも帰順した。秀次に娘を差し出したが、失脚にともない処刑される不運に見舞われた。だが関ヶ原では東軍に参加して上杉氏と戦って、庄内地方や由利郡も勝ち得て五七万石の太守になった。しかし三代目の義俊《よしとし》のとき、幼少のために叔父山野辺義忠を藩主にという運動があり、一六二二年に内紛を理由に近江大森（八日市市）一万石とされた。それも義智《よしとも》のときに半減されて旗本とされた。山野辺義忠はのちに水戸光圀の家老となった。ドラマ「水戸黄門」では、光圀の身を案じ、旅立ちを食い止めようと必死の諫言をする家老役で登場する。

（戸沢）山形新幹線の終着駅として、にわかに有名になった新庄の戸沢《とざわ》氏は平氏一門であるが、岩手県の雫石《しずくいし》に移り、地名に拠って戸沢氏を名乗った。のちに南部氏に圧迫されて角館に移り、関ヶ原の戦いのあとに**戸沢政盛《まさもり》**が常陸松岡城主となった。一六二二年に出羽に移され、最初は真室《まむろ》城にあったが、寛永年間に新庄六万八千石に移った。戊辰戦争では官軍についたために城と城下町を焼かれた。

（六郷）二階堂氏といえば、鎌倉幕府の事務官僚として重きをなした一族で、室町時代にも生き残り、一五世紀中盤までは政所《まんどころ》執事をつとめた。現代でいえば官房副長官である。その一族が秋田県横手地方の六郷荘の地頭となった。**六郷政乗《ろくごうまさのり》**は関ヶ原の戦いで西軍寄りの小野寺氏を攻め、常陸府中に一万石を得た。大坂の陣でも功があり、父祖の地に近い本荘で二万石を得た。一八〇四年、大地震で芭蕉の俳句で有名な象潟《きさかた》が干上がったので、農地としての開発を行った。

（小野寺）「かまくら」で有名な横手は、秋田美人の本場でもある。戦国時代には、その横手小野寺《おのでら》氏があった。藤原秀郷の流れである山内首藤《すとう》氏の一族が、下野国都賀郡小野寺保にあり、頼朝の奥州攻めに功があって出羽国雄勝《おかち》郡の地頭となり、戦国時代には現在の秋田県南部を支配した。**小野寺義道《よしみち》**は秀吉によって、三万一千石を安堵されたが、関ヶ原の戦いでは、西軍寄りの曖昧な立場にあったので、石見国津和野に流された。そのときの津和野藩主は、千姫をめぐる事件で有名な坂崎出羽守だが、子孫は、そのあとに城主となった亀井氏に仕えて幕末まで永らえた。

（仁賀保）出羽の名族**仁賀保挙誠《にかほたかのぶ》**は、秀吉に領地を安堵されたが、いったん常陸に移った。その後、故地に戻って出羽仁賀保一万石。一六二五年に分割されて旗本に戻る。

伊達政宗は茨城、栃木、福島、山形、宮城のどこが故郷なのか

相馬（中村）・岩城（亀田）

（相馬）勇壮な「野馬追い」で知られる相馬《そうま》氏は、平将門の子孫と称する。下総国の相馬郡にあったが、頼朝の奥州遠征に従い、陸奥国行方《こうほう》郡を与えられた。鎌倉時代末期に、重胤《しげたね》が下総から陸奥の所領に移り、南北朝時代には北朝方で北畠顕家らと戦った。戦国時代にあっては、隣接する伊達氏と縁組みをしたり、また内紛に巻き込まれたりした。義胤《よしたね》が小田原の陣に参陣して本領を安堵された。関ヶ原の戦いでは中立の立場にあって、いったんは所領を没収されたが、子の**相馬利胤**《としたね》に継承が認められた。小高城（小高町）から利胤のときに中村（相馬）城に移った。

寒害に弱い土地であり、天明の飢饉では人口が激減するほどの被害があった。このため、益胤《ますたね》、充胤《みちたね》などの藩主は、ありとあらゆる飢饉対策を展開し、越後からの花嫁導入、越中門徒の移住受け入れといったユニークな対策までが実行された。戊辰戦争では奥羽列藩同盟に参加したが、比較的早く恭順した。

（岩城）東北最南端いわき市には、意外なことに、平安時代末期の美しい白水阿弥陀堂があり、国宝に指定されている。この美しい御堂を建てたのは、藤原秀衡《ひでひら》の妹で平《たいら》

国香《のくにか》の末孫である岩城則道《いわきのりみち》の夫人だった徳姫である。

岩城貞隆《さだたか》は、秀吉の奥州仕置きの時期には佐竹氏と友好関係を結び、一二万石を安堵された。関ヶ原の戦いでは、実兄の佐竹義宣とともに西軍寄りの行動をとったために除封されたが、大坂の陣では本多正信の配下で出陣、川中島に一万石を得た。子の吉隆《よしたか》は、一六二三年に佐竹氏の秋田に近い出羽亀田に二万石で入り、さらに佐竹家を嗣いで久保田（秋田）藩主となった。亀田藩は、貞隆の弟の孫が嗣いだ。

伊達（仙台）・田村（一関）

（伊達）独眼流**伊達政宗**《だてまさむね》は何県人かという問いに対する答えはなかなか難しい。仙台の人は宮城県人といいたいところだろうが、政宗がこの地にやってきたのは、秀吉によって会津や米沢から北の地へ追われてのことである。

それ以前は会津黒川（若松）城主だったわけであるが、この城は、政宗が蘆名氏から奪い取ったもので、政宗は出羽米沢の生まれである。しかし、この米沢の地を手に入れたのもそう古いことでなく、政宗の祖父である晴宗《はるむね》の代である。そもそも伊達氏は、今の下館市にあたる常陸国真壁郡伊佐荘中村にあって、藤原魚名《うおな》の子孫と称した藤原朝長が、源頼朝の奥州遠征で信夫《しのぶ》の佐藤一族を討ち取った大功を立てて陸奥伊達郡を与えられたことに始まる。しかし伊達藩では、中村城の場所を栃木県真岡市の中村八幡宮とし、参勤交代の際に立ち寄っていたので、伊達家は関東に下ってきてからだけを考えても、茨城、栃木、福島、山形、宮城のどれを地元といってもおかしくないということになる。

伊達政宗と豊臣秀吉の出会いとその後はよく知られているとおりだが、とりあえず、政宗は米沢に戻され、ついで宮城県北部を領していた葛西、西北部の大崎両氏が除かれたあとの岩出山六二万石に入った。最初に居城としたのは岩出山だが、やがて仙台（青葉）城を築いた。

政宗は豊臣秀次に食い込もうとしたり、家康の子の忠輝と陰謀をめぐらせたり、支倉常長《はせくらつねなが》をヨーロッパに送って彼らとの連携を狙ったり、いろいろと試みた。関ヶ原のときには、福島県の旧領の回復を約束されていたが、かなえられなかった。これを不満として、のちに政宗は、家康からもらった「百万石をやる」という書状を井伊直孝《なおたか》にちらつかせたが、直孝は、それを拝見すると称して取り上げて破り捨て燃やしてしまい、「伊達家を守るためには、あってはならないものですぞ」と一喝したという挿話がある。

このように政宗が「危険」な男であるにもかかわらず失脚しなかった背景には、伊

伊達（仙台・宇和島）

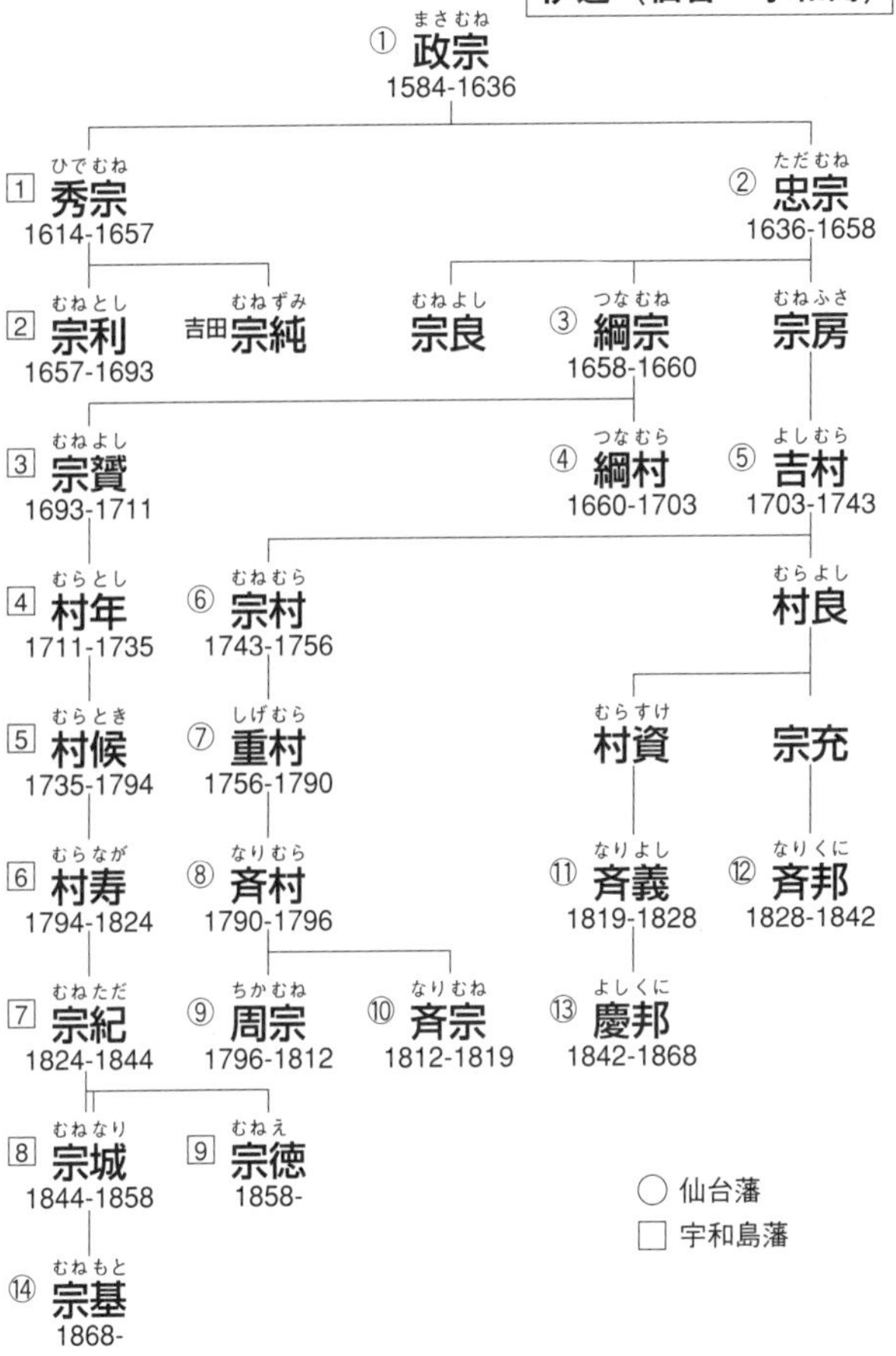

① 政宗《まさむね》 1584-1636
1 秀宗《ひでむね》 1614-1657
② 忠宗《ただむね》 1636-1658
2 宗利《むねとし》 1657-1693
吉田宗純《むねずみ》
宗良《むねよし》
③ 綱宗《つなむね》 1658-1660
宗房《むねふさ》
3 宗贇《むねよし》 1693-1711
④ 綱村《つなむら》 1660-1703
⑤ 吉村《よしむら》 1703-1743
4 村年《むらとし》 1711-1735
⑥ 宗村《むねむら》 1743-1756
村良《むらよし》
5 村候《むらとき》 1735-1794
⑦ 重村《しげむら》 1756-1790
村資《むらすけ》
宗充
6 村寿《むらなが》 1794-1824
⑧ 斉村《なりむら》 1790-1796
⑪ 斉義《なりよし》 1819-1828
⑫ 斉邦《なりくに》 1828-1842
7 宗紀《むねただ》 1824-1844
⑨ 周宗《ちかむね》 1796-1812
⑩ 斉宗《なりむね》 1812-1819
⑬ 慶邦《よしくに》 1842-1868
8 宗城《むねなり》 1844-1858
9 宗徳《むねえ》 1858-
⑭ 宗基《むねもと》 1868-
○ 仙台藩
□ 宇和島藩

達家が政宗の独裁でなく、人材豊富で、高禄を与えた重臣たちの独立性が強く、また、藩政も合議が重視されたということがある。たとえば、小田原へ政宗が参陣したときも、一族の猛将伊達成実《しげざね》が、黒川では戦闘態勢を整えて留守を守っていたことが知られている。そのために、政宗だけを除いても、あとが厄介そうだということが伊達家を守った。

このような中世的な体制のメリットもあったわけだが、お家騒動の原因にもなった。四代目の綱村《つなむら》のときには、大河ドラマ「樅《もみ》ノ木は残った」でもおなじみの伊達騒動が起きて、一族同士が争い、それぞれ幕閣に訴え、取り潰されてもおかしくないスキャンダルとなった。また、総検地が一度しか実施できないままになるなど、藩政の近代化は進まなかった。飢饉で多くの餓死者を出したし、幕末維新の動きのなかで人材は豊富だったにもかかわらず、ほとんどなす術《すべ》を知らず、天下の情勢の決着がついてから時期はずれの奥羽列藩同盟を主導して、戊辰戦争の悲劇を起こした。

政宗のあとは、正室である愛姫《めごひめ》の子である忠宗《ただむね》が嗣ぎ、長男**伊達秀宗**《ひでむね》は大坂冬の陣の功を理由に宇和島一〇万石の藩祖となった。その秀宗《ひでむね》の五男である**伊達宗純**《むねずみ》が伊予吉田藩三万石を創設した。宇和島藩では、幕末の四賢侯の一人といわれた伊達宗城《むねなり》を出した。旗本山口直勝《なおかつ》の子であるが、伊達家の血筋も引いている。明治になってからも、清国との修好通商条約交渉の欽差《きんさ》全権大臣として李鴻章《りこうしょう》と対峙《たいじ》した。

伊達一族では、亘理《わたり》、角田などの伊達氏、白石の片倉氏なども大名顔負けの勢力だが、いずれも陪臣でしかなかった。ただし、政宗の次男の**伊達宗勝**《むねかつ》（兵部）が一関で三万石、綱宗の次男**伊達村和**《むらより》が水沢で三万石と大名扱いされたこともあるが、前者は伊達騒動で、後者は旗本との行列衝突をめぐる紛争処理の不手際で改易された。

（田村）このところ、東北の歴史を征服された側から見ようというのがブームなので立場が微妙なのだが、桓武天皇の命を受けて東北平定に活躍した坂上田村麻呂《さかのうえのたむらまろ》も、もともとは、東北に夜明けをもたらした英雄として扱われ、青森のねぶた祭なども田村麻呂を顕彰するものだったはずである。一関藩主の田村家は、その坂上田村麻呂の子孫とされる。三春の民芸品である三春駒も、坂上田村麻呂を顕彰するもので、田村氏が父祖の地へ残した思い出である。陸奥田村郡にあったが、のちに三春に移り、伊達、相馬などと合従連衡《がっしょうれんこう》を繰り返した。だが秀吉の奥州仕置のときに三春を失い、そののちは、伊達政宗の正室愛姫が田村家出身だったことから、伊達家に保護された。しかし、愛姫の希望により、その孫の**田村宗良**《むねよし》が岩沼で三万石を与えられて、諸侯に列するとともに仙台藩主伊達綱村の後見役となった。伊達騒動の責任を問われ閉門となったが許され、子の建顕《たけあき》のときに一関に移った。

北海道・東北の藩

蝦夷
館
福山
(陸奥)
斗南
弘前
黒石
七戸
(陸中)
八戸
(羽後)
出羽
久保田
久保田新田
亀田
角館
盛岡
(陸中)
本荘
六郷
仁賀保
横手
矢島
岩崎
陸奥
水沢
松山
庄内
大山
新庄
一関
(羽前)
佐渡
村山
(陸前)
三日市
新発田
村上
左沢
長瀞
黒川
山形
天童
三根山
上山
仙台
三条
沢海
安田
高畠
白石
岩沼
春日山
椎谷
与板
米沢
米沢新田
桑折
梁川
長峯
村松
糸魚川
長岡
福島
下村
蔵王
藤井
会津
越後
(岩代)
中村
二本松
(磐城)
下手渡
坂戸
岩瀬
三春
守山
白河
白河新田
石川
高田
高柳
浅川
福嶋
平
棚倉
湯長谷
泉
菊多
(一部省略あり)

第八章　大航海時代の夢に生きた西日本の豪族

——鋭い国際感覚の遺伝子

百済王家の子孫大内氏は茨城県に

山口（牛久）

西日本の戦国時代は、細川と大内という二大勢力のライバル関係があったということを頭に置かなければ理解できない。

中国の浙江省《せっこう》に寧波《にんぽう》という港町がある。今また対外開放政策の拠点都市として注目されているが、少し前までは、さびれた地方港湾都市にすぎなかった。だから、秀吉が「唐入りが成功したら、天皇には北京に住んでもらって、自分は寧波にあって天竺《てんじく》征服を準備するのだ」といっていたという記録を見ても、どうしてそんなへんぴなところに、といった感想を持ったものである。

だが、この寧波の町こそ、まだ上海が外国貿易の拠点でなかった明《みん》の時代にあっては、対外貿易の窓口として、たいそう栄えた町なのである。いってみれば、日本で長崎が占めるような位置を持っていたのである。この寧波の港で一五二三年、大内氏に後押しされた博多商人と、細川氏が後ろ盾の堺商人が武力衝突するという事件が起きて、以降、博多が一五三八年の大内氏滅亡まで対明貿易を独占することになる。

応仁の乱で山名氏が衰えたあとの西日本では、細川・大内両氏の二強がほかを凌駕《りょうが》していた。しかも彼らは、大交易時代への視野もそれなりに持っていた。それでも結局は、戦国大名になりきれずに没落していくのだが、じつは、彼らは江戸時代にもかろうじて生き残る。細川氏の傍流が肥後熊本藩主となったことは誰でも知っているが、大内氏、それにもう一つの西国の雄である山名氏も、小大名や高家として生き残ったことは知る人ぞ知るである。

「西の京」という言葉にふさわしい都市があるとすればただ一つしかない。それは山口である。室町時代にあって、百済《くだら》王の子孫と称する大内氏のもとで、博多を支配して大陸と交流し、雪舟やザビエルもここへやってきた。もし大内氏が滅びなかったら、西日本の主人として、アジアの国際関係のなかで事実上、日本を代表するような勢力になったかもしれないが、家臣の陶晴賢《すえはるかた》に裏切られた。大内氏の名跡は、大友宗麟《そうりん》の弟義長《よしなが》に引き継がれたが、毛利元就との厳島《いつくしま》の戦いの結果、この義長も自刃し、ここに大内氏の正統は滅びたのである。

だが、江戸時代の大名に大内氏の子孫と称する山口《やまぐち》氏がある。足利義満の時代に六ヵ国の守護を兼ねた大内義弘の子持盛《もちもり》の子孫と称する**山口重政**《しげまさ》が、尾張で佐久間正勝(石山攻めの不手際で追放された信盛の子)、織田信雄に仕えたが、信雄が失脚したために家康のもとに移った。一万石を得たが、大久保忠隣事件で失脚。一六二九年に牛《うし》久《く》一万五千石で大名に復帰した。最後の藩主である弘達《ひろよし》が、書道の専門家、とくに硯《すずり》の愛好家として知られ、学習院の教授をつとめた。

秋月（高鍋）・筑紫（旧山下）

（秋月）蒙古の軍勢が攻めてきたころ、大宰府《だざいふ》の事実上の主人は、源頼朝から鎮西奉行大宰少弐《しように》に任ぜられた武藤資頼の子孫少弐氏だった。室町時代にも少弐氏は生きのびていたが、結局は竜造寺隆信によって滅ぼされ、最後は、優勢だった大友氏も南から来た島津勢に押され気味になるなかで、秀吉がやってくることになる。

このとき、在地の勢力で江戸時代まで生きのびたのが秋月《あきづき》氏である。先祖は丹波の大蔵氏で、後漢の霊帝を祖と称する帰化人である。大宰府の役人として赴任し、『蒙古襲来絵詞《えことば》』にも「あきつきの九郎たねむね」なる人物の名が見られる。戦国時代には、大内氏、ついで島津氏と組んで大友氏と戦った。秀吉の侵攻にも抵抗するが、**秋月種長《たねなが》**は、博多の商人島井宗室から奪って所持していた天下の三名物の一つ「楢柴《ならしば》」（肩衝《かたつ》き茶入れ）を献上することで生きながらえた。朝鮮の役では、二五〇〇人もの鼻を削ぎ落として日本に送った残虐を働き、関ヶ原の役では高橋元種《たかはしもとたね》、相良長毎《さがらながつね》ともども西軍の大垣城にありながら内応して、落城のきっかけをつくった。戦後、日向の高鍋二万七千石に移された。上杉鷹山は、秋月家から養子に出ているが、その兄の種《たね》茂《しげ》も名君として知られる。幕末の藩主の子種樹《たねたつ》は、維新後の公議所初代議長などとして活躍した。

高橋元種は秋月種長の弟で、豊前の高橋鑑種《かねたね》の養子となり、延岡五万三千石を与えられ、関ヶ原では西軍から東軍に転じたが、一六一三年に富田信高に連座して改易された。

（筑紫）守護大名少弐氏に仕えた肥前の**筑紫広門**《つくしひろかど》は、秀吉の九州征伐の際に傘下《さんか》に入り、筑後上妻郡山下で一万八千石を得た。朝鮮の役で活躍。関ヶ原で西軍に属し改易され、肥後の加藤清正のもとに身を寄せた。

大友（旧府内）・立花（柳河・三池）

（大友）キリシタン大名として知られる大友宗麟《おおともそうりん》は、安土城や大坂城で信長や秀吉と会見するなど、西国における織豊政権シンパの代表選手だった。信長などは、中国征伐に先立ち、防長を宗麟に与えることまで約束しており、東における徳川家康より上の地位を占める勢いだった。ところが、その大友氏は天下統一直後の一五九三年に大名としては消えてしまう。

というのは、宗麟は秀吉の助けが来る年に死んでしまい、後継者の**大友義統**《よしむね》には、豊後一国が与えられただけだった。朝鮮で明軍の反撃を恐れて戦線から逃げ出してしまい、その豊後も奪われた。関ヶ原では西軍につき、出羽に流されたが、子孫は高家として江戸時代にも残った。もともとは相模国小田原に近い大友郷にあったが、能直《よしなお》が源頼朝に従って功をあげ、豊前、豊後、筑後の守護、鎮西奉行などをつとめた。応仁の乱では東軍に属して西軍の大内氏と対立した。

(立花)碧蹄館《へきていかん》の戦いというのは、秀吉の朝鮮出兵が誤りであったにしても、日本の民族と国家にとって記念碑的な勝利の場であった。白村江《はくそんこう》で百済・日本連合軍が新羅・唐連合軍に敗れてから最初の中華帝国正規軍との激突であり、それに勝利したことは、民族的な誇りでなくてなんであろうか。どこの国でも戦争の是非がどうであろうと、局地的な戦闘の勝利はそれなりに誇りとして持ちつづけているものだし、それを否定することはないのだ。パリの町だって、イエナ、ワグラム、ソルフェリーノなど、いってみれば侵略戦争時の勝利の地の名前だらけではないか。

その碧蹄館の勝利の主人公の一人が**立花宗茂**《たちばなむねしげ》である。大友氏庶流の立花氏に婿養子として入り、島津勢の猛攻を食い止め、秀吉の九州制覇に貢献して柳河城主となっ

立花家

(高橋)紹運《じょううん》
- ① 宗茂《むねしげ》 1603-1637
- 直次《なおつぐ》
  - ② 忠茂《ただしげ》 1637-1664
    - ③ 鑑虎《あきとら》 1664-1696
      - ④ 鑑任《あきとう》 1696-1721
    - 茂虎《しげとら》
      - 茂高《しげたか》
        - ⑤ 貞俶《さだよし》 1721-1744
          - ⑥ 貞則《さだのり》 1744-1746
          - ⑦ 鑑通《あきなお》 1746-1797
            - ⑧ 鑑寿《あきひさ》 1797-1820
              - 寿淑
                - ⑫ 鑑寛《あきとも》 1846-
            - 鑑一《あきかず》
              - ⑨ 鑑賢《あきかた》 1820-1830
                - ⑩ 鑑広《あきひろ》 1830-1833
                - ⑪ 鑑侑《あきのぶ》 1833-1846
  - 種次《たねつぐ》 (三池藩祖)

た。関ヶ原では西軍に属し除封されたが、秀忠に仕えて陸奥棚倉藩主として復活し、大坂の陣の戦功で柳河に復帰した。島原の乱でも甥の忠茂ともども活躍し、戦国武将の生き残りとしての面目をほどこした。柳河藩では、有明海の干拓などにも積極的に取り組んだ。

支藩として、宗茂の甥**立花種次**《たねつぐ》を祖とする三池藩がある。若年寄をつとめた種周《たねちか》が松平定信と争い免職隠居したあと、陸奥下手渡《しもてど》に移されたが、戊辰戦争のときに三池に戻った。種恭《たねゆき》は最後の老中並で、のちに学習院の初代院長となった。

家康は第三次朝鮮遠征も視野に入れた交渉をした

鍋島（佐賀・蓮池・小城・鹿島）

大名とその家来の関係が不動のものであり、整然とした世襲となったのは、江戸時代になってからであって、戦国時代にはかなり柔軟なものだった。斯波と織田、京極と浅井、古河公方と北条など、平和裡《り》に共存していたこともあるし、織田から豊臣への移行もなしくずし的に行われた。

だから、「化け猫」伝説を生んだ佐賀における龍造寺氏から鍋島《なべしま》氏への交替も、それほど破天荒なことでもなかった。いってみれば、実力専務が創業者一族を徐々に排斥してオーナーとして認められたにすぎない。ただ、やや特殊なのは、この複雑な関係が江戸時代初期まで存続したということなのである。

その原因は、龍造寺の殿さまの未亡人で新当主の母親が、家老の鍋島清房《きよふさ》と結婚したことにある。この結果、殿さまである龍造寺隆信と家老である鍋島直茂《なおしげ》が異父兄弟になって、二人が力を合わせて龍造寺王国を巨大化させ、しかも隆信のほうが先に死んだ。

鎌倉時代から室町時代の北九州では、少弐氏が筑前、豊前、肥前、壱岐、対馬などの守護を兼ねていた時期があった。それが大内氏や大友氏に圧迫されて、肥前を最後の砦としていた。龍造寺氏はもともと大宰府の地方官僚出身で少弐氏に属して、この地にあったが、やがて対立し独立した。とくに隆信は大内氏と結び、また鉄砲隊を駆使して、一時は北九州の主となり、一五五二年には少弐氏を滅ぼした。しかし、筑後の国人たちや有馬晴信が離反して島津氏と接近するなかで、一五八四年、島原半島の沖田畷《おきたなわて》の戦いで島津・有馬軍に囲まれ討ち死にした。

隆信の子の政信は暗愚だったので、実質的な主導権は**鍋島直茂**に移り、秀吉が九州にやってきたときに領地を安堵されたのは、なお龍造寺氏であったものの、朝鮮遠征でも直茂が全軍を指揮した。関ヶ原では子の勝茂《かつしげ》が西軍に属し、伏見城攻撃にも参加したが、旗色が明らかになるや、直茂は立花宗茂の柳河城を攻撃して領地を安堵された。そして一六〇七年に龍造寺高房が江戸屋敷で自殺したことで、名実ともに鍋島氏の支配が確立する。

佐賀藩三五万七千石では、こうした経緯から、鍋島一族や龍造寺一族の統制に苦慮し、「三家格式」を制定するなどして藩主の主導性を高める努力をしたが、支藩も勝茂の子の**鍋島元茂**《もとしげ》に始まる小城藩（二万三千石）、同じく**鍋島直澄**《なおずみ》を祖とする蓮池藩（五万二千石）、同じく直茂の子だが甥が養子となった**鍋島忠茂**《ただしげ》の鹿島藩（二万石）と、三藩もあり、多久、諫早《いさはや》など龍造寺一族、被官と呼ばれる郷士のような存在も健在だった。

鍋島藩が他藩との交流を嫌った国内鎖国政策には、こうした背景がある。しかし、長崎警護を担当したことから海外の情勢には明るく、これが、幕末の藩主である閑叟《かんそう》（斉正《なりまさ》、直正《なおまさ》）のもとでの大砲製造成功をもたらした。このおかげで彰義隊や会津藩の殲滅《せんめつ》に大功績をあげ、薩長土肥の一角に名を連ねることになった。藩校弘道館における スパルタ教育と、成績が悪いと禄高を削るという厳罰主義には賛否両論があった

鍋島

清房《きよふさ》 ＝ 慶誾尼 ＝ 龍造寺《りゅうぞうじ》

隆信《たかのぶ》

直茂《なおしげ》

① 勝茂《かつしげ》 1607-1657
忠茂《ただしげ》（鹿島藩）

忠直《ただなお》
元茂《もとしげ》（小城藩）
直澄《なおずみ》（蓮池藩）

② 光茂《みつしげ》 1657-1695

③ 綱茂《つなしげ》 1695-1707
④ 吉茂《よししげ》 1707-1730
⑤ 宗茂《むねしげ》 1730-1738

⑥ 宗教《むねのり》 1738-1760
⑦ 重茂《しげもち》 1760-1770
⑧ 治茂《はるしげ》 1770-1805

⑨ 斉直《なりなお》 1805-1830
直彝《なおのり》
直与《なおとも》

⑩ 閑叟《かんそう》 1830-1861
直永《なおなが》
直賢《なおさが》

⑪ 直大《なおひろ》 1861-
直虎《なおとら》

が、優秀な人材養成の成功の原動力となったことは確かである。

有馬（丸岡）・大村（大村）・松浦（平戸・平戸新田）・五島（福江）

（有馬）天正遣欧使節に千々石《ちぢわ》ミゲルを送り出した**有馬晴信《ありまはるのぶ》**は、本多正純の家臣岡本《おかもと》大八《だいはち》に加増を斡旋してもらおうとして賄賂を贈ったのに音沙汰がないと訴え出たところ、逆に長崎奉行暗殺を企てていたと暴露され、甲府に流され自刃させられた。大久保忠隣と本多正信の対立に巻き込まれたのである。

ところが幸いなことに、嫡子の直純《なおずみ》が家康の養女を正室としていたことから、島原半島日之江城を安堵され、さらにキリシタンを棄教したうえで日向延岡（旧称は県）に所領を移してもらった（一六一四年）。しかし孫の清純《きよずみ》のときに領民の逃散《ちょうさん》騒動などがあり、減封のうえ、糸魚川（一六九一年）、ついで越前丸岡五万石に移された（一六九五年）。

もともと藤原純友《すみとも》の子孫と称する。高来《たかき》郡有馬荘の地頭であり、大内氏と連合して力を得たが、龍造寺隆信に圧迫された。しかし、晴信が島津氏と結んで沖田畷の戦いで龍造寺隆信を討ち取り、勢力を回復した。関ヶ原の戦いでは、小西行長の宇土城を攻撃した。幕末の藩主である道純《みちずみ》は、播磨山崎藩本多家からの養子で、老中をつとめた。

（大村）バルトロメウという洗礼名を持つキリシタン大名第一号で（一五六三年）、長崎を教会に寄進し（一五八〇年）、天正遣欧使節を出したのが（一五八二年）、**大村**《おおむら》**純忠**《すみただ》である。藤原純友の孫が下向したのが始まりというが、鎌倉時代以来、この地にあった。有馬氏に圧迫され、純忠も有馬家からの養子である。龍造寺隆信に服属したことがあったが、隆信の戦死で独立し、秀吉からも二万七千石の所領を安堵され、関ヶ原では東軍についた。幕末には洋式軍隊の導入に積極的に取り組み、官軍に参加して東北戦線で功をあげて、三万石という最大級の賞典禄を得た。

（松浦）明治時代になって平戸の松浦《まつら》家は、小藩にもかかわらず伯爵とされて、一〇万石以上の大名並に扱われた。というのは、明治天皇の生母である中山慶子《なかやまよしこ》の母親が松浦家から公卿の中山家に輿入れしていたからである。つまり現在の皇室は、日本列島の西の果ての水軍の頭領の血を引いているというわけである。

松浦氏はもともと、平安時代に嵯峨源氏の一族が下向したものらしい。元寇の際に勇敢に戦ったことは、大河ドラマ「時宗」でもおなじみ。戦国時代の**松浦隆信**《たかのぶ》・鎮信《しげのぶ》は、平戸を根拠地に南蛮貿易を盛んにし、また壱岐にまで勢力を伸ばした。秀吉の九州平定に従い朝鮮にも出兵し、関ヶ原では東軍につき、六万一千石の所領を安堵された。鎮信の子の久信《ひさのぶ》の夫人メンシャは、大村純忠の娘で熱心なクリスチャンであった。しかし、幕府の鎖国政策で平戸の外国商館は閉鎖され、以後は新田の開発などでしのぐしかなかった。九代藩主である静山《せいざん》は、日記『甲子夜話《かっしやわ》』で知られる。

支藩として、一六八九年、鎮信（天祥）の次男である**松浦昌**《まさし》が一万石を分与された平戸新田藩があり、陣屋は平戸市内にあった。

（五島）五島《ごとう》氏も藤原純友の流れと称し、五島列島でももっとも本土に近い宇久島の出身である。一四世紀に福江島に移ったが、引き続き宇久氏と名乗っていた。純玄《すみはる》が秀吉に領地（一万二千石）を安堵され、姓を五島と改め朝鮮遠征でも活躍したが、現地で陣没して**五島玄雅**《はるまさ》が嗣いだ。居城の石田城は、一八四九年になって海防のために初めて築城が許されたものである。一六六一年に藩主盛勝の叔父で後見役の盛清《もりきよ》に富江領三千石が分与され、ほとんど独立王国の感があった。

宗（対馬）

朝鮮半島との交流拠点であった対馬もまた、鎌倉時代から室町時代にかけては少弐氏の勢力圏である。対馬国府の官人であったと見られる宗《そう》氏も少弐氏に属し、対馬のみならず九州本土でも筑前守護代などをつとめていたこともある。元寇では宗助国《すけくに》が戦死するなど大きな被害をこうむったが、一五世紀から南北朝時代にかけて対馬の支配権を確立し、倭寇《わこう》の取り締まりを行うなどして朝鮮王国の信頼も勝ち得た。

宗義調《よししげ》・**宗義智**《よしとし》のとき秀吉に服属し、小西行長と協力して朝鮮外交にあたるが、出兵の際には行長と行動をともにする。家康のもとで講和を成立させるのに成功し、江戸時代には朝鮮通信使の来訪を迎え、釜山に倭館を置いた。格式としては一〇万石を認められたが、実収入がともなわずに財政的には常に苦しく、対馬藩では移封を願ったこともあった。幕末にはロシア軍艦による占拠という事件が起き、維新後は王政復古を朝鮮に通知したところ、「天皇」という称号をめぐって朝鮮側が非礼な態度で応えたことから江華島事件が起こった。これが不幸な両国関係の始まりとなり、朝鮮外交も外務省の管轄とされることになり、対馬藩の役割は終焉《しゅうえん》を迎えた。

江戸時代の日朝関係については、平和的で対等の関係として美化されがちだが、家康の外交にしても第三次出兵の可能性を臭わせながらの強圧的なものであった。江戸時代を通じて派兵の可能性は常に維持されていたし、秀吉の遠征にしても、戦後の我々が考えているほどには大失敗と受け取られていたともいえない。通信使にしても、少なくとも幕府側から見れば服属儀礼そのものであった。その一方、幕末維新においても朝鮮側が中華帝国秩序からの日本の独立性を否認する態度に出て、その後の混乱のきっかけとなるなど、一見、平和な関係も鎖国体制の下でのみ可能だった糊塗策にすぎないのであって、善隣友好関係などと持ち上げて高く評価する考え方の流行は疑問である。

薩摩隼人の日本征服

伊東（飫肥）・相良（人吉）

（伊東）南九州の豪族としては、飫肥《おび》の伊東家と人吉の相良家が幕末まで生き残った。高校野球の強豪である日南高校がある日南市の旧名は飫肥である。難読地名の一つである。藤原武智麻呂（北家）の流れをくみ、伊豆半島の伊東《いとう》にあった伊東氏は、鎌倉時代の武将で富士の巻狩りの際に曾我兄弟に仇討ちされて殺された工藤祐経の子孫で、日向には地頭としてやってきた。足利尊氏のころは児湯《こゆ》郡（西都市）にあったが、義祐《よしすけ》の一五六八年に飫肥を獲得した。いったん島津氏に逐《お》われたが、子の伊東祐《すけ》兵《たか》が畿内にあって秀吉に仕え、九州平定に活躍し、旧領である飫肥を奪回した。関ヶ原で祐兵は畿内で東軍に属して戦死したが、国元では**伊東祐慶**《すけのり》が東軍に属した。見事な杉の山林は、寛政時代の藩主祐鐘《すけあつ》が基礎を築いた。
（相良）遠江の相良《さがら》荘にあった藤原南家の長頼は頼朝に仕えて、一一九三年に球磨《くま》郡多良木荘に入り、一二〇五年に人吉も得た。戦国時代には、葦北《あしきた》郡、八代《やつしろ》郡などに勢力を拡げて肥後南部の主になったが、島津氏の配下に入り球磨郡に押し込められ、秀吉の九州平定でも所領二万二千石を安堵され、関ヶ原でもはじめは西軍に属したが、途中で東軍に転じて事なきを得た。一族の間で内紛があり、それぞれが、石田三成と加藤清正を頼ったことが状況を複雑にした。**相良長毎《ながつね》**は、一六〇二年に母親を江戸に送って、これが大名家族の江戸在住の先例の一つになった。

　中世的な雰囲気を強く残し、有力家臣を巻き込んだ内紛が絶えなかった。宝暦年間には藩主頼央《よりひさ》が鉄砲で暗殺されたが、爆竹の音だといいくるめた竹鉄砲事件があったり、藩主の死を届けずに替え玉を殿様にしたりという事件まであった。あちこちから養子を迎えているのは、内紛を避けるための知恵であろうか。江戸時代の事績としては、球磨川の改修に成功し、八代《やつしろ》湾まで水運が開通したことがあげられる。

島津（鹿児島・佐土原）

関西財界の有力者が、東北を「熊襲《くまそ》の地」と呼んで自社製品の不買運動をされたことがあった。いうまでもなく、熊襲は南九州の部族だから間違いなのであるが、この騒動のとき、九州人たちは、熊襲の地といわれることが悪口になるということに怒った。なにしろ彼らは誇りを持って薩摩隼人《はやと》と自称するくらいで、むしろ誇りにしているのである。

江戸時代にあっても、薩摩の人たちの異彩ぶりは極端だったらしい。一八六二年に島津《しまづ》久光《ひさみつ》が薩摩藩兵を引き連れて京都から江戸に向かって、事実上のクーデターを成功させたが、このときも、江戸市中を一目でわかる薩摩的風俗の侍たちが闊歩《かっぽ》して、幕閣の幹部たちの行列を睨んでいたことで、老中たちは震え上がり要求を呑んだ。言葉も薩摩弁を隠さなかったので、最後の将軍慶喜も、薩摩の人たちの言葉は理解できないことが多く困ったといっている。それでも以前よりは、だいぶ改善（？）されていたのは、名君重豪《しげひで》が、「風俗言語の改善」をうたい、上方や江戸の風《ふう》を積極的に導入した結果なのであった。

島津氏の始祖忠久《ただひさ》は、比企《ひき》能員《よしかず》の妹が源頼朝の子を産んだのち、近衛家家司の惟宗《これむね》広言《ひろこと》の妻となり、その縁で、日向都　城《ひゅうがみやこのじょう》の近衛家島津荘に移ったとする。この話がどこまで事実かはともかくとして、島津忠久は薩摩、大隅《おおすみ》、日向三国の守護を兼ねたのであるから、頼朝の隠し子かどうかは別として、よほどのことがありそうであるし、

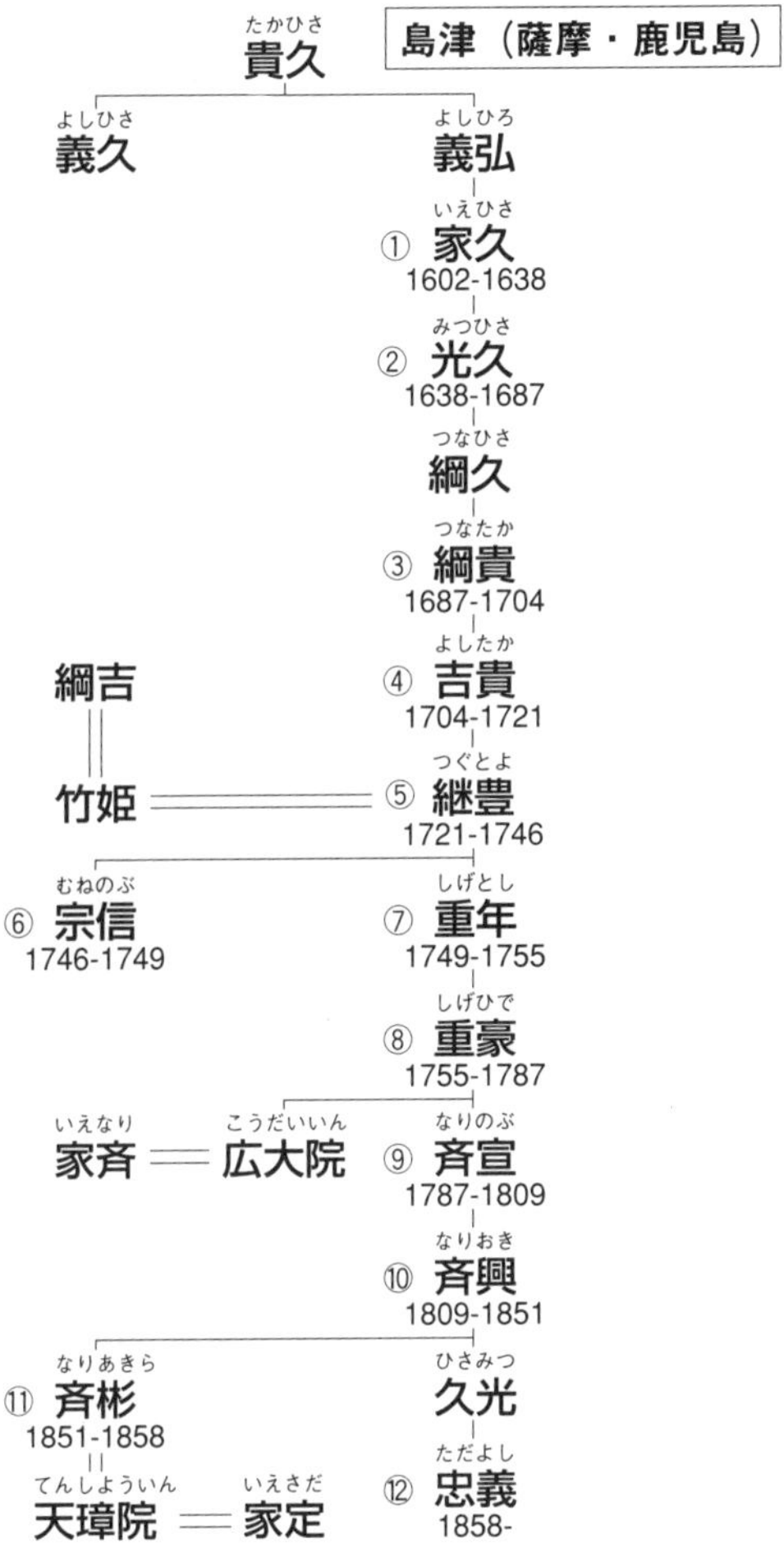

島津（薩摩・鹿児島）
貴久《たかひさ》
義久《よしひさ》
義弘《よしひろ》
① 家久《いえひさ》 1602-1638
② 光久《みつひさ》 1638-1687
綱久《つなひさ》
③ 綱貴《つなたか》 1687-1704
④ 吉貴《よしたか》 1704-1721
綱吉
竹姫
⑤ 継豊《つぐとよ》 1721-1746
⑥ 宗信《むねのぶ》 1746-1749
⑦ 重年《しげとし》 1749-1755
⑧ 重豪《しげひで》 1755-1787
家斉《いえなり》
広大院《こうだいいん》
⑨ 斉宣《なりのぶ》 1787-1809
⑩ 斉興《なりおき》 1809-1851
⑪ 斉彬《なりあきら》 1851-1858
久光《ひさみつ》
天璋院《てんしょういん》
家定《いえさだ》
⑫ 忠義《ただよし》 1858-

島津家は頼朝の子孫であることを誇りにして、秀吉の服属要求があったときにも成り上がり者の秀吉なんぞ、と拒否したほどだ。本当でもウソでも定着すれば意味があるのだ。

鎌倉時代から室町時代にかけて、島津家は多くの分家に分かれていたが、一五四五年に薩摩大隅日向の守護となった貴久《たかひさ》のときに、戦国大名としての地位を築き、本拠を鹿児島に定めた。その子義久《よしひさ》のときに、九州を平定する勢いだったが、豊臣秀吉の物量作戦に撃破されて下り、薩摩、大隅、日向半国の領有を認められた。関東の場合でもそうだが、秀吉にとっての夢は大陸の制覇であり、南九州の経営などに手間取りたくなかったのである。弟の義弘《よしひろ》が、朝鮮では泗川の戦いで明軍に大勝利、また、関ヶ原では西軍に属したが戦闘には加わらず日和見し、敗色が明らかになってから中央突破で戦場から逃げ出した。

徳川との和睦には時間がかかったが、一六〇二年には**島津家久**《いえひさ》に七二万八千石の安堵が認められた。一六〇九年には琉球王国に出兵し、事実上の属領とするとともに、奄美諸島を直轄領に収めた。江戸時代には、木曾三川《さんせん》の改修工事など厳しい負担を強いられたりしたが、吉宗のときに、綱吉の養女である竹姫を継豊の正室として迎えたことの縁で、江戸中期の名君重豪の養女を一橋家斉の許嫁としたところ、家斉が将軍になったので重豪は将軍の義父となり、その息子たちはあちこちの大名の養子になるなど、御三家並みの格式を獲得していった。さらに、斉彬《なりあきら》の養女である、のちの天璋院が将軍家定に輿入れし、ますます諸大名でも別格の存在になったのである。もはや幕末の薩摩藩は、将軍を狙うといっても誰もおかしく思わないような段階にきていたのである。

島津家には多くの分家があったが、独立の藩とされたのは、義久、義弘兄弟の叔父である忠将の流れをくむ垂水《たるみ》島津家の佐土原藩二万七千石だけである。初代藩主は**島津以久**《ゆきひさ》である。島津貴子《たかこ》さんの夫は、この家の当主である。

長州と土佐が少しよそと違う理由

長曽我部（旧浦戸）・久留島（森）

（長曽我部）土佐では山内氏が藩主となったあとも、旧主長曽我部《ちょうそかべ》氏のもとにあった土豪が郷士として残り、そのなかから坂本龍馬などが出た。長曽我部（長宗我部）というのは変わった名前だが、もとは秦《はた》氏の流れと称し、信濃から土佐に移ったらしい。

長岡郡宗部郷（宗我部郷）にあったことから、宗我部と名乗るようになったが、香美郡にも同じく宗我部氏を名乗る一族があったため、香美郡の宗我部氏は香美郡の一文字を冠に香宗我部とし、長岡郡にあったほうは長宗我部と称するようになったという。

守護細川氏が京都へ引き揚げるなどのなかで、中村の一条氏が在地勢力の中心になったが、やがて長曽我部元親《もとちか》が土佐を統一し、さらに四国全土に支配を広げていった。信長や秀吉ともできる限り友好関係を保とうとしたが、領地を奪われた土豪たちの求めもあり、三好氏と結んだ信長は、子の信孝や丹羽長秀に討伐を命じた。本能寺の変でいったんは救われたが、秀吉の攻撃を受けて土佐一国に封じ込められた。

長曽我部盛親《もりちか》は、関ヶ原では南宮山に出陣したが敗戦となり、土佐に帰って浦戸城にこもって赦免を願ったが、外交交渉が成功せず除封となった。京都で寺子屋を経営していたものの、大坂の陣に際して西軍に属し、落城後に山城八幡で捕縛され処刑された。

（久留島）四国の土豪出身で幕末まで大名であり続けたのは、豊後の国の山間にある森藩の久留島《くるしま》氏だけである。信濃国更級《さらしな》郡村上《むらかみ》郷に由来するとも、村上源氏に属するともいう村上水軍の一党で、伊予守護であった河野氏に属した。河野氏は毛利氏の配下に入ったが、本家は、通直が一五八七年に小早川隆景の居城三原で没したことにより絶えたが、通康《みちやす》は、主家に先立ち秀吉に属し、子の通総《みちふさ》は朝鮮全羅道で戦死している。**村上（久留島）長親《ながちか》**は関ヶ原では西軍に属したが、妻の叔父である福島正則の仲介で豊後森藩主一万二千石として生き残った。来島《くるしま》というのは、もとの本拠地の地名で、秀吉からもっぱらそう呼ばれたことでこれを姓とし、通総の孫である通春《みちはる》のときに久留島と改めた。

毛利（山口・長府・清末・徳山）

桓武《かんむ》天皇の母親である高野新笠《にいがさ》は、百済王家の一人が帰化した家柄だが、そのまた母方は、古代にあって埴輪《はにわ》づくりなどを職としていた土師《はじ》氏の出である。その根拠地だったのが山城国乙訓《おとくん》郡大枝であり、ここに御陵も営まれている。桓武天皇は、土師氏に大枝朝臣《あそん》を名乗らせ、さらに貞観年間に大江と改めた。平安時代を通じて文官として活躍したが、広元が頼朝に鎌倉に招かれて公文所《くもんじょ》、政所《まんどころ》の別当となり、官房副長官ともいうべき地位にあった。

長男の親広は、承久の変で京都探題側について追放されたが、四男の季光《すえみつ》が相模国毛利《もうり》荘にあって毛利氏を名乗った。本領は三浦泰村に連座して失ったが、安芸《あき》国高田郡吉田に拠って六波羅の官僚としても活躍し、戦国時代には大内氏寄りの立場で地歩を築いたが、陶晴賢《すえはるかた》による反乱以降は元就《もとなり》が独立色を強め、陶晴賢、それに擁立された大内義長、さらには尼子氏を葬って中国地方の覇者となった。長男の隆元《たかもと》は早く世を去ったが、その弟である吉川元春《きっかわもとはる》、小早川隆景《こばやかわたかかげ》が隆元の遺子輝元《てるもと》をよく助けた。

織田信長の台頭を前に、石山本願寺を援助するなどして戦い、前将軍足利義昭を備後の鞆《とも》に匿《かくま》う一方で、大友氏という西の脅威にも備えなければならなかった。石山本願寺が信長に屈服し、備前の宇喜多氏が信長側につくなど状況が悪化するなかで、羽柴秀吉による備中高松城攻撃の救援に乗り出したところ、甲斐の武田を滅亡させ全盛期にあった信長自身の出馬を迎えるという絶体絶命のピンチに陥ったが、本能寺の変で救われた。

その後は、畿内における状況を的確につかみ、秀吉と友好関係を築いて安芸、周《す》防《おう》、長門、石見、出雲、隠岐、伯耆、備後、備中を確保した。

関ヶ原の戦いにあっては、西軍の総大将として大坂城に入城したが、関ヶ原には出陣せず、タカ派の安国寺恵瓊《あんこくじえけい》、ハト派の吉川広家、中間派の毛利秀元が十分に結束せず、とくに広家は、東軍と内通して戦闘に加わらない代わりに領地安堵を認めるとい

毛利（萩・山口）

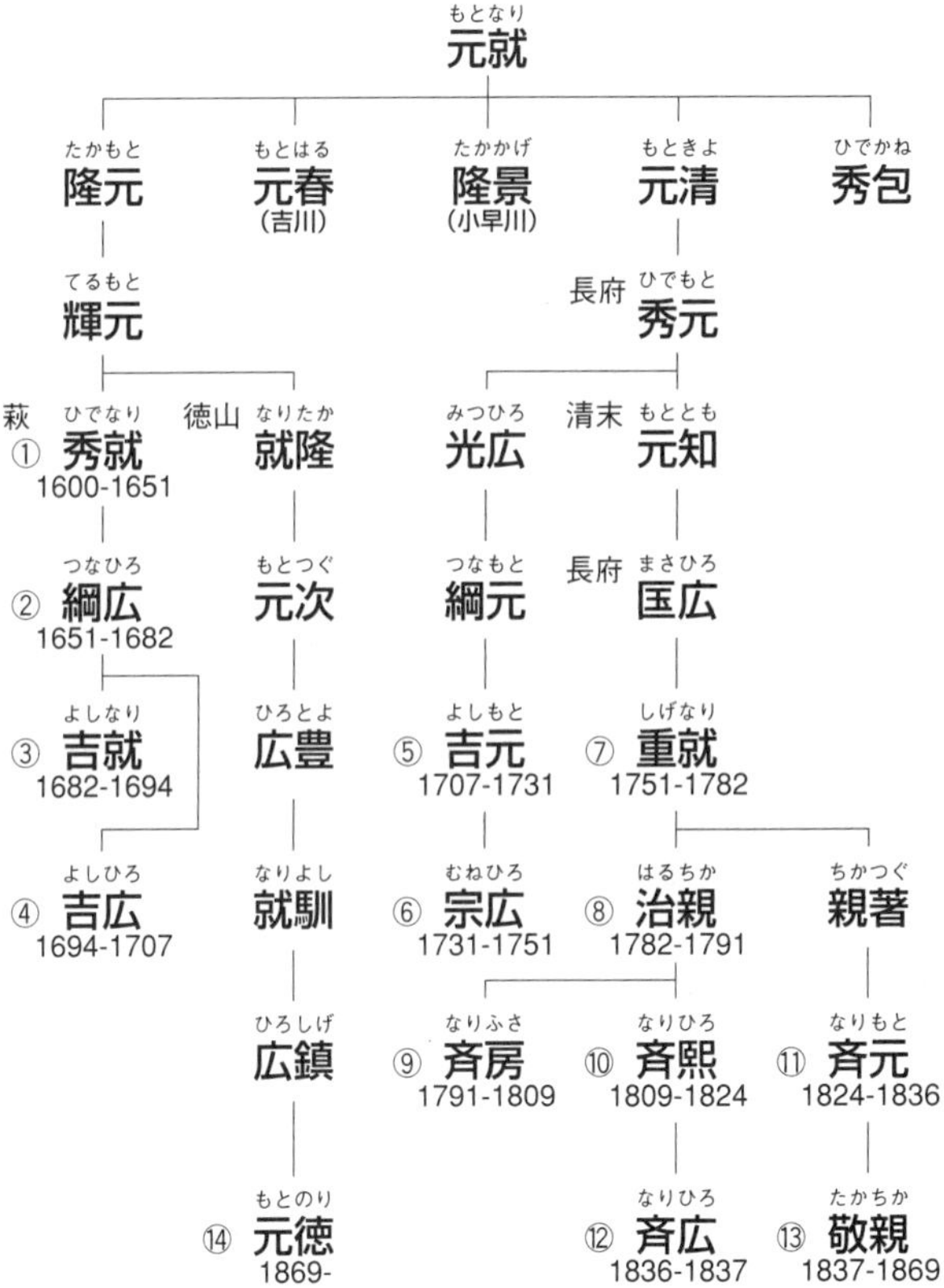
元就《もとなり》
隆元《たかもと》
元春《もとはる》（吉川）
隆景《たかかげ》（小早川）
元清《もときよ》
秀包《ひでかね》
輝元《てるもと》
長府 秀元《ひでもと》
萩 ① 秀就《ひでなり》 1600-1651
徳山 就隆《なりたか》
光広《みつひろ》
清末 元知《もととも》
② 綱広《つなひろ》 1651-1682
元次《もとつぐ》
綱元《つなもと》
長府 国広《まさひろ》
③ 吉就《よしなり》 1682-1694
広豊《ひろとよ》
⑤ 吉元《よしもと》 1707-1731
⑦ 重就《しげなり》 1751-1782
④ 吉広《よしひろ》 1694-1707
就馴《なりよし》
⑥ 宗広《むねひろ》 1731-1751
⑧ 治親《はるちか》 1782-1791
親著《ちかつぐ》
広鎮《ひろしげ》
⑨ 斉房《なりふさ》 1791-1809
⑩ 斉熙《なりひろ》 1809-1824
⑪ 斉元《なりもと》 1824-1836
⑭ 元徳《もとのり》 1869-
⑫ 斉広《なりひろ》 1836-1837
⑬ 敬親《たかちか》 1837-1869

う闇取引を本多忠勝らとしていた。戦後、安国寺恵瓊は処刑された。毛利秀元《ひでもと》らは、大坂城を死守することを主張したが、輝元は本領が確保されるという広家の進言を入れて広島に退去した。

ところが、東軍は約束が家康自身のものでないとして、広家に防長二ヵ国を与えるのみで毛利家は除封すると通告した。裏切られたことを知った広家の必死の嘆願で、この二ヵ国三六万九千石を輝元の子の**毛利秀就**《ひでなり》に与えることで、ようやく事態は収拾された。

長州藩にはいくつかの支藩があった。最大の長府藩五万石は、**毛利秀元**の家である。輝元には実子が四〇歳を超えるまでなかったので、元就四男の穂田元清《ほいだもときよ》の子秀元が後継者と位置づけられ、豊臣秀長の娘を正室に迎え、朝鮮にも輝元の名代として出兵した。しかし、一五九五年に秀就《ひでなり》が生まれたために、山口で二〇万石を与えられていた。関ヶ原ののちは、長府藩祖となった。

この長府藩から秀元の三男である**毛利元知**《もととも》が、一万石を分与されて清末藩を立藩した。また、輝元の次男である**毛利就隆**《なりたか》から徳山藩四万石が出た。

この長州藩と三つの支藩は、たびたび養子の交流をしたので関係はきわめて複雑であるが、第五代藩主である吉元《よしもと》から幕末の敬親《たかちか》までは長府藩秀元の系統で、最後の藩主である元徳《もとのり》は徳山藩就隆の子孫である。

吉川（岩国）・小早川（旧岡山・旧久留米）・安国寺（旧伊予）

（吉川）毛利元就の妻である妙玖《みょうきゅう》は、吉川国経《きつかわくにつね》の娘である。吉川氏は「よしかわ」でなく「きっかわ」と読むが、これはもともと、駿河国有度《うど》郡吉香《きつか》郷出身の吉香氏であったのが吉川に変じたことに由来する。承久の乱の功労で安芸国山県《やまがた》郡大朝《おおとも》荘の地頭となり、安芸の名族として活躍した。

尼子、毛利と関係が深く両者の斡旋をしたが、かえって毛利元就の不信を買い、興経は、元就と妙玖の次男である元春を養子に迎えざるを得なかった。しかも、興経とその実子は元就によって殺害されてしまった。

元春は、秀吉の九州攻めのさなかに小倉城で病死し、**吉川広家《ひろいえ》**が跡を嗣いで出雲富田で一二万石を領し、米子城を築いた。広家の関ヶ原での動きは既述のとおりだが、家康に騙されて主家に恥をかかせたというので、江戸時代を通じて長州藩内では冷たい目で見られ、城と三万石を持ちながら支藩としてさえ認知されずに家老扱いだった。しかし、第二次征長戦争での奮闘が認められ、一八六八年になって諸侯扱いとなって、三百年前の不名誉を晴らした。歴代の当主では、一六七三年に錦帯橋《きんたいきょう》を架けた広嘉《ひろよし》が知られる。

（小早川）豊臣政権の五大老といえば、徳川、前田、毛利、宇喜多、それに上杉景勝という人が多いが、景勝の就任は小早川隆景の死後のことである。隆景は秀吉の信任厚く、天下を任せることのできるほどの人物とし、とくに西日本支配の要と考えていた。隆景が養子となった小早川家は、相模国足柄郡早川荘にあった土肥氏だが、源平の戦いの際の功績で安芸国沼田荘の地頭となり、故郷の名にちなみ、小早川を名乗った。隆景が養子になったのは、竹原に本拠を置く支流だが、本家の婿養子として本家も嗣いだ。

本城は三原だが、秀吉から伊予を、ついで筑前（三五万石あるいは五二万石）を与えられて名島に城を築いた。子がなかったために弟の**小早川秀包**《ひでかね》を養子としていたが、寧々の甥で秀吉の養子になっていた秀秋《ひであき》をもらいうけた。秀包は久留米で一三万石を得たが、関ヶ原で西軍に属したために領地を失った。

一方、**小早川秀秋**は朝鮮での行動を非難され、越前福井に移されたが、秀吉の死後、名島に戻った。このあたりは短期間のことなのでよくわからない。関ヶ原での寝返りの報奨として宇喜多秀家の旧領を得たが、それほどの優遇でもなく、また、世間の冷たい目に耐えられず、二年後に没して、小早川家は断絶した。ただし明治になって、毛利家の一族によって家名が再興され男爵になった。

（安国寺）**安国寺恵瓊**は安芸国守護武田氏の遺児で、毛利氏の外交僧として活躍し、秀吉からは京都東福寺も与えられ、伊予和気郡で六万石を領した。毛利家内の西軍支持派の筆頭だったが、敗戦の結果、三成、行長とともに斬首された。

　毛利家では、元旦の挨拶にきた重臣が藩主に、「そろそろいかがでございます」と聞くと、藩主は「まだその時期ではない」と答える儀式があったという伝説がある。関ヶ原の雪辱をいつかは期そうということである。

　本書を読んでいかれて気づかれたと思うが、関東、東北、九州などでは土着勢力がけっこう大名として生き残った。ところが、四国は久留島家が豊後で残っただけで、中国では毛利家と亀井家がそれぞれ萩と津和野にあっただけである。その代わりに、四国では長曽我部旧臣が土佐の郷士として盤踞《ばんきょ》し、長州藩では、中国地方各地に基盤を持つ土豪たちのほとんどが、防長二ヵ国に大幅に封を削られたうえで押し込められるということになった。

　豊臣政権下の毛利家では、近世的な主従関係に移行することなく、土豪たちが地元に領地を持ちつつ毛利家に仕えていたのである。それが、大幅な禄高カットのうえ、そっくりそのまま萩の城下に押し込められたのだから、いつかは関ヶ原の雪辱をしたいという気持が濃縮されていったのである。

あるいは、土佐では長曽我部旧臣が郷士という形で残り、ヨーロッパにおける知的なブルジョワ層に似た役割を果たした。

そして、これらの藩に限らず、京都や大坂も含めた西日本全域に幅広く存在する関ヶ原の無念、あるいは、大航海時代の華やかな記憶や、みじめな失敗に終わったとはいうものの大陸雄飛の武勇談は語り継がれていった。

そして、西南雄藩は、天下泰平三〇〇年の間に近代国民国家に近いものに変身を遂げていった。「奇兵隊」を組織し「四境《しきょう》戦争（第二次長州征伐）」を領民あげた戦いで勝ち抜いた長州藩は、その極致であり、そうした遺産のもとに近代日本の国がある。

だが、その一方で、企業など様々な組織は、尾張や三河に始まった「藩」の遺風を強く残し、「武士道」も企業社会の論理としてなお脈々と現代の社会に生きているのがなんとも面白いところである。

九州の藩

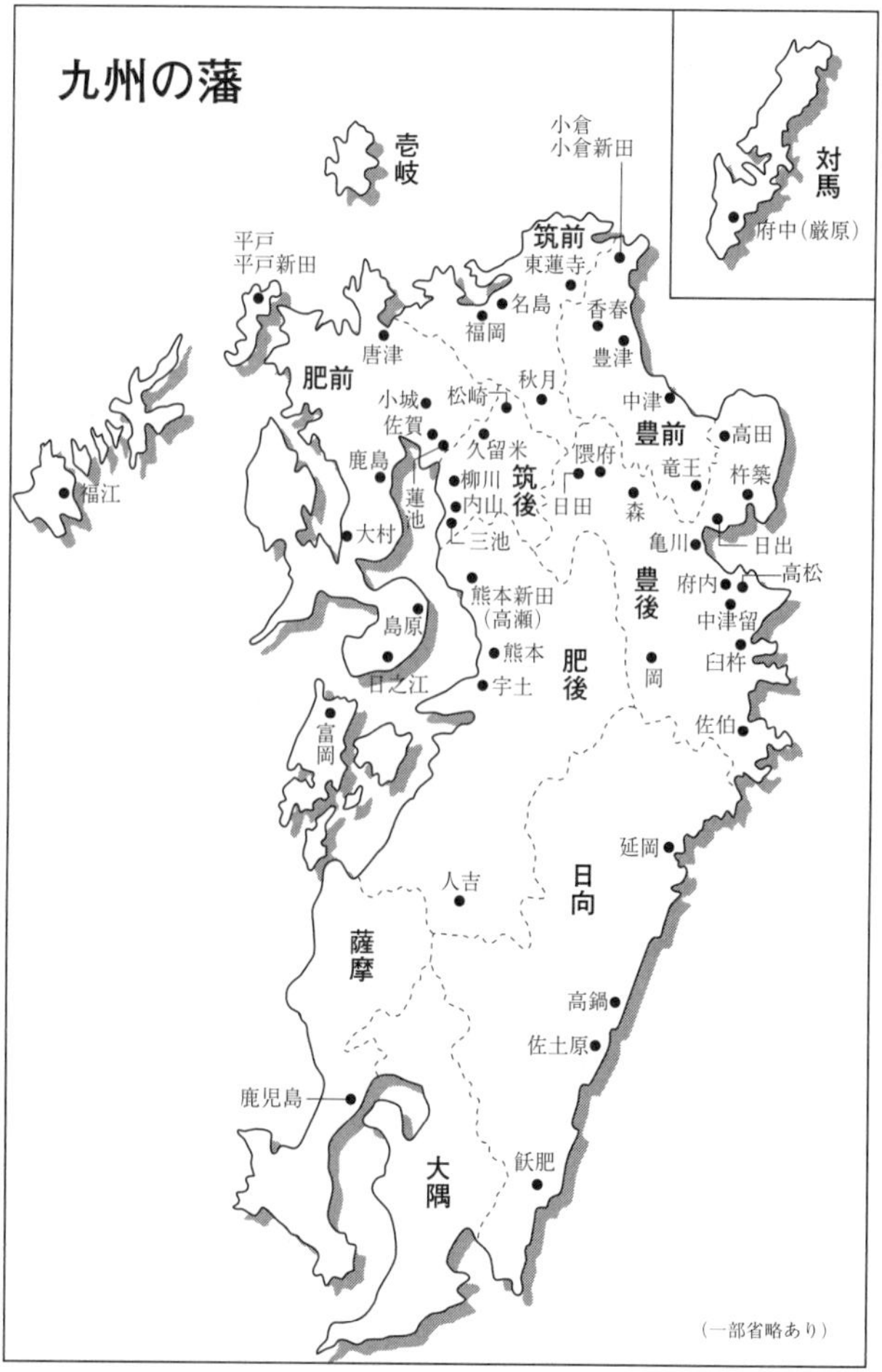

壱岐
対馬
府中(厳原)
小倉
小倉新田
筑前
東蓮寺
名島
福岡
香春
豊津
平戸
平戸新田
唐津
肥前
秋月
松崎
小城
佐賀
中津
豊前
高田
久留米
鹿島
隈府
竜王
杵築
蓮池
柳川
筑後
日田
森
内山
大村
三池
亀川
日出
福江
熊本新田
(高瀬)
府内
高松
豊後
中津留
島原
熊本
肥後
臼杵
岡
日之江
宇土
佐伯
富岡
延岡
人吉
日向
薩摩
高鍋
佐土原
鹿児島
飫肥
大隅
(一部省略あり)

関ヶ原～幕末年表

西暦	元号	将軍	出来事	西暦	元号	将軍	出来事
1600			関ヶ原戦	1748			
1603	慶長				寛延	家重	加賀騒動
		家康		1751			
1605					宝暦		
1615		秀忠	大坂の陣	1760			
1623	元和			1764			
1624					明和		
	寛永			1772		家治	田沼全盛
1639			鎖国完成		安永		
1644		家光		1781			
	正保						天明飢饉
1648					天明		
	慶安			1787			
1651				1789			
1652					寛政		寛政改革
	承応			1801			
1655					享和		
	明暦		明暦大火	1804		家斉	
1658		家綱			文化		化政文化
	万治			1818			
1661					文政		
	寛文		伊達騒動	1830			
1673					天保		
1680	延宝			1837			
1681				1844			天保改革
	天和				弘化	家慶	
1684				1848			
	貞享	綱吉	生類憐令	1853	嘉永		黒船来航
1688				1854		家定	
1702	元禄		赤穂浪士		安政		
1704				1858			
1709	宝永			1860			桜田門外
1711		家宣	正徳の治		万延		
1712				1861			
	正徳	家継	江島事件		文久	家茂	
1716				1864			蛤御門変
	享保		享保改革		元治		
1736				1865			
	元文			1866			
1741		吉宗		1867	慶応	慶喜	大政奉還
	寛保			1868			戊辰戦争
1744					明治		
1745	延享						

—や—

—ら—

—わ—

索引の藩祖については20ページ「本書の見方」参照

本多忠利《ただとし》……… 210
本多忠朝《ただとも》……… 208
本多忠寛《ただひろ》……… 211
本多忠統《ただむね》……… 211
本多忠以《ただもち》……… 210
本多忠義《ただよし》……… 210
本多利朝《としとも》……… 80
本多成重《なりしげ》……… 212
本多紀貞《のりさだ》……… 214
本多正重《まさしげ》……… 212
本多正純《まさずみ》……… 212
本多政利《まさとし》……… 209
本多政信《まさのぶ》……… 209
本多正信《まさのぶ》……… 212
本多康重《やすしげ》……… 214
本多康俊《やすとし》……… 211

—ま—

蒔田《まいた》広定《ひろさだ》……… 123
前田《まえだ》玄以《げんい》……… 67
前田茂勝《しげかつ》……… 67
前田利家《としいえ》……… 61
前田利孝《としたか》……… 67
前田利次《としつぐ》……… 65
前田利治《としはる》……… 65
前田利政《としまさ》……… 62
前田利昌《としまさ》……… 67
牧野《まきの》忠泰《ただひろ》……… 256
牧野成貞《なりさだ》……… 256
牧野信成《のぶしげ》……… 257
牧野康成《やすなり》……… 255
牧野康成《やすなり》……… 256
増田《ました》長盛《ながもり》……… 129
増山《ますやま》正利《まさとし》……… 269
松倉《まつくら》重政《しげまさ》……… 96
松下《まつした》重綱《しげつな》……… 118
松平家清《いえきよ》……… 163
松平家信《いえのぶ》……… 163
松平家乗《いえのり》……… 168
松平一生《かずなり》……… 170
松平勝隆《かつたか》……… 164
松平勝以《かつゆき》……… 245
松平清道《きよみち》……… 255
松平清元《きよもと》……… 190
松平定綱《さだつな》……… 245
松平定房《さだふさ》……… 247
松平定政《さだまさ》……… 247
松平重勝《しげかつ》……… 163
松平重則《しげのり》……… 164
松平隆政《たかまさ》……… 196
松平忠明《ただあきら》……… 253
松平忠輝《ただてる》……… 164
松平忠利《ただとし》……… 168
松平忠尚《ただなお》……… 255
松平忠晴《ただはる》……… 171
松平忠昌《ただまさ》……… 195
松平忠吉《ただよし》……… 172
松平忠吉《ただよし》……… 182
松平忠頼《ただより》……… 171
松平知清《ちかきよ》……… 197
松平近栄《ちかよし》……… 196
松平直堅《なおかた》……… 195
松平直政《なおまさ》……… 195
松平直基《なおもと》……… 196
松平直良《なおよし》……… 197
松平信興《のぶおき》……… 167
松平信一《のぶかず》……… 171
松平信清《のぶきよ》……… 270
松平信綱《のぶつな》……… 164
松平信孝《のぶなり》……… 170
松平信通《のぶみち》……… 171
松平乗次《のりつぐ》……… 169
松平乗政《のりまさ》……… 169
松平秀康《ひでやす》……… 191
松平昌勝《まさかつ》……… 195
松平昌親《まさちか》……… 195
松平正綱《まさつな》……… 167
松平康重《やすしげ》……… 172
松平康元《やすもと》……… 244
松平吉透《よしとお》……… 196
松平義昌《よしまさ》……… 185

中江直澄《なかえなおずみ》……… 143
中川秀成《なかがわひでなり》……… 148
中村一忠《なかむらかずただ》……… 118
中山信吉《なかやまのぶよし》……… 297
那須資景《なすすけかげ》……… 298
長束正家《なつかまさいえ》……… 60
鍋島忠茂《なべしまただしげ》……… 334
鍋島直茂《なおしげ》……… 333
鍋島直澄《なおずみ》……… 334
鍋島元茂《もとしげ》……… 334
成田氏長《なりたうじなが》……… 296
成瀬正成《なるせまさなり》……… 235
成瀬之成《ゆきなり》……… 235
南条忠成《なんじょうただなり》……… 157
南部利直《なんぶとしなお》……… 309
南部信鄰《のぶちか》……… 309
南部信房《のぶふさ》……… 309
仁賀保挙誠《にかほたかのぶ》……… 317
西尾光教《にしおみつのり》……… 248
西尾吉次《よしつぐ》……… 248
丹羽氏次《にわうじつぐ》……… 77
丹羽長重《ながしげ》……… 57
丹羽長正《ながまさ》……… 57
禰津信政《ねづのぶまさ》……… 285

—は—

長谷川守知《はせがわもりとも》……… 149
蜂須賀家政《はちすかいえまさ》……… 116
蜂須賀隆重《たかしげ》……… 116
早川長政《はやかわながまさ》……… 142
林忠英《はやしただふさ》……… 284
速水守久《はやみもりひさ》……… 134
原勝胤《はらかつたね》……… 92
土方雄氏《ひじかたかつうじ》……… 94
土方雄久《かつひさ》……… 94
一橋宗尹《ひとつばしむねただ》……… 181
一柳直家《ひとつやなぎなおいえ》……… 123
一柳直盛《なおもり》……… 123
一柳直頼《なおより》……… 123
日根野弘就《ひねのひろなり》……… 91
日根野吉明《よしあきら》……… 91
平岩親吉《ひらいわちかよし》……… 220
平岡道弘《ひらおかみちひろ》……… 144
平岡頼勝《よりかつ》……… 143
平塚為広《ひらつかためひろ》……… 124
福島高晴《ふくしまたかはる》……… 113
福島正則《まさのり》……… 112
福原直高《ふくはらなおたか》……… 142
藤田信吉《ふじたのぶよし》……… 277
古田織部《ふるたおりべ》……… 92
古田重勝《しげかつ》……… 93
別所吉治《べっしょよしはる》……… 149
北条氏勝《ほうじょううじかつ》……… 295
北条氏盛《うじもり》……… 294
保科正貞《ほしなまささだ》……… 280
保科正光《まさみつ》……… 278
細川興元《ほそかわおきもと》……… 147
細川忠興《ただおき》……… 146
細川利重《とししげ》……… 147
細川行孝《ゆきたか》……… 147
堀田正高《ほったまさたか》……… 266
堀田正俊《まさとし》……… 266
堀田正虎《まさとら》……… 268
堀田正英《まさひで》……… 268
堀田正盛《まさもり》……… 265
堀親良《ほりちかよし》……… 83
堀利重《とししげ》……… 83
堀直景《なおかげ》……… 84
堀直重《なおしげ》……… 84
堀直時《なおとき》……… 84
堀直寄《なおより》……… 84
堀秀治《ひではる》……… 83
堀内氏善《ほりうちうじよし》……… 97
堀尾吉晴《ほりおよしはる》……… 119
本郷泰固《ほんごうやすかた》……… 148
本庄道章《ほんじょうみちあきら》……… 270
本庄宗資《むねすけ》……… 270
本多勝行《ほんだかつゆき》……… 209
本多忠勝《ただかつ》……… 208
本多忠純《ただすみ》……… 212
本多忠周《ただちか》……… 210

宗義智《そうよしとし》……339
相馬利胤《そうまとしたね》……318

—た—

多賀秀種《たがひでたね》……84
高木正次《たかぎまさつぐ》……244
高木盛兼《もりかね》……93
高田治忠《たかだはるただ》……140
多賀谷重経《たがやしげつね》……300
滝川雄利《たきがわかつとし》……94
武田信吉《たけだのぶよし》……186
武田信吉《のぶよし》……276
竹中重利《たけなかしげとし》……88
竹腰正信《たけのこしまさのぶ》……271
建部政長《たけべまさなが》……137
立花種次《たちばなたねつぐ》……332
立花宗茂《むねしげ》……330
伊達秀宗《だてひでむね》……322
伊達政宗《まさむね》……319
伊達宗勝《むねかつ》……323
伊達宗純《むねずみ》……322
伊達村和《むらより》……323
田中吉政《たなかよしまさ》……130
谷衛友《たにもりもと》……140
田沼意次《たぬまおきつぐ》……272
田丸具安《たまるともやす》……94
田村宗良《たむらむねよし》……323
田安宗武《たやすむねたけ》……181
長曽我部盛親《ちょうそかべもりちか》……346
津軽親足《つがるちかたり》……312
筑紫広門《つくしひろかど》……329
津田信成《つだのぶなり》……55
土屋数直《つちやかずなお》……277
土屋忠直《ただなお》……276
筒井定次《つついさだつぐ》……96
筒井定慶《さだよし》……96
寺沢広高《てらさわひろたか》……122
寺田光吉《てらだみつよし》……150
寺西是成《てらにしこれなり》……59
寺西直次《なおつぐ》……59
土井利勝《どいとしかつ》……241
土井利直《としなお》……242
土井利長《としなが》……242
土井利房《としふさ》……242
藤堂高虎《とうどうたかとら》……138
藤堂高通《たかみち》……138
遠山友政《とおやまともまさ》……91
戸川逵安《とがわみちやす》……159
土岐定義《ときさだよし》……89
徳川家康《とくがわいえやす》……173
徳川忠長《ただなが》……176
徳川綱重《つなしげ》……176
徳川綱吉《つなよし》……176
徳川義直《よしなお》……184
徳川頼宣《よりのぶ》……178
徳川頼房《よりふさ》……186
徳永寿昌《とくながながまさ》……76
戸沢政盛《とざわまさもり》……316
戸田一西《とだかずあき》……250
戸田氏成《うじしげ》……251
戸田重政《しげまさ》……118
戸田尊次《たかつぐ》……250
戸田忠利《ただとし》……250
戸田忠至《ただゆき》……250
戸田康長《やすなが》……250
富田信高《とみたのぶたか》……137
豊臣秀頼《とよとみひでより》……103
鳥居忠政《とりいただまさ》……223
鳥居成次《なりつぐ》……223

—な—

内藤清成《ないとうきよなり》……228
内藤忠重《ただしげ》……229
内藤信成《のぶなり》……227
内藤正勝《まさかつ》……229
内藤政亮《まさすけ》……227
内藤政長《まさなが》……227
内藤政晴《まさはる》……227
永井直勝《ながいなおかつ》……248
永井直清《なおきよ》……249
永井尚庸《なおつね》……249

木下《きのした》家定《いえさだ》……104
木下勝俊《かつとし》……104
木下重堅《しげかた》……134
木下利房《としふさ》……104
木下延俊《のぶとし》……106
木下頼継《よりつぐ》……134
木村《きむら》秀望《ひでもち》……148
木村由信《よしのぶ》……131
木村吉清《よしきよ》……148
京極《きょうごく》　高次《たかつぐ》……125
京極高知《たかとも》……126
京極高通《たかみち》……126
京極高通《たかみち》……127
京極高三《たかみつ》……127
九鬼《くき》隆季《たかすえ》……97
九鬼守隆《もりたか》……97
久世《くぜ》広之《ひろゆき》……230
朽木《くつき》稙綱《たねつな》……136
熊谷《くまがや》直陳《なおのぶ》……142
黒田《くろだ》高政《たかまさ》……156
黒田直邦《なおくに》……297
黒田長興《ながおき》……156
黒田長清《ながきよ》……156
黒田長政《ながまさ》……154
桑山《くわやま》清晴《きよはる》……124
桑山重晴《しげはる》……124
桑山元晴《もとはる》……124
小出《こいで》三尹《みつまさ》……111
小出吉親《よしちか》……111
小出吉政《よしまさ》……110
高力《こうりき》忠房《ただふさ》……232
五島《ごとう》玄雅《はるまさ》……338
小西《こにし》行長《ゆきなが》……141
小早川《こばやかわ》秀秋《ひであき》……352
小早川秀包《ひでかね》……352
小堀《こぼり》遠 州《えんしゅう》……130
近藤《こんどう》秀用《ひでもち》……264

—さ—

三枝《さえぐさ》守昌《もりまさ》……237
西郷《さいごう》正員《まさかず》……271
斎村《さいむら》政弘《まさひろ》……151
酒井《さかい》家次《いえつぐ》……201
酒井重澄《しげすみ》……90
酒井忠交《ただかた》……206
酒井忠国《ただくに》……206
酒井忠稠《ただしげ》……206
酒井忠恒《ただつね》……202
酒井忠解《ただとき》……202
酒井忠利《ただとし》……206
酒井忠寛《ただひろ》……206
酒井忠能《ただよし》……205
酒井直次《なおつぐ》……202
榊 原《さかきばら》康政《やすまさ》……224
坂本《さかもと》重治《しげはる》……269
相良《さがら》長毎《ながつね》……341
佐久間《さくま》勝之《かつゆき》……75
佐久間安政《やすまさ》……75
佐竹《さたけ》義都《よしくに》……302
佐竹義長《よしなが》……302
佐竹義宣《よしのぶ》……302
里見《さとみ》義高《よしたか》……297
里見義康《よしやす》……296
真田《さなだ》信重《のぶしげ》……284
真田信之《のぶゆき》……283
真田信吉《のぶよし》……284
佐野《さの》信吉《のぶよし》……299
島津《しまづ》家久《いえひさ》……344
島津以久《ゆきひさ》……345
清水《しみず》重好《しげよし》……181
新 庄《しんじょう》直忠《なおただ》……132
新庄直頼《なおより》……132
菅沼《すがぬま》定利《さだとし》……257
菅沼定仍《さだより》……257
菅沼忠政《ただまさ》……253
杉原《すぎはら》長房《ながふさ》……106
杉若《すぎわか》氏宗《うじむね》……143
諏訪《すわ》頼水《よりみず》……288
関《せき》一政《かずまさ》……95
関長政《ながまさ》……82
仙石《せんごく》秀久《ひでひさ》……122

井上政重《いのうえまさしげ》……231
井上正長《まさなが》……232
井上正就《まさなり》……231
岩城貞隆《いわきさだたか》……319
上杉景勝《うえすぎかげかつ》……290
上杉勝周《かつちか》……293
上田重安《うえだしげやす》……59
植村家政《うえむらいえまさ》……220
植村忠朝《ただとも》……220
浮田詮家《うきたあきいえ》……158
宇喜多秀家《うきたひでいえ》……158
氏家行継《うじいえゆきつぐ》……88
氏家行広《ゆきひろ》……88
宇多忠頼《うだただより》……129
内田正信《うちだまさのぶ》……264
遠藤慶隆《えんどうよしたか》……92
大浦為信《おおうらためのぶ》……311
大岡忠相《おおおかただすけ》……272
大岡忠光《ただみつ》……272
大久保忠佐《おおくぼただすけ》……217
大久保忠高《ただたか》……217
大久保忠隣《ただちか》……216
大久保忠常《ただつね》……216
大久保教寛《のりひろ》……217
大島光義《おおしまみつよし》……59
大須賀忠政《おおすがただまさ》……226
大関資増《おおぜきすけます》……298
太田資宗《おおたすけむね》……295
太田宗隆《むねたか》……142
大谷吉継《おおたによしつぐ》……133
大田原晴清《おおたわらはるきよ》……298
大友義統《おおともよしむね》……330
大村純忠《おおむらすみただ》……337
小笠原真方《おがさわらさねかた》……286
小笠原忠真《ただざね》……286
小笠原忠知《ただとも》……286
小笠原信之《のぶゆき》……286
小笠原秀政《ひでまさ》……285
小笠原吉次《よしつぐ》……286
岡部長盛《おかべながもり》……262
岡本重政《おかもとしげまさ》……76
小川祐忠《おがわすけただ》……140
奥平家昌《おくだいらいえまさ》……252
奥山正之《おくやままさゆき》……59
織田尚長《なおなが》……54
織田長孝《おだながたか》……54
織田長政《ながまさ》……54
織田長益《ながます》……54
織田信雄《のぶかつ》……53
織田信包《のぶかね》……54
織田信重《のぶしげ》……54
織田信良《のぶよし》……53
織田秀雄《ひでかつ》……53
織田秀信《ひでのぶ》……53
小野木重次《おのぎしげつぐ》……143
小野寺義道《おのでらよしみち》……317

—か—

加々爪直澄《かがづめなおずみ》……264
蠣崎慶広《かきざきよしひろ》……313
垣見一直《かきみかずなお》……142
垣屋恒総《かきやつねふさ》……149
糟谷宗孝《かすやむねたか》……150
片桐且元《かたぎりかつもと》……133
片桐貞隆《さだたか》……133
加藤明利《かとうあきとし》……120
加藤清正《きよまさ》……113
加藤貞泰《さだやす》……121
加藤直泰《なおやす》……121
加藤嘉明《よしあき》……119
金森長近《かなもりながちか》……89
金森長光《ながみつ》……90
加納久通《かのうひさみち》……271
亀井茲矩《かめいこれのり》……157
蒲生秀行《がもうひでゆき》……135
河尻直次《かわじりなおつぐ》……75
岸田忠氏《きしだただうじ》……96
木曾義昌《きそよしまさ》……288
喜多見重政《きたみしげまさ》……296
吉川広家《きつかわひろいえ》……351
喜連川国朝《きつれがわくにとも》……298

江戸全大名藩祖50音順索引

—あ—

青木《あおき》一重《かずしげ》……111
青木一矩《かずのり》……111
青山《あおやま》忠成《ただなり》……219
青山宗勝《むねかつ》……59
青山幸成《よしなり》……219
赤座《あかざ》直保《なおやす》……60
赤松《あかまつ》義祐《よしすけ》……151
秋田《あきた》実季《さねすえ》……315
秋月《あきづき》種長《たねなが》……328
秋元《あきもと》長朝《ながとも》……301
浅野《あさの》長賢《ながかた》……108
浅野長重《ながしげ》……108
浅野長治《ながはる》……108
浅野幸長《よしなが》……107
阿部《あべ》忠秋《ただあき》……222
安部《あべ》信盛《のぶもり》……263
阿部正次《まさつぐ》……221
阿部正春《まさはる》……221
阿部正能《まさよし》……222
天野《あまの》康景《やすかげ》……232
有馬《ありま》氏倫《うじのり》……153
有馬豊氏《とようじ》……151
有馬豊祐《とよすけ》……153
有馬晴信《はるのぶ》……336
安国寺《あんこくじ》恵瓊《えけい》……353
安藤《あんどう》重信《しげのぶ》……229
安藤直次《なおつぐ》……229
井伊《いい》直勝《なおかつ》……260
井伊直定《なおさだ》……260
井伊直政《なおまさ》……258
池田《いけだ》清定《きよさだ》……73
池田重利《しげとし》……73
池田忠雄《ただかつ》……70
池田忠継《ただつぐ》……68
池田恒元《つねもと》……72
池田輝興《てるおき》……70
池田輝澄《てるずみ》……70
池田輝録《てるとし》……72
池田輝政《てるまさ》……68
池田仲澄《なかずみ》……73
池田長吉《ながよし》……70
池田秀氏《ひでうじ》……136
池田政言《まさこと》……72
池田政綱《まさつな》……70
生駒《いこま》親正《ちかまさ》……74
石川《いしかわ》貞清《さだきよ》……141
石川貞通《さだみち》……142
石川総長《ふさなが》……218
石川康勝《やすかつ》……218
石川康長《やすなが》……218
石川康通《やすみち》……218
石川頼明《よりあき》……150
石田《いしだ》正澄《まさずみ》……129
石田正継《まさつぐ》……128
石田三成《みつなり》……127
板倉《いたくら》勝重《かつしげ》……233
板倉重形《しげかた》……234
板倉重宣《しげのぶ》……234
板倉重昌《しげまさ》……234
伊丹《いたみ》康勝《やすかつ》……263
市橋《いちはし》長勝《ながかつ》……85
伊東《いとう》祐慶《すけのり》……340
伊東長実《ながざね》……85
伊藤《いとう》盛正《もりまさ》……123
伊奈《いな》忠次《ただつぐ》……235
稲垣《いながき》重定《しげさだ》……236
稲垣長茂《ながしげ》……235
稲葉《いなば》貞通《さだみち》……86
稲葉正 明《まさあきら》……88
稲葉正成《まさなり》……87
稲葉正休《まさやす》……88
稲葉通重《みちしげ》……86
稲葉通孝《みちたか》……87
稲葉道通《みちとお》……86

参考文献

この本の性格上、参考文献はきわめて多数ですべてを書き出すことは不可能だが、とくに以下のものを基本文献として使用した。

『日本史諸家系図人名辞典』（講談社）
『徳川大名改易録』（須田茂・崙書房出版）
『月刊歴史読本臨時増刊　江戸大名家誕生物語』（新人物往来社）
『別冊歴史読本85　江戸三百藩藩主列伝』（新人物往来社）
『別冊歴史読本24　江戸三百藩藩主総覧』（新人物往来社）

そのほかに以下の文献はたいへん参考になった。

『三百諸侯』（戸川残花著・桑田忠親監修・新人物往来社）
『藩史事典』（藩史研究会・秋田書店）
『物語藩史』（児玉幸多・北島正元編・人物往来社）
『織田信長総合事典』（岡田正人・雄山閣出版）
『江戸城の宮廷政治』（山本博文・講談社文庫）

以下は拙著であるが、参考までに記しておく。

『江戸300藩　県別うんちく話』（講談社＋α文庫）
『江戸三〇〇藩　最後の藩主』（光文社新書）
『葵の呪縛』（同朋舎・角川書店）

本書は当文庫のための書き下ろしです。

八幡和郎―1951年、滋賀県大津市に生まれる。東京大学法学部卒業。フランス国立行政学院（ENA）留学。国土庁長官官房参事官、通商産業省大臣官房情報管理課長などを経て、評論家、テレビコメンテーター、徳島文理大学大学院教授。現実の政治や経済についての豊富な経験から歴史の謎を鋭くユニークに分析する。
著書には、『江戸三〇〇藩 最後の藩主――うちの殿さまは何をした？』（光文社新書）、『図解雑学 性格がわかる！県民性』（ナツメ社）、『47都道府県うんちく事典――県の由来からお国自慢まで』（PHP文庫）、『逃げるな、父親――小学生の子を持つ父のための17条』（中公新書ラクレ）、『江戸300藩 県別うんちく話』（講談社＋α文庫）などがある。
●八幡和郎ホームページ
http://www.yawata48.com

講談社＋α文庫 江戸《えど》の殿《との》さま 全《ぜん》600家《け》
――創業も生き残りもたいへんだ
八《や》幡《わた》和《かず》郎《お》

2004年8月20日第1刷発行
2004年9月10日第2刷発行
発行者――野間佐和子
発行所――株式会社 講談社
東京都文京区音羽2-12-21 〒112-8001
電話 出版部(03)5395-3529
販売部(03)5395-5817
業務部(03)5395-3615
デザイン――鈴木成一デザイン室
本文組版――朝日メディアインターナショナル株式会社
カバー印刷――凸版印刷株式会社
印刷――慶昌堂印刷株式会社
製本――有限会社中澤製本所
落丁本・乱丁本は購入書店名を明記のうえ、小社書籍業務部あてにお送りください。
送料は小社負担にてお取り替えします。
なお、この本の内容についてのお問い合わせは
生活文化第二出版部あてにお願いいたします。
Printed in Japan ISBN4-06-256869-1
定価はカバーに表示してあります。

講談社+α文庫 Ⓔ歴史

マンガ 禅の思想
蔡志忠・作画 和田武司・訳 野末陳平・監修
悟りとは、無とは!? アタマで理解しようと力《りき》まず、気楽に禅に接するための一冊!!
780円 E 5-8

＊**マンガ 孟子《もうし》・大学《だいがく》・中庸《ちゅうよう》の思想**
蔡志忠・作画 和田武司・訳 野末陳平・監修
政治・道徳・天道観など、中国の儒教思想の源流を比喩《ひゆ》や寓話《ぐうわ》、名言で導く必読の書!!
680円 E 5-9

＊**完全 東海道五十三次ガイド**
東海道ネットワークの会
いまなお残る〈五十三次〉の旅を愉しめる、親切かつ生きた知識を満載した完全ガイド!
951円 E 8-1

吉村作治の古代エジプト講義録㊤
吉村作治
ピラミッドは墓か? ミイラのはじまりは? 独自の視点で展開する大王朝四千年の興亡史
854円 E 9-1

吉村作治の古代エジプト講義録㊦
吉村作治
権力争い、名誉欲などの人間ドラマが演じられた大王朝。繁栄の頂点から崩壊までの過程
854円 E 9-2

大ピラミッド 新たなる謎
吉村作治
自分の目で確かめ、調査をしながら解き明かす疑問・矛盾。王墓説を覆す吉村新説とは!?
680円 E 9-3

トイレで笑える雑学の本
プランニングOM〈オム〉編
ついトイレが長くなる話のタネ満載の一冊。古今東西、歴史の裏側から集めた笑える百話
680円 E 10-1

怖くて読めない英国王室残酷物語
渡辺みどり
可愛さあまって憎さ百倍! 愛した妻の首も平気ではねる英国王室の愛憎渦巻く怖い歴史
580円 E 19-1

＊**江戸300藩 県別うんちく話**
八幡和郎
300藩の成り立ちから名所旧跡まで網羅!! 江戸を知り、日本を理解し、故郷の藩を想う!!
740円 E 35-1

＊**江戸の殿さま 全600家 創業も生き残りもたいへんだ**
八幡和郎
消えた300藩と残った300藩を追いかけてみると、意外な人間ドラマが見えてくる!!
743円 E 35-2

＊印は書き下ろし・オリジナル作品

表示価格はすべて本体価格(税別)です。本体価格は変更することがあります